www.gbbook.co.kr

자동차 튜닝 학습서 Ⅲ

Automobile tuning workbook

전기장치 & 내외장 튜닝

(사)한국자동차튜닝산업협회 편찬위원회
KOREA AUTO TUNING INDUSTRY ASSOCIATION

GoldenBell

p·r·e·f·a·c·e

머리말

자동차는 이제 단순한 이동 수단이 아닌 '움직이는 생활공간'으로 바뀌고 있다. 하지만 자동차의 제작 공정상 개인의 취향이나 개성에 따른 나만의 차를 제작하기는 쉽지 않다. 이에 일반 양산차를 자동차의 성능, 디자인, 편의성 등의 개조를 통한 나만의 개성이 강한 차로 개조하는가 하면, 일반 양산차에 숨어있는 기능을 업그레이드시켜 안전하고 친환경 요소를 강조하는 등의 특화된 작업을 자동차튜닝이라 할 수 있다.

이렇듯 자동차튜닝은 개성을 강화시키고 자동차 문화를 풍부하게 하면서 실과 바늘의 관계인 모터스포츠 분야로의 활성화까지 촉진시키는 숨어있는 먹거리의 기능으로 자동차의 질적인 측면을 강조하는 분야인 것이다.

정부에서는 이러한 자동차 튜닝산업의 가능성을 보고 2013년 국가적인 차원에서 수면 위로 올리고 나름 여러모로 노력하였으나 정부부처의 알력이나 잘못된 움직임으로 피부로 느낄 만큼의 가시적인 효과를 내지 못한 것은 매우 아쉽다고 할 수 있다. 하지만 한국자동차튜닝산업협회를 기반으로 자동차튜닝 발전에 가시적인 결과도 도출하였다.

첫째 자동차 튜닝분야의 산업 분류 체계를 서비스 분야가 아닌 제조업 분야로 일구어 황무지를 개간하는 역할을 충실히 하였다는 것이다. 제조업 분야의 분류는 서비스업과 달리 수십 가지가 다를 정도로 잇점이 크다. 당장 사용하는 전기에너지를 산업용으로 활용 가능하고 필요하면 해외의 인력을 활용할 수 있는 등 다양성 측면에서 서비스업종 분류와 비교가 되지 않는 장점을 지니고 있기 때문이다.

둘째 자동차튜닝원이라는 직업 분류 체계를 신설하고 자동차튜닝 자격증 제도를 시행하였다는 것이다. 튜닝 자격증은 불법적인 자동차 튜닝의 이미지를 수면 위로 올려 자동차튜닝 종사자를 체계적으로 관리하고 정당한 기술인으로 인정받게 하는 역할을 하기 때문이다.

셋째 자동차튜닝 관련 튜닝산업법안 추진에 따른 튜닝활성화 노력을 들 수 있다. 각종 불합리한 규제와 규정에 묶여 튜닝 선진국에 비해 보잘 것 없는 규모를 보이는 우리 튜닝산업을 안전과 환경 문제을 제외한 규제와 규정을 해소함으로써 보다 활성화된 산업으로 발전시킬 기본 조건을 마련하고 있다는 것이다.

그 외 각종 튜닝 관련 세미나는 물론 전국 지자체의 튜닝단지 활성화와 산학협약을 통한 튜닝전문 인력 양성 등 튜닝산업 활성화에 노력하여 이제 그 결과를 가시적으로 이루어나가고 있다.

자동차튜닝의 미래는 밝다. 물론 수년 간 불모지였고 부정적인 시각과 제도가 자리매김하였던 만큼 단기간에 활성화는 쉽지 않으리라 짐작한다. 하지만 이제 그 간의 노력으로 이루어지고 있는 결과들이 가시적으로 보이기 시작하고, 부정적으로만 바라보던 튜닝에 대한 일반인의 인식도 주변에서 흔하게 보이기 시작한 캠핑카, 푸드트럭, 장애인차 그리고 친환경 저공해차량 개조에 이르는 눈으로 확인할 수 있는 튜닝차량으로 인해 튜닝이 일상과 밀접한 관계임을 인식하기 시작하고 있으며 이모든 것이 본격적인 튜닝의 미래로 자리 잡아 먹거리가 될 것이다.

국내 자동차 튜닝산업 활성화는 아직도 진행형인 만큼 인내를 가지고 기다리면 우리가 동경하는 튜닝 선진국의 모습이 우리의 모습이 될 것이다.

2019년 6월

c·o·n·t·e·n·t·s

차례

CHAPTER 1

자동차 전기장치 튜닝

1-1 자동차 전기장치 튜닝 개론

01. 자동차 통신(네트워크) 개요 — 02

1. 통신이란? — 02
2. 자동차 전기·전자제어의 등장 — 03
3. 자동차에 통신을 사용하게 된 이유 — 04
4. 자동차 통신 시스템의 장점 — 08
5. 자동차 ECU의 정보 공유 — 08
6. 자동차용 네트워크 — 08
7. 통신의 종류 — 10

02. 자동차용 네트워크 구성 — 18

1. LAN 통신 — 18
2. LIN 통신 — 19
3. K- line 통신개요 — 20
4. KWP 2000 통신 개요 — 21
5. CAN 통신 개요 — 21

03. 자동차 바디전장 시스템 개요 — 29

1. 바디 전기·전자장치 개요 — 29
2. 통합형 게이트웨이 모듈 — 29
3. CGW — 30
4. 입·출력 블록 다이어그램 — 35
5. 서비스 가이드 — 37

04. 바디컨트롤 모듈(BCM) 개요 — 38

1. BCM 개요 — 38
2. 입출력 블록 다이어그램 — 38
3. 바디 컨트롤의 주요기능 — 39

05. 스마트 정션박스(SJB) 개요 — 46

1. SJB 개요 — 46
2. 시스템 블록 다이어그램 — 47
3. 주요기능 및 특징 — 48
4. 스위치 제어 블록 다이어그램 — 48
5. 내부 릴레이 제어 기능 — 48
6. 외부 릴레이 제어 기능 — 49
7. IPS 램프제어 기능 — 50
8. Door Zone Architecture — 51
9. 페일세이프 기능 제어 — 53
10. 정션박스 기능을 수행하기 위한 입출력 요소 사항 — 54
11. 램프 보호 기능 — 55
12. 암 전류 자동 차단장치 — 55

06. 통합 바디컨트롤 모듈(IBU) 개요 — 57

1. IBU 개요 — 57
2. 파워윈도우 제어 기능 — 57

1-2 자동차 전기장치 튜닝 계획

01. 오디오 장치 — 68

1. 소리의 성질 — 68
2. 소리의 3요소 — 68
3. 음색 : 음의 특성 — 69
4. 하스 효과 — 70
5. 오디오 장치 구성 — 70

02. 전조등 — 78

1. 전조등 관련 법규 — 78
2. 전조등 규격 — 78
3. LED — 79

1-3 자동차 전기장치 튜닝 장착

01. 오디오 장치 점검하기 — 81

1. 회로도 분석 — 81
2. 커넥터 — 82
3. 와이어 색상 — 83
4. 하니스 기호 — 83
5. 커넥터 식별 번호 — 84

02. 카오디오 조립·장착하기 — 85

03. 전조등 조립·장착하기 — 86

1. LED 전조등 전력 확인하기 — 86
2. 전조등 전류 확인하기 — 86
3. 전조등 퓨즈 용량 확인하기 — 87
4. LED 전조등 선택하기 — 88
5. LED 전조등 장착하기 — 91
6. 타사의 LED 전조등 장착할 경우 — 92
7. 전조등 소비전류에 따른 퓨즈 교환 — 92

1-4 자동차 전기장치 튜닝 시험

01. LED 전조등 시험하기 — 93

02. LED 전조등 시험기의 종류 — 94

03. LED 전조등 시험, 검사 — 94

04. 전기장치 점검 순서 — 95

05. 전기장치 전압 테스트 — 96

06. 전기장치 통전 테스트 — 97

07. 접지 단락 테스트 — 98

CHAPTER 2

자동차 안전편의장치 튜닝

2-1 자동차 안전편의장치 튜닝 개론

01. 자동차 주행 안전장치 개요 — 100

1. 차선 이탈 경보 및 차선유지 보조 장치 100
2. LKAS (차선유지 보조 기능) — 101
3. DAA (부주의 운전경보 기능) — 103
4. 자동 긴급 제동(AEB) 시스템 — 104
5. 후 측방 경보 시스템 — 104
6. SBSD 후 측방 충돌 회피 지원 시스템 108

02. 편의 장치 개요 — 109

1. 공조 장치 — 109
2. 와이퍼 장치 제어 — 113
3. 외장램프 제어 — 115
4. 핸들 열선 제어 — 115
5. 송풍 시트 제어 — 116
6. 무선충전 시스템 — 117

2-2 자동차 안전편의장치 튜닝 계획

01. 초음파 센서 튜닝 계획 — 119

1. 초음파 — 119
2. 초음파 센서 — 120

02. 내비게이션 튜닝 계획 — 122

1. 내비게이션 시스템의 요소기술 — 122
2. 기타 내비게이션 관련 기술 — 124
3. AVM 시스템 기술 — 125

03. 블랙박스 튜닝 계획 132
1. 채널수 133
2. 해상도 134
3. 센서화소수 134
4. 동영상 프레임 134
5. 모니터의 크기 135
6. 시야각 135
7. GPS 135
8. 녹화방식 135
9. 메모리 용량 136
10. 고온 보호 기능 137
11. 기타 사항 137
12. 지능형 운전자 보조 시스템 ADAS기술 138

2-3 자동차 안전편의장치 튜닝 장착

01. 초음파 장치 튜닝 장착 140
1. 범퍼 매립 140
2. 감지거리 및 감지각도 141
3. 초음파 장치 전원 142
4. 제작 142
5. 초음파 장치 튜닝 장착 143
6. 컨트롤러 설치 143
7. 디스플레이 박스 장착 144

02. 내비게이션 튜닝 장착 144
1. 전원 연결 144
2. 장착위치 설정과 배선 144
3. 사양 및 부품 확인 145
4. 공구 준비 146
5. 전용 마감재에 모듈 조립 146
6. 내비게이션 매립 147
7. 후방카메라 장착 147
8. DMB 안테나 장착 147
9. 배선 연결 147

03. 블랙박스 튜닝 장착 148
1. 전원 연결 148
2. 설치 위치 선정 148
3. 부품 확인 149
4. 사양 확인 150
5. 공구 준비 150
6. 전방 150
7. 후방 녹화카메라 장착 150
8. 본체와 후방카메라 배선 연결 150
9. 본체 전원선 연결 150

2-4 자동차 안전편의장치 튜닝 시험

01. 초음파 장치 튜닝 시험 151
02. 내비게이션 튜닝 시험 152
03. 블랙박스 튜닝 시험 154

CHAPTER 3
자동차 내외장 튜닝 (카 케어)

3-1 내외장 튜닝 자동차 광택

01. 자동차 도장면의 구조 157
02. 자동차 도장 면을 손상시키는 원인 158
03. 광택작업이 이루어지는 한계 160
04. 보수도장 시 광택작업을 해야 하는 경우 161
05. 광택장비 및 재료 161
1. 광택기란? 161
2. 광택기의 구성도 162
3. 광택기의 종류 162
4. 광택패드의 종류 163

5. 광택패드의 보관방법 ─── 165
6. 광택제의 종류 ─── 166
7. 광택 시공에 필요한 부자재 ─── 167
8. 광택 조명 ─── 167

06. 광택 작업 방법 ─── 168

1. 작업순서와 방법의 준비 ─── 168
2. 광택 작업 특성 ─── 168
3. 작업 후 마무리 공정 ─── 169
4. 광택 작업 시 주의사항 ─── 169
5. 광택 작업 공정 ─── 170

07. 마스킹 및 커버링 ─── 174

1. 마스킹의 목적 ─── 174
2. 마스킹 테이프 선택기준 ─── 174
3. 마스킹에 어려움을 느끼는 이유 ─── 175
4. 마스킹 테이프 ─── 175
5. 커버링 테이프 ─── 175

3-2 내외장 튜닝 도장 광택

01. 코팅의 종류 ─── 176

1. 고체왁스 ─── 176
2. 액체왁스 ─── 177
3. 유리막 코팅제 ─── 177
4. 코팅제 선택 시 유의사항 ─── 178

02. 자동차 헤드라이트 복원 및 코팅 178

1. 헤드라이트 복원을 하는 이유 ─── 178
2. 헤드라이트 복원의 종류 ─── 179
3. 헤드라이트 복원방법 ─── 180

3-3 내외장 튜닝 덴트 복원

01. 자동차의 기본 구조 ─── 183

02. 덴트 리페어 숙련을 위한 3요소 183

1. 집중력 ─── 183
2. 손과 눈의 조화 ─── 184
3. 연습 ─── 184

03. 덴트 복원 장비 ─── 185

1. 덴트스코프 ─── 185
2. 덴트로드 ─── 185

04. 덴트 복원 용어 ─── 189

1. 로드 포인트 ─── 189
2. 작업 포인트 ─── 189
3. 복원력 ─── 190
4. 탄성 범위 ─── 190
5. 피로 범위 ─── 190
6. 펀칭 ─── 191
7. 로우, 하이 ─── 191
8. 접힘(꺾임) ─── 191
9. 요요현상 ─── 191
10. 기타 용어 ─── 191

05. 글루 덴트 ─── 192

1. 글루 덴트 복원 ─── 192
2. 기본 장비 ─── 192
3. 글루 덴트 작업 순서 ─── 193
4. 글루 덴트 주의사항 ─── 195

06. 덴트 스코프 설치, 이동방법 ─── 196

1. 덴트 스코프 설치 ─── 197
2. 이동 ─── 197
3. 실습 기초 ─── 198

07. 유형별 덴트 리페어 ─── 199

1. V형 덴트 ─── 199
2. 덴트 스코프 설치 ─── 199
3. 덴트 스코프 라인 이해 ─── 199
4. 복원방법 ─── 201
5. 주의사항 ─── 202
6. 오류 작업의 예 ─── 203
7. ㅡ형 덴트 ─── 205

CHAPTER 4

자동차 내외장 필름

4-1 자동차 윈도우 틴팅

01. 윈도우 틴팅의 목적 —— 212
1. 안정성 —— 212
2. 피부보호 —— 213
3. 열차단 —— 214
4. 에너지 절감 —— 214
5. 사생활 보호 —— 214
02. 윈도우 필름의 종류 —— 215
1. 세라믹 필름 —— 215
2. 칩 다이드 필름 —— 215
3. 스퍼터 필름 —— 216
03. 윈도우 필름의 제조공정 —— 218
04. 윈도우 틴팅 시공에 필요한 도구 220
05. 윈도우 틴팅 시공 방법 —— 220
1. 측면 시공 —— 220
2. 전면/후면 시공 —— 222

4-2 자동차 랩핑

01. 랩핑의 목적과 효과 —— 224
02. 랩핑 시공 도구 —— 225
03. 랩핑 시공 방법 —— 226

4-3 자동차 보호 필름 PPF

01. 도장 보호필름의 재질과 목적 —— 227
02. PPF 시공 영역 및 시공 방법 —— 228

CHAPTER 5

자동차 실내 트림

01. 자동차 시트커버 —— 230
1. 시트커버의 교체 목적 —— 230
2. 시트커버의 종류 —— 231
3. 전동 시트 —— 233
4. 메모리 시트 —— 233
5. 냉/온 시트 —— 233
6. 시트 시공 방법 —— 234
02. 자동차 도어 트림 —— 235
1. 도어 트림 시공 방법 —— 235
03. 자동차 루프 트림 —— 237
1. 루프 트림 시공 방법 —— 238
04. 자동차 플로어 트림 —— 240
1. 플로어 트림 시공 방법 —— 240
부록 —— 242

부 록

1. (사)한국자동차튜닝산업협회 —— 02
2. 자동차튜닝업 —— 13
3. 자동차튜닝엔지니어 —— 14
4. 자동차정비업과 자동차튜닝업의 작업구분 비교 —— 20

CHAPTER 1

자동차 전기장치 튜닝

1-1 CHAPTER

자동차 전기장치 튜닝 개론

01 자동차 통신(네트워크) 개요

1 통신Communication이란?

통신이란 인간의 의사소통의 도구로서 가장 기초적인 소통 수단이다. 인류의 발달과 함께 통신도 점점 발전을 하면서 지금의 시대에는 통신이란 말 자체가 모든 일상생활에 인간과 인간의 소통은 물론이고 사물과 사물간의 통신 등 모든 것들이 통신이라는 매체를 이용하여 거대한 정보의 소통이 시작되었다. 예전에 비하여 통신의 종류와 방법들도 진화를 거듭하여 매우 빠른 속도로 대용량 정보를 주고받을 뿐만 아니라 인류의 발전에 지대한 영향을 끼치고 있다. 아울러 사회적인 문제도 발생을 하는데 대표적인 것이 개인의 정보 유출이나, 국가나 기업 등의 중요한 정보들이 무차별적인 해킹으로 입는 피해 등을 들 수 있다. 이러한 것들은 정보 통신의 발달로 인한 피해라 할 수 있다.

이러한 문제에도 불구하고 정보통신의 발전은 자동차 분야에도 많은 부분에 적용이 되고 있다. 우선 자동차 안전운행과 관련된 부분부터 적용이 되기 시작하여 현재의 자동차들은 자동차 모든 시스템에서 광범위하게 정보통신의 적용이 이루어지고 있으며 특히 무인 자동차와 하이브리드 자동차, 전기자동차 등 앞으로 통신 부분은 자동차 분야에서 더욱 더 발전을 할 것으로 예측된다.

2 자동차 전기 · 전자제어의 등장

초기 자동차에서의 전기 계통은 **엔진 점화장치**뿐 이었으며 벤츠 자동차에서는 점화장치로 배터리와 점화코일을 이용한 전기 점화장치를 사용하였다. 전기 제어가 최초로 자동차에 사용된 이유는 실린더 내에서 불꽃을 생성해 가솔린을 연소시킬 수 있었기 때문이다. 그 대표적인 것이 독일 로버트 보슈Robert Bosch 사의 저전압 전기 착화 장치의 저전압 마그넷으로 1897년부터 서서히 사용되었다. 그 다음으로 적용된 것이 헤드라이트 장치이다. 이것에는 발전기가 탑재 되었다. 초기에는 현재와 같은 교류식이 아니라 직류 발전기가 사용되었으나, 내구성이나 발전 특성 등에 문제가 있어, 더 이상 사용하지 않고 현재에는 알터네이터alternator(교류 발전기)를 사용하고 있다.

1948년에 **트랜지스터**가 AT&T사에 의하여 개발되고 1958년 ICIntegrated Circuit가 TITexas Instruments사에 의하여 개발되어 자동차용으로 안정성과 신뢰성이 확보되었다. 자동차엔진 전자제어는 1950년에서 1953년에 걸쳐 Goliath, Gutbrod 양사가 2기통 2행정 엔진에 최초로 적용하였다 1960년대에는 자동차에 전압 레귤레이터, 점화장치 등에 급속히 적용되기 시작하였다. 처음에 사용된 반도체는 이 교류 발전기를 정류하기 위한 트랜지스터다. 이발전기와 축전지battery의 조합에 의해 현재에는 당연한 일처럼 다양한 애플리케이션(전자기기)이 자동차에 탑재 되어있다.

1970년대 접어들면서 **마이크로프로세서와 CMOS**Complementary Metal Oxide Semiconductor 반도체 기술이 개발되고 미국의 자동차관련 법규제가 자동차에서 전자 제어를 활성화하는 계기가 되었다. 1976년 점화시기 제어장치로 마이크로프로세서가 최초로 적용되었으며 정밀한 제어와 엔진의 출력 성능을 향상시키게 되었다.

이 무렵 미국에서는 자동차의 배기가스 및 연료에 대하여 규제가 시작되고 이 규제조건을 충족하기 위해 엔진제어에 **마이크로컨트롤러**가 이용된 것이다. 구체적으로는 배기가스를 감소시키는 것을 목적으로 구동용 전자 회로와 센서 기술을 연대시켜 점화 타이밍과 가솔린의 분사 량을 최적화하기 위해 사용되었다. 당시에는 배출가스의 정화와 연비 및 엔진성능 향상은 상반된 관계가 있어 두 규제를 만족히는 것은 어려웠으나 마이크프로세서를 채용함으로써 최적의 점화시기 제어, 공기와 연료 혼합의 정밀한 제어, 아이들 회전 속도를 낮게 제어할 수 있게 되었다.

현재는 지금까지 역학적인 구조에 의해 구동시켜 온 장치를 **일렉트로닉스**(전자제어)화 하려는 경향이 있다. 이것에는 모터·밸브·펌프 등의 부품 외에 에어컨의 컴프레서나 엔진 밸브의 제어 장치도 포함된다.

1980년에는 디지털미터, 서스펜션, 에어컨, 오디오 등을 마이크로 컨트롤러로 제어함으로써 편리하고 안전한 운행을 할 수 있게 되었다. 2000년대에 접어들면서 미국, 독일, 일본 등 자동차선진기술을 보유한 국가들이 편리하고 안전한 운행을 위하여 IT 기술을 융합한 지능형 자동차 실현 즉 자동차 기술의 전장화에 힘을 쏟고 있다. 자동차전장 기술은 **ECU**Electronic Control Unit등의 전자장치를 자동차에 내장하여 자동차의 기능을 향상시키는 기술이다.

ECU 탑재가 자동차 전장에서 중요한 요소로서 서비스를 지능화하기 위해서는 고난이도 기술과 많은 비용이 필요하다. 고급 자동차 1대에는 100여개의 ECU가 탑재되며 ECU 소프트웨어 비용이 급격히 증가하고 있다.

3 자동차에 통신을 사용하게 된 이유

자동차의 기술은 자동차의 성능 및 안전에 대한 소비자들의 기대심리에 따라 안락함과 안전성 제조사의 상품개발에 따른 각종 편의 장치들과 각국의 환경규제에 따른 배출가스관련 저감 요구로 하이브리드 자동차와 전기자동차 수소연료전지차등 **친환경 자동차** 등이 등장하면서 자동차 시스템이 비약적으로 발전을 거듭하여 자동차 배선 숫자도 증가 하였다. 이에 따른 자동차 무게는 필연적으로 증가하게 되었다.

따라서 자동차에 통신시스템 기능을 도입하여 서로 다른 시스템정보를 각 모듈들이 실시간으로 정보를 주고받아 각기 다른 상황에 맞추어서 차량을 제어 할 수 있도록 하기 위하여 자동차 정보를 통신장치를 이용하여 소통을 하고 있다. 또한 통신기능이 다양화 되면서 통신관련 자동차 트러블도 증가하고 있다.

(1) 기계적 메커니즘에서 일렉트로닉스로 (정밀한 제어의 실현)

기계적 제어에서 일렉트로닉스 제어로 이행하고 있는 가장 큰 이유는 제어의 정밀도 및 안전성과 환경면에서의 법규제가 있기 때문이다. 엔진이나 브레이크 등을 제어하는 **파워트레인**(구동주행제어) 계통이라면 엔진점화의 타이밍을 최적화함으로써 CO_2의 감소나 연비의 향상 등을 도모할 수 있고 이른바 지구환경에 친화적인 화석연료자원을 효과적으로 이용하는 방안을 실현할 수 있다.

현재의 엔진제어에서는 점화시기를 제어하기 위해 크랭크 각도를 기준으로 제어하고 있다. 또한 엔진은 캠의 움직임 타이밍에 의해 4사이클을 실현하고 있다. 이 캠의 형상에 따라서 혼합기의 흡기나 그 후 배기의 타이밍이 달라진다. 그 정밀성이 각 자동차 회사의 노하우가 되었다. 현재는 이 캠을 없애고 엔진 사이클을 모두 컴퓨터로 제어 하려고 하는 시도가 진행되고 있다. 밸브를 전자밸브로 하고 밸브의 개폐를 전자적으로 제어함으로써 기계식 캠으로 제어하는 것보다 정밀성이 높아지는 효과를 거 둘 수 있다. 그리고 더욱 대폭적으로 CO_2의 감소와 연비의 향상을 도모하고 있다.

(2) 메커니즘에서 일렉트로닉스로 (중량의 감소와 X-by-wire 전자식 기능)

또 다른 목적은 자동차의 중량을 줄이려는 것이다, 현재 시판되는 자동차의 대부분은 철로 만들어져 있다. 이것은 가공이 용이하고 탑승자의 안전을 확보하기 위해서인데 한편으로 연비에 대해서는 무게가 문제가 된다. 발진시나 가속 시에는 중량이 증가할수록 더 많은 동력이 필요하기 때문이다. 운전 방법에 따라 연비를 다소 개선할 수 있지만 그것에는 한계가 있다.

그럼 차체에 철을 사용하지 않고 레이싱 카와 같이 강화 플라스틱을 사용하여 중량을 줄이는 방법을 생각할 수 있지만 이 방법은 비용이나 사고시의 강도에 문제가 있다. 어차피 경량화는 시대의 흐름이 되어 있기도 하다.

그러한 흐름의 하나로 **X-by-wire**(전자식기능) 애플리케이션이 있다. X-by-wire 애플리케이션은 경량화에 기여하고 있지만 기계적 제어에서 전자적 제어로의 전환도 가능하다. 대표적인 애플리케이션으로는 Steer-by-wire(전자식조종), Brake-by-wire(전자식 제동), Suspension-by-wire(전자식 현가) 등을 들 수 있다.

(3) 전자제어 구성방식을 집중 방식에서 분산 방식으로 (자동차용 LAN)

1970년대에 엔진제어에 마이크로컨트롤러가 탑재된 이래 마이크로컨트롤러는 안전제어 시스템과 차체 일렉트로닉스 에도 이용되고 있다. 앞으로는 무선기술에 새 기능을 부가한 **텔레마티크**(컴퓨터와 무선통신을 조합한 기술)기기 등에 탑재될 것으로 예상된다.

자동차는 일상생활용 기기나 컴퓨터와 달리 집 밖에서 사용되고 어디로든 이동이 가능하다. 즉 자동차용반도체는 사용되는 환경이 어떻게 바뀌더라도 확실히 동작하는 것을 보증해야 하며, QS 9000 규격의 엄격한 인증 프로세스에 부합해야 한다. 즉, 자동차용 일렉트로닉스 산업은 신뢰성과 품질 면에서 가장 우수한 제품을 제공해야 한다.

이와 같이 자동차의 고성능화, 지능화와 함께 자동차는 많은 ECU(전자제어유닛)를 탑재하게 되었다. 그리고 ECU의 회로가 복잡해져 배선의량이 증가하고 그것과 더불어 배선다발의 종류와 양이 증가하고 있다. 예를 들어 현재 차체중량의 5~10%를 배선다발이 차지한다고 할 수 있다.

이러한 증가 요인은 제어 구성방식에 있다고 생각할 수 있다. 마이크로컨트롤러 도입 초기에는 몇 개의 제어 대상(밸브나 모터 등)을 한 개의 ECU로 제어하고 있었지만, 그 후 마이크로컨트롤러의 성능 향상이나 가격 저하 등에 의해 한 개의 ECU로 제어하는 대상이 증가하였다. 마이크로컨트롤러의 I/O가 증가하면 배선다발의 종류나 개수가 증가한다. 이와 같은 제어 아키텍처를 집중제어 방식 이라고 하며 현재의 주류가 되었다.

현재 자동차의 등급에 따라 그 수는 다르지만 1대당 10~60개 정도의 ECU가 탑재되어 있다. 앞으로도 자동차의 내장이나 외장이 충실해짐에 따라 이러한 증가추세가 계속될 것으로 예상된다. 그래서 이 배선다발 문제를 해결하기 위해 어떤 제어 방식이 최적인지를 검토하기 시작했다. 그 해결책의 하나가 분산제어방식 이라는 네트워크기술이다, 그러나 이러한 새로운 기술을 도입할 경우 다음과 같은 조건이 요구된다.

- **자동차의 신뢰성, 견고성, 유연성 향상에 연결될 것.**
- **열악한 환경에서도 확실히 통신이 가능할 것.**
- **자동차 내의 네트워크와 그 통신 프로토콜이 표준화될 것.**

그러므로 자동차용 네트워크 프로토콜의 하나인 CANController Area Network은 1980년대에 독일의 Robert Bosch 사가 제창했다(그후 ISO11898로 표준화됨). 처음에는 유럽의 대표적인자동차 회사가 사용하기 시작하다가 많은 유럽 자동차 회사가 속속 채택해 현재 는 미국과 일본의 자동차 회사도 사용하고 있다. 현재 자동차용 네트워크 프로토콜 중에서 사실상 표준이라고 불리는 것은 이 CAN뿐이라 해도 과언이 아닐 것이다.

1998년 10월 유럽의 자동차 회사를 중심으로 한 LIN 컨소시엄 에 의해, LINLocal Interconnect Network 프로토콜이 제창되었다. LIN은 기본적으로 CAN의 서브버스 지위에 있으며 CAN의 노드보다 저렴하게 구성 할 수 있다는 개념을 바탕으로 만들어졌다. 이 LIN을 도입함으로써 ECU의 플랫폼화가 촉진되었다. 한편 자동차용 네트워크에도 고속화의 물결이 밀려들어, 2000년에는 CAN의 상위에 위치한 FlexRay 프로토콜을 FlexRay 컨소시엄이 제창되었다.

프로토콜	CAN 2.0	LIN	FlexRay
애플리케이션	파워트레인계 제어 진단	보디계, 스마트 커넥터	X-by-wire 안전제어
전달 매체	2선식 (트위스트 페어케이블)	1선식	2선식 (트위스트 페어케이블) 광섬유
미디어 액세스	이벤트 방식	타임 트리거 (마스터 슬레이브)	타임 트리거
에러 검출	16bit CRC	비트 체크섬	24bit CRC
ID(식별자) 길이	11bit(CAN 2.0A) 29bit(CAN 2.0B)	8bit(1byte)	11bit
데이터 길이	0~8byte	8byte	0~254byte
메세지 인식	있음	없음	없음
최대 전송 속도	10kbps~1Mbps	1~20kbps	10Mbps
최대 버스 길이	지정안함(평균40m)	40m	24m
최대 노드 수	지정안한(평균3개)	16개	22개
마이컴 필요성	필요	필요(마스터)	필요
스레이브/웨이크업	없음	있음	있음
하드웨어	있음	없음	있음

4 자동차 통신 시스템의 장점

① **배선의 경량화 :** 제어를 하는 ECU들의 통신으로 배선이 줄어든다.

② **전기장치의 설치 장소 확보 용의 :** 전장품의 가장 가까운 ECU에서 전장품을 제어한다.

③ **시스템 신뢰성 향상 :** 배선이 줄어들면서 그만큼 사용하는 커넥터 수의 감소 및 접속점이 감소해 고장률이 낮고 정확한 정보를 송·수신할 수 있다.

④ **진단 장비를 이용한 자동차 정비 :** 통신 단자를 이용해 각 ECU의 자기진단 및 센서 출력 값을 진단 장비를 이용해 알 수 있어 정비진단기술 향상을 도모할 수 있다.

5 자동차 ECU의 정보 공유

정보를 공유한다는 것은 각 ECU들이 자기에게 필요한 정보(데이터)를 받고, 다른 ECU들이 필요로 하는 정보를 제공함으로써 알아야 할 데이터(DATA)를 유, 무선을 통해 서로 주고받으면서 공유하는 것이다.

자동차 각종모듈과 ECU들은 서로의 정보를 네트워크를 통해 공유하고, 자기의 정보를 통신 라인을 통해 주고 자기에게 필요한 데이터를 가져다 사용한다.

6 자동차용 네트워크(Net Work)

먼저 단어를 살펴보면 Net+Work이다. 네트워크는 정확히 말하면 Computer Networking 으로 컴퓨터를 이용 어떤 연결을 통해 컴퓨터의 자원을 공유하는 것을 네트워크라고 한다. 이러한 통신을 하기 위해 ECU 상호간에 정해둔 통신규칙이 있으며 이것을 통신 프로토콜Protocol이라 한다.

(1) 차량 내부 네트워크 In Vehicle Network

차량 내부 네트워크는 안전에 크게 영향을 주지 않는 저속통신과 엔진 및 동력 계통을 위한 고속통신, 그리고 다양한 정보 및 멀티미디어 서비스를 위한 멀티미디어통신 네트워크가 있다.

① X-by-Wire 제어

자동차의 조향 및 제동은 주로 기계적 시스템에 의하여 제어되었다. 즉 운전자가 운전대를 움직이거나 브레이크를 밟는 등의 물리적인 힘을 가할 때 자동차는 그 힘을 기계적인 운동에너지로 바꿔서 구동한다. 그러나 최근 차량들은 주요 장치의 제어를 전기적인 동력을 이용하는 경향이 증가하고 있다. 특정한 제어대상을 전기적인동력으로 제어하는 것을 X-by-Wire라고 한다. X-by-Wire 기술은 항공기에서 케이블 혹은 로드 유압 등으로 전달하여 제어하던 것을 전선wire 으로 바꾸어서 전기 전자제어에 의하여 비행이 가능하도록 하는 기술이다.

② LIN Local Interconnect Network 통신

유럽의 자동차 업계가 경제성을 고려하여 근거리 저속 네트워크로 개발한 20kbps 이하의 느린 통신규격이다. 스위치 세팅의 변동에 대하여 통신과 스위치 변환에 응답하도록 설계되었다. 따라서 엔진관리 같이 고속 처리 응용보다는 수백 밀리 초의 시간 간격으로 발생하는 이벤트에 대응한 통신을 한다.

도어, 미러, 윈도우, 와이퍼, 전조등 등의 비교적 빠르지 않은 응답속도를 요구하는 장치들에 주로 사용하고 가격이 낮다는 것이 장점이다. LIN은 수정 또는 세라믹 발진기가 필요하지 않고 RC 오실레이터로 구동되는 경제적인 마이크로컨트롤러를 이용한 단일 배선으로 양방향 통신을 지원한다.

③ CAN Controller Area Network

자동차 내부의 각종 계측제어 장비들 간의 디지털 직렬통신을 제공하기 위하여 1988년 Bosch와 Intel에 의하여 개발된 차량용 네트워크 시스템으로 1993년 ISO에 서 국제표준규격 으로 제정하였다. 고속은 125kbps에서 1Mbps까지이고 저속은 125kbps 이하이다. 프레임 포맷에 따라서 표준형과 확장형으로 구분된다.

④ FlexRay

최대 10Mbps의 고속통신으로 차량의 엔진 등 동력계통과 브레이크, 조향장치 등 섀시를 제어하는 전자장치(ECU) 간의 통신을 원활하게 하는 프로토콜 표준이다.

FlexRay 프로토콜은 BMW, 다임러클라이슬러, GM, 프리스케일, 필립스, 보쉬가 참여하는 FlexRay 컨소시엄에 의하여 개발되었다.

⑤ **MOST** Media Or iented Systems Transport

자동차 내 멀티미디어 기기 사이의 고속 광통신 네트워크 표준 프로토콜이다. 오디오 혹은 비디오 등 멀티미디어 기기를 자동차 내에서 고속으로 전송하기 위한 프로토콜이다. 자동차 내부의 네트워크 연결을 단순화하고 멀티미디어 장치의 확장이 용이할 뿐만 아니라 광대역 통신이기 때문에 대용량의 데이터를 고속으로 전송하는 장점이 있다.

1998년 BMW, 다임러클라이슬러, 아우디를 비롯한 5개 회사가 주축이 되어 MOST 협회를 창설하였으며 현재 전 세계적으로 17개 완성차 업체와 50여개의 전장부품 공급업체가 회원으로 가입하여 통신규격 표준화 및 기술발전을 위하여 노력하고 있다.

구분	LIN	CAN	MOST	FlexRay
최대전송속도 (bps)	19.2k	1M	150M	10M
전송 선로	Single Wire	Twisted Wire	광케이블	Twisted Wire
1회 전송 데이터	1~8byte	0~8byte	0~1,008byte	0~251byte
특징	저가형 (마스터/ 스레이브)	Fault Tolerant (멀티 마스터)	광통신 (노이즈에 강함)	고용량 고신뢰성 실시간 통신
주요 시스템	바디, 편의, 저가형 센서	파워트레인 섀시 안전 멀티미디어 진단	인포테인먼트	파워트레인, 섀시안전
Cost(상대적)	적다	중간	높다	높다

7 통신의 종류

(1) 직렬 통신과 병렬 통신

데이터를 전송하는 방법에는 여러 개의 **데이터 비트**Data bit를 동시에 전송하는 병렬 통신과 한 번에 한 비트bit식 전송하는 직렬 통신으로 다음과 같이 나눌 수 있다.

- 크게 직렬 전송과 병렬 전송 방식으로 구분된다.
- 직렬 전송 방식은 하나의 전송로를 통해서 데이터를 순차적으로 전송하는 방식이다.
- 병렬 전송 방식은 여러 개의 전송로를 통해서 데이터를 동시에 전송하는 방식이다.

- 송수신측이 미리 약속한 패턴을 이용하여 데이터의 송수신 타이밍을 일치시키는 것을 **동기식**Synchronous 전송이라고 한다.
- 송수신 간에 동기를 맞추지 않고 문자 단위로 구분하여 전송하는 방식을 **비동기식**Asynchronous 전송이라고 한다.

① 직렬 전송

모듈과 모듈 간 또는 모듈과 주변장치 간에 **비트 흐름**bit stream을 전송하는 데 사용되는 통신을 직렬 통신이라 한다. 통신 용어로 직렬은 순차적으로 데이터를 송·수신한다는 의미이다. 일반적으로 데이터를 주고받는 통신은 직렬 통신이 많이 사용된다.

예를 들면, 데이터를 1비트씩 분해해 1조(2개의 선)의 전선으로 직렬로 보내고 받는다. (CAN, LIN, MUX 통신)

- 하나의 전송선을 통해서 데이터를 한 비트씩 전송하는 방식으로 대부분의 데이터 전송에서 사용되는 방식이다.
- 전송 오류가 적고 원거리 전송에 적합하며, 회선이 한 개만 필요하므로 통신 회선 설치 비용이 저렴하다는 장점이 있다.
- 한 비트씩 전송하기 때문에 상대적으로 느린 전송 속도를 갖는다.

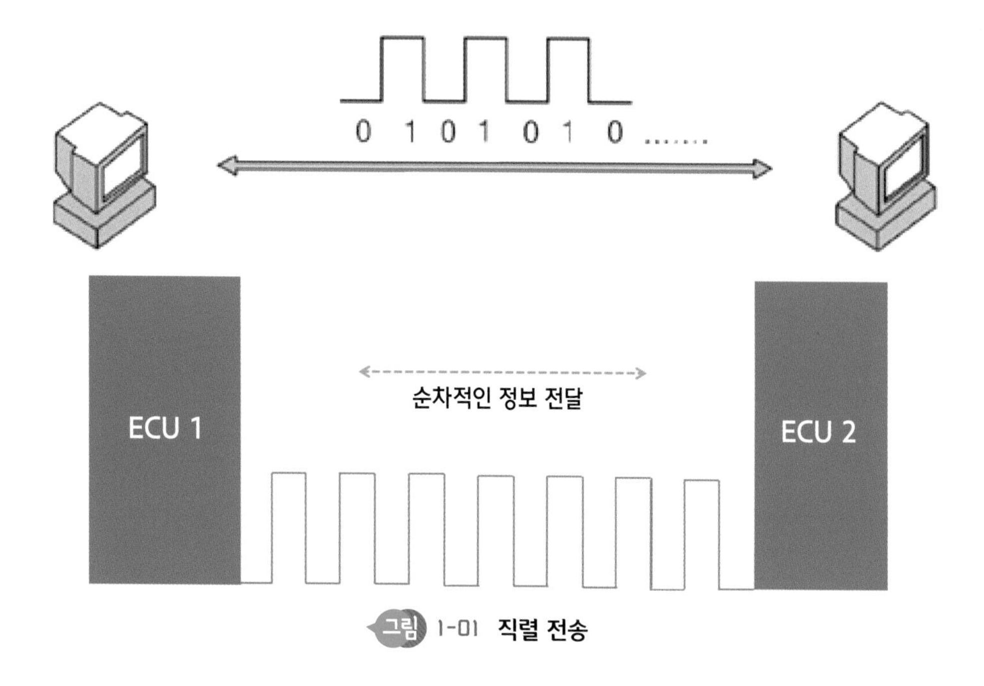

그림 1-01 직렬 전송

② 병렬 통신

병렬 통신은 보내고자 하는 신호(또는 문자)를 몇 개의 회로로 나누어 동시에 전송하게 되므로 자료 전송 때 신속을 기할 수 있다. 그러나 배선수의 증가와 각 모듈의 설치비용은 직렬 통신에 비해 많이 소요된다. 전송 속도는 빠르지만 구조가 복잡해지고 배선수가 증가하는 단점이 있다. (컴퓨터 → 프린터)

- 송신하고자 하는 데이터의 각 비트를 여러 개의 전송선을 통해 동시에 전송하는 방식이다.
- 고속 전송을 필요로 하는 컴퓨터와 주변장치간의 데이터 전송에 사용하고 있다.
- 단위 시간에 다량의 데이터를 빠른 속도로 전송할 수 있다는 장점이 있다.
- 전송 거리가 멀어지면 오류 발생 가능성과 통신 회선 설치 비용이 커진다.

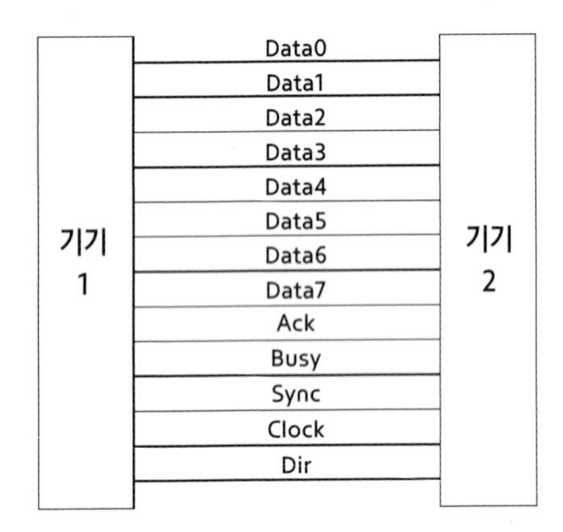

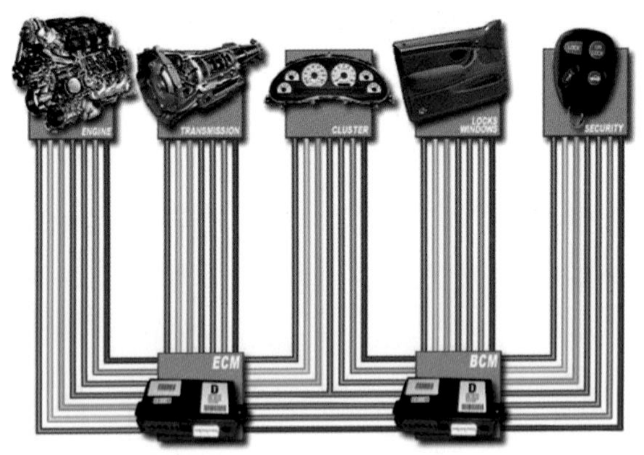

그림 1-02 병렬 전송

(2) 비동기 통신과 동기 통신

① 비동기 통신 Asynchronous Communication

비동기 통신은 데이터를 보낼 때 한 번에 한 문자씩 전송되는 방식이다. 즉, 매 문자마다 **스타트 비트**start bit와 **스톱 비트**stop bit를 부가해 정확한 데이터를 전송한다. 그러나 데이터 통신은 전압의 저하나 그 밖의 다른 재해로 인해 전송 도중에 연결이 방해받아 비트의 추가나 손실이 될 수 있다.

데이터 파형이 전송이 될 때 스타트 비트와 스톱 비트를 이용해 전송한다. 비동기 통신은 통신선의 단선이나 단락에 의한 고장이 발생해 시스템이 작동되지 않는 것을 방지하기 위해 2선으로 되어 있다. 즉, 1선에 이상이 발생되어도 또 다른 선에 의해 작동된다. (K-line CAN 통신)

- 보통 7~8 비트 단위의 블록(block)인 문자를 기본 단위로 하며, 한 문자를 전송할 때마다 동기화시켜서 전송하는 방식이다.
- 블록의 시작 부분에는 시작 비트(Start Bit)를, 뒤에는 정지 비트(Stop Bit)를 덧붙여 전송한다.
- 전송 오류를 검출하고 정정하기 위해 패리티 비트(Parity bit)를 문자 뒤에 추가하여 전송한다.
- 보통 낮은 전송속도에서 사용되며 동기화가 단순하고 필요한 접속장치와 기기들이 간단하다는 장점이 있다.
- 문자 당 2~3 비트를 추가로 전송해야 하므로 그만큼 전송 효율은 떨어지게 된다.

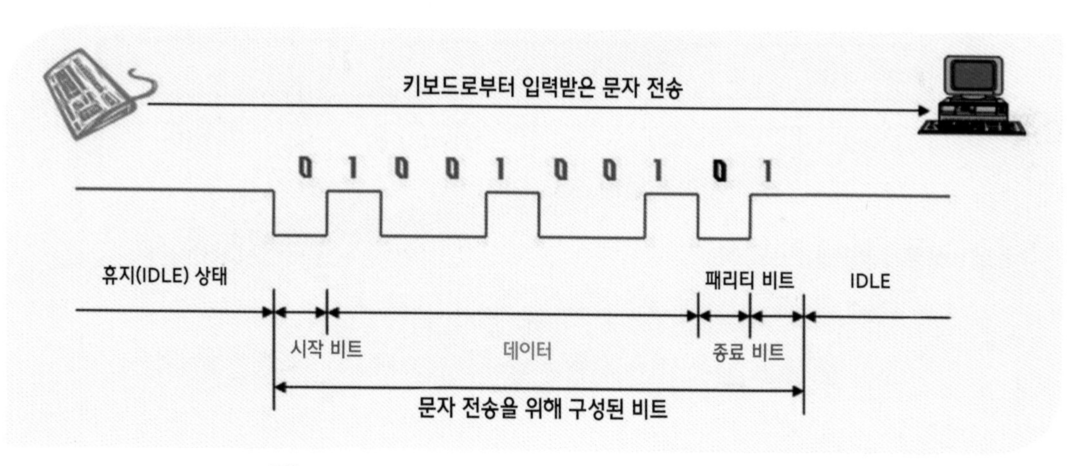

그림 1-03 비동기 통신 (Asynchronous Communication)

② 동기 통신 Synchronous Communication

동기식 통신은 문자나 비트들이 시작과 정지 코드 없이 전송되고, 각 비트의 정확한 출발과 도착시간의 예측이 가능하다. 그러나 데이터를 주는 ECU와 받는 ECU의 시간적 차이를 막기 위해 별도의 SCK(Clock 회선)를 설치하면 가능하다. 그렇지 않으면 데이터 신호 내에 **클럭**Clock 정보를 포함시켜야 한다.

3선 동기 통신 중 가장 중요한 신호는 SCK선이다. 이 클럭선에 문제가 발생되면 데이터가 출력되어도 시스템이 작동되지 않는다. 하지만 TX나 RX선이 이상이 발생하면 해당되는 기능만 작동이 안 된다.

- 비동기식 전송 방식의 단점을 보완하기 위한 방식이다.
- 데이터를 송신 측과 수신 측 사이에 미리 정해진 숫자만큼 문자열을 한 묶음으로 만들어 한꺼번에 전송한다.
- 문자지향 동기 방식과 비트지향 동기 방식으로 구분된다.

가) 문자 지향 동기 방식

- 전송되는 블록 앞에 특정 동기문자인 SYN(00010110)을 붙여 동기를 맞춤
- 실제 데이터의 앞에는 STX(0010000), 뒤에는 ETX(0011000)을 추가하여 전송 데이터의 시작과 끝을 나타내는 방식

● 문자 지향 동기식 전송

– 동기화문자(SYN)를 프레임의 맨 앞에 두어 전송하려는 문자 블록 동기화

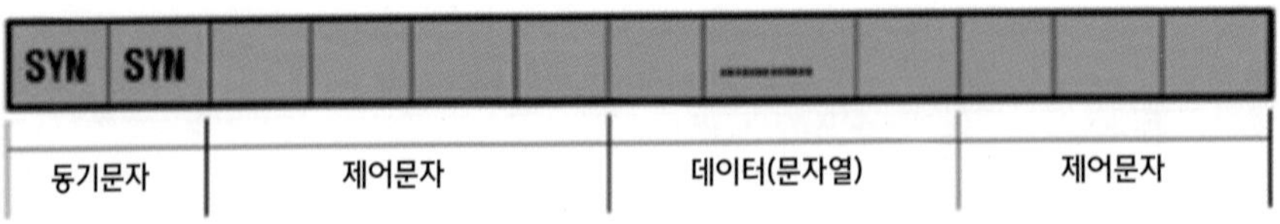

SYN SYN ---------

동기문자 | 제어문자 | 데이터(문자열) | 제어문자

나) 비트 지향 동기 방식

- 전송 단위를 비트들의 묶음으로 보고, 비트 블록의 처음과 끝을 표시하는 특별한 비트인 **플래그**Flag를 추가해 전송함
- HDLCHigh level Data Link Control 프레임 동기 방식이 대표적이며, 플래그 비트로 '01111110'를 사용해 데이터의 처음과 끝을 내타냄

● 비트 지향 동기식 전송

– 전송 비트의 시작과 끝을 나타내는 8비트의 플래그 비트를 추가하여 전송

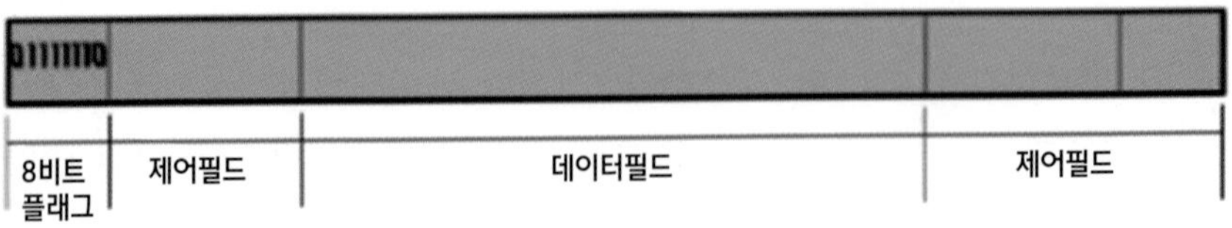

01111110

8비트 플래그 | 제어필드 | 데이터필드 | 제어필드

(3) 단방향과 양방향 통신

통신 방식에는 통신선 상에 전송되는 데이터가 어느 방향으로 전송되고 있는가에 따라 아래와 같이 구분할 수 있다.

분류	내용	사용 예
단방향 통신	정보의 흐름이 한 방향으로 일정하게 전달되는 통신방식	라디오, 텔레비전
반이중 통신	정보의 흐름을 교환함으로써 양방향통신을 할 수는 있지만 동시에는 양방향통신을 할 수 없다.	워키토키(무전기)
시리얼 통신	1선으로 단방향과 양방향 모두 통신할 수 있다	자동차 자기진단 단자
양방향통신	정보의 흐름이 동시에 양방향으로 전달되는 통신 방식이다.	전화기

① 시리얼 통신

여러 가지 작동 데이터가 동시에 출력되지 못하고 순차적으로 나오는 방식을 말한다. 즉, 동시에 2개의 신호가 검출될 경우 정해진 우선순위에 따라 우선순위인 데이터만 인정하고 나머지 데이터는 무시하는 것이다. 이 통신은 단방향, 양방향 모두 통신할 수 있다.

② 단방향 통신

정보를 주는 ECU와 정보를 받고 실행만 하는 ECU가 통신하는 방식이다.

- 송수신측이 미리 고정되어 있는 방식으로 오직 한쪽 방향으로만 데이터를 전송할 수 있는 방식이다.
- 송신측에서는 수신된 데이터의 오류 발생 여부를 알 수 없다는 단점이 있다.
- TV나 라디오 방송, PC와 프린터 등이 대표적인 단방향 통신 방식이다.

단방향 통신이 자동차에 적용된 사례는 많이 있다. 먹스(MUX) 통신과 PWM 방식 등이 있다.

③ 양방향 통신

양방향 통신은 ECU들이 서로의 정보를 주고받는 통신 방법이다. 양방향 통신에는 **반이중 통신**과 **전이중 통신** 방식으로 나누어진다.

가) 반이중 통신 방식

- 양방향 통신이 가능하지만, 어느 한쪽이 송신하는 경우 상대편은 수신만 가능한 방식이다.
- 대표적인 예로 무전기를 들 수 있다.

나) 전이중 통신 방식

- 동시에 양방향으로 데이터 전송이 가능한 방식으로 송신과 수신을 위해 별도의 채널을 두고 있다.
- 대표적인 예로는 유선전화나 휴대폰 등을 들 수 있다. 즉, 서로의 정보를 주거나 받을 수 있다. (자동차의 CAN 통신)

④ Master / Slave

주인Master과 **노예**Slave라는 뜻으로 통신 권한은 Master가 가지며, Slave는 Master의 통신 시작 요구에 의해서만 응답할 수 있다. (K-line, LIN 통신)

⑤ Multi Master

네트워크에 구성된 모든 제어기는 통신 주체 이므로 규칙에 따라 언제든지 데이터를 전송할 수 있는 권한을 가지고 있다. 따라서 통신 우선순위 및 기타 규칙이 정해져 있어야만 원활한 통신을 수행할 수 있다. (CAN 통신)

⑥ 우성과 열성 Dominant & Recessive

가) 통신은 이진법을 기본으로 수행되고 있으며 통상적으로 전압이 존재하면 열성(1), 전압이 존재하지 않으면 우성(0)이라 한다.

나) 제어기에 전원이 인가되고 통신할 준비가 완료되면, 통신 라인에는 일정한 전압이 유지 된다. 이 전압은 제어기 내부에서 인가한 풀업Pull-Up전압이며, 전압의 변화를 감지하여 통신이 이루어진다. 일반적으로 통신 라인의 열성 상태는 제어기가 인가한 풀업 전압이 유지되었을 때를 말하고, 우성 상태는 풀업 전압을 특정 제어기가 접지시켜 0V로 전위가 변하는 상태를 말한다.

다) 우성과 열성 상태가 동시에 존재할 경우에는 (a제어기는 열성 출력, b제어기는 우성 출력) 열성 상태의 전압이 우성 상태의 접지로 흘러, 출력은 우성상태를 유지한다. 이하 우성 상태는 (0)으로 열성 상태는 (1)로 표시된다.

- 제어기의 a, b 모두 동작하지 않을 때 통신 라인 상태: 열성
- 제어기 내부 a, b 한 부분이라도 동작 시 통신 라인 상태: 우성

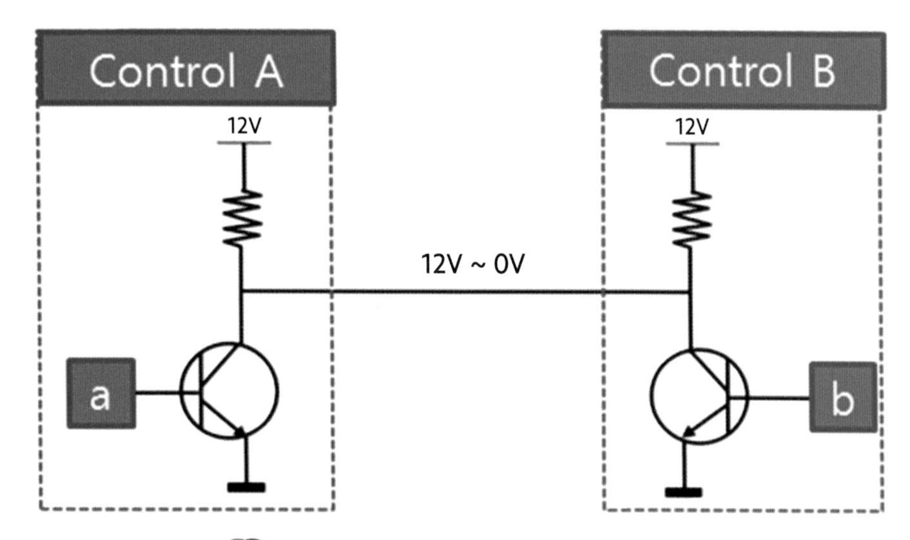

그림 1-04 **우성과 열성 (Dominant & Recessive)**

02 자동차용 네트워크 구성

자동차에 적용되는 통신은 종류에 따라 사용되는 범위나 속도 그리고 통신을 운영하는(프로토콜)방식에 차이가 있어 적절하게 적용하여야만 최적의 성능을 발휘할 수 있다.

만일 고속 방식(C-CAN)으로 차량의 네트워크 전체를 구성하면 데이터의 양이 적고 전송의 속도가 느려도 되는 제어기(와이퍼, 도어 록 등)의 경우는 빠른 통신 속도를 충분히 활용하지 못하여 불필요한 비용의 상승을 초래한다.

반대로 낮은 속도의 통신 방식(B-CAN)으로 네트워크 전체를 구성하면 엔진 및 변속기처럼 대용량의 데이터가 실시간에 가깝게 전송되어야 하는 환경에서 데이터의 병목현상이 발생되고 정확한 제어가 되지 않아 주행 안전 성능의 저하를 가져온다.

또한 적절한 속도의 통신 방식으로 네트워크 전체를 구성한다 하더라도 최대 60개가 넘는 제어기가 하나의 네트워크를 구성하면 통신량이 증가하여 원활한 제어가 이루어지지 않는다. 따라서 각 제어 장치의 특징, 전송 속도, 데이터의 양에 따라 몇 가지 그룹으로 분류하고 그 그룹에 맞는 통신 방식을 적용하여 네트워크를 운영한다. 현재 차량에 적용중인 통신 네트워크는 LAN, LIN, KWP2000, K-Line, CAN, MOST, FlexRay 등으로 나눌 수 있다.

1 LAN 통신 (단방향 통신)

다음 그림은 에쿠스 차량의 단방향 통신을 나타낸 것이다. 운전석 도어모듈에서 파워윈도우 스위치가 운전석과 조수석이 동시에 눌러졌다고 가정하면 운전석 창문이 우선적으로 작동이 되고 그 다음 조수석이 작동이 되는 것이다. 아래 그림은 에쿠스 차량의 파워윈도우가 작동되기 위해 운전석 도어모듈과 각 창문에 붙어 있는 세이프티 ECU의 통신을 나타낸 것이다.

운전자가 파워윈도우 스위치를 조작하면 운전석 도어모듈은 해당되는 창문의 동작 신호를 파형을 통해 통신선에 출력한다. 이때 세이프티 ECU는 자신에 맞는 신호가 입력이 되면 파워윈도우를 작동한다.

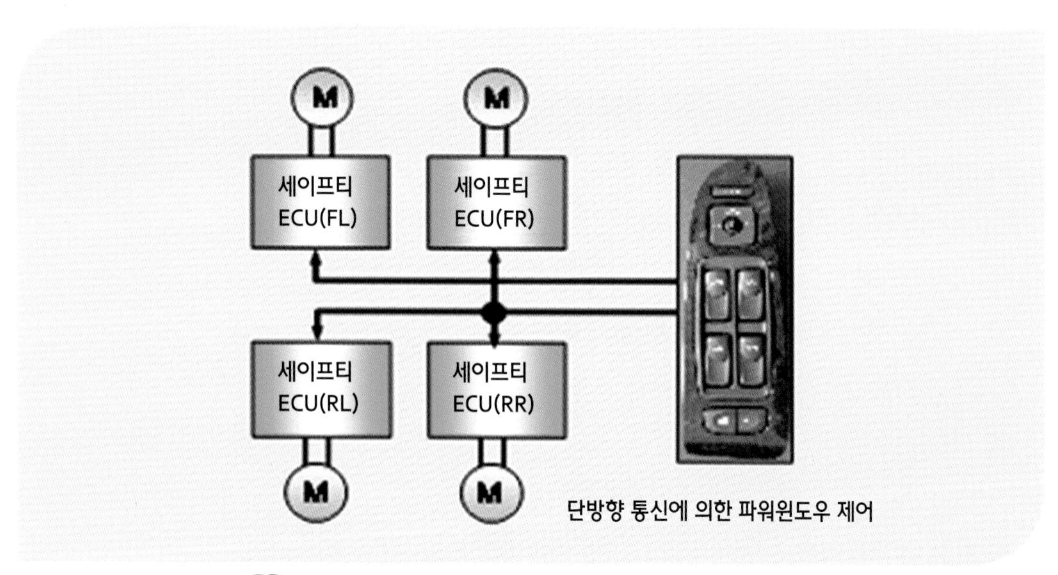

그림 1-05 LAN 통신(단방향) ▶ 출처 : 현대자동차 정비지침서

2 LIN 통신

LIN 통신이란 Local Interconnect Network의 약자로 근거리에 있는 컴퓨터들끼리 연결시키는 통신망이라 직역할 수 있다. 현대 에쿠스 차량의 단방향 통신과 같은 방식이다.

LIN은 CAN을 토대로 개발된 프로토콜로서 차량 내 Body 네트워크의 CAN통신과 함께 시스템 분산화를 위하여 사용된다. LIN은 네트워크상에서 Sensor 및 Actuator와 같은 간단한 기능의 ECU를 컨트롤 하는데 사용 되며, 적은 개발 비용으로 네트워크를 구성할 수 있는 장점이 있다.

LIN 통신은 일반적으로 CAN 통신과 함께 사용되며, CAN통신에 비하여 사용 범위가 제한적이다. 에탁스 제어기능, 세이프티 파워윈도우 제어, 리모컨 시동 제어, 도난방지 기능, IMS 기능 등 많은 편의사양이 적용되어 있다.

이처럼 많은 시스템들이 작동되기 위해서는 시스템이 작동되기 위한 전원 및 접지, 그리고 이와 관련된 각 스위치나 센서 신호들이 입력되어야 한다. 그러다 보면 배선이 많아지고 고장발생 개소도 많아지는 것은 당연한 것이다. 이것을 보완하기 위해 통신을 적용, ECU들이 통신으로 데이터를 공유하도록 했다. 그만큼 차에 설치되는 배선의 무게가 줄어들었고, 진단 장비를 이용한 고장진단이 가능하다.

(1) LIN의 특징

① 자동차 내의 분기된 시스템을 위한 저비용의 통신 시스템

② Single Wire 통신을 통한 비용 절감

③ SCI (UART) Data 구조 기반

④ 20kbps까지 통신 속도 지원

⑤ 시그널 기반의 어플리케이션 상호작용

⑥ Single Master / Multiple Slave

⑦ Slave 모드에서 크리스탈 또는 세라믹 공진회로(Resonator) 없는 셀프 동기화 (Self Synchronization)

⑧ 사전 계산 가능한 신호 전송 시간에 따른 예측 가능한 시스템

(2) Master/Slave 개념

LIN 네트워크는 1개의 Master 노드와 여러 개의 Slave 노드로 구성 되며, Master 노드는 Master Task와 Slave Task 두 부분으로 구성되며, Slave 노드는 Slave Task만을 포함하고 있다. Master Task는 LIN 버스 상에 어떤 노드가 데이터를 전송 할지를 결정하고, Slave task는 Master Task에서 요청한 데이터 전송을 수행한다. 즉 CAN과 달리 LIN은 Master 노드에서 모든 네트워크 관리를 처리한다.

LIN 통신은 차량 편의 장치에 주로 채용되는 통신 시스템으로, 단방향 통신과 양방향 통신 모두가 적용되며. LIN통신의 특징은 12V 기준전압으로 1선 통신을 수행하고 마스터, 슬레이브 제어기가 구분되어 있다. 시스템에서 요구하는 일정한 주기로 마스터 제어기가 데이터 요구 신호를 보내면 슬레이브 제어기는 마스터 제어기가 보내는 신호(Header)뒤에 자신이 보내는 데이터를 덧붙여(Response) 통신을 완성한다.

3 K- line 통신개요

ISO 9141에서 정의한 프로토콜을 기반으로 **차량진단**On Board Diagnostics을 위한 라인의 이름으로, 흔히 K-line이라 부르며 구형 차종에 적용 되었다. 차량이 전자화되기 시작하면서 진단장비와 제어기간의 통신을 위하여 적용되었으며, 진단통신을 필요로 하는 제어기수가 적어서 진단장비와 1:1 통신 위주로 진행되었다. 통신 주체가 확실히

구분되는 마스터, 슬레이브 방식으로 통신이 이루어지며 슬레이브 제어기는 마스터 제어기의 신호에 따라 Wake-Up 요구/응답, 데이터 요구/응답을 반복하며 통신이 이루어진다. 통신 라인의 전압 특징은 약 12V를 기준으로 1선 통신을 수행한다. 기준전압과 (1)과 (0)의 폭이 커서 외부 잡음에 강하지만 전송속도가 느려 고속 통신에는 적용하지 않는다.

4 KWP 2000 통신 개요

ISO 14230에서 정의한 프로토콜을 기반으로 차량진단을 수행하는 통신 명으로, 기본적인 구성은 K-line과 동일하지만 데이터 프레임 구조가 다르다.

진단통신을 수행하는 제어기 수가 증가하면서 진단장비가 여러 제어기기 또는 특정 제어기를 선택하여 통신할 수 있도록 구성되었으며, 통신 속도가 10.4Kbit/s로 높아져 K-line 대비 빠른 데이터 출력이 가능하다. CAN 통신이 적용되면서 파워트레인과 바디제어의 대다수 제어기가 CAN 통신으로 진단통신을 수행하고 있으며, 현재 CAN 통신이 적용되지 않는 제어기의 진단통신용으로 사용된다.

5 CANController Area Network 통신 개요

배기가스 규제가 강화되면서 정밀한 제어를 위해 더욱 많은 데이터의 공유가 필요하게 되어 개발된 통신으로 ISO11898로 표준화 되었다. 최대 1Mbit/s(CAN 기준) 속도로 제어기간 통신을 지원하며 모든 제어기가 통신 주체인, 멀티 마스터Multi Master로 약속된 규칙에 따라 데이터를 전송한다. CAN 통신은 크게 **고속 CAN**(High Speed)과 **저속 CAN**(Low Speed)으로 나눌 수 있다. CAN 통신은 고속통신을 하기 위해(빠른 속도로 전압 변화를 만들기 위해) **1**과 **0**의 변화 폭이 좁다. 따라서 이를 더욱 명확히 하기 위해 두선의 전압 차이로 **(1과 0)**을 검출한다.

저속 CAN과 고속 CAN은 통신 원리는 동일하지만, 적용 특성에 따라 전압 레벨과 통신 라인 고장 시 현상이 다르다.

고속 CAN은 통신 라인 중 하나의 선이라도 단선되면 두선의 차등 전압을 알 수 없어 통신 불량이 발생하지만, 저속 CAN(M-CAN)은 통신 라인 중 하나의 선에 문제가 발생하더라도 큰 문제없이 통신이 진행된다.(1선으로 통신 가능) 이때, 통신 속도가 떨어지거나 데이터 오류가 발생할 수 있으니 주의해야 한다. 현재 차량 제어기간의 정보 공유, 진단통신 등 차량제어 전반에 사용되고 있다.

<table>
<tr><th>구분</th><th>P-CAN,
C-CAN</th><th>D-CAN</th><th>B-CAN</th><th>MOST</th></tr>
<tr><td>통신 구분</td><td>High Speed</td><td>UDS : Unified diagnosis Service</td><td>Fault Tolerant</td><td>MOST 150</td></tr>
<tr><td>통신 주체</td><td colspan="2">멀티마스터</td><td>멀티마스터</td><td>순환(Ring)방식</td></tr>
<tr><td>통신 라인</td><td colspan="2">Twister Pair Wire</td><td>Twister Pair Wire</td><td>광케이블</td></tr>
<tr><td>통신 속도</td><td colspan="2">500Kbit/s(최대 1Mbit/s)</td><td>10Kbit/s
(최대125Kbit/s)</td><td>25Mbit/s
(최대150Mbit/s)</td></tr>
<tr><td>기준 전압</td><td colspan="2">2.5v</td><td>0v/5v</td><td>–</td></tr>
<tr><td>적용 범위</td><td colspan="2">파워트레인, 섀시, 진단장비</td><td>바디전장</td><td>멀티미디어</td></tr>
<tr><td>주요 특징</td><td colspan="2">통신 라인 고장에 민감</td><td>통신 라인 고장에
대응 가능</td><td>외부 노이즈에 강함</td></tr>
</table>

(1) CAN 적용 배경

CAN 통신은 Controller Area Network의 앞 글자를 따서 캔(CAN)이라 한다. CAN통신은 ECU들 간의 디지털 직렬 통신을 제공하기 위해 1988년 로보트보쉬사와 인텔에서 개발된 자동차용 통신 시스템이다.

CAN은 열악한 환경이나 고온, 충격, 진동 노이즈가 많은 환경에서도 잘 견디기 때문에 차에 적용되고 있다. 또한 다중 채널식 통신법이기 때문에 유니트 간의 배선을 대폭 줄일 수 있다.

(2) CAN 자동차 적용 부분

CAN은 차량용으로 개발되었으므로 가장 보편적인 어플리케이션은 차량내 전자적 네트워크 연결이다. 차량의 바디전장 시스템 메인 통신 네트워크는 CAN 방식을 사용하고 있으며, 메인 모듈인 인스트루먼트 패널 모듈(IPM)과 프론트 영역 모듈(FAM), 운전석 도어 모듈(DDM), 조수석 도어 모듈(ADM), 클러스터 모듈(CLU), 멀티펑션 스위치(MFS) 및 전자제어 와이퍼 모듈(ECWM)을 기본 구성 모듈로 가진다.

이 일곱 가지의 기본 모듈 외에 옵션 사양에 따라 듀얼모드 전자동 에어컨 모듈(DATC), 전원 분배 모듈(PDM), IMS 파워시트 모듈(PSM), IMS 스티어링 컬럼 모듈(SCM), 전, 후방 경보 시스템 모듈(FBWS), 파워 트렁크 모듈(PTM)이 추가로 장착되어 최대 13개의 모듈이 바디 CAN 통신 라인을 이용해 서로 정보를 주고받도록 되어 있다.

인스트루먼트 패널 모듈(IPM)은 바디 CAN 통신 구성 모듈 중 최상위에 있는 메인 모듈이며, 진단장비와 KWP2000 (K-라인) 통신을 통해 각 모듈 별 자기진단, 센서출력, 액추에이터 검사 기능 등을 지원한다.

클러스터 모듈은 파워트레인 CAN 라인과 바디전장 CAN 라인 간의 정보를 전달하는 Gate 역할을 하며, DATC 모듈은 멀티미디어 CAN과 바디전장 CAN 모듈과의 Gate 역할을 담당한다.

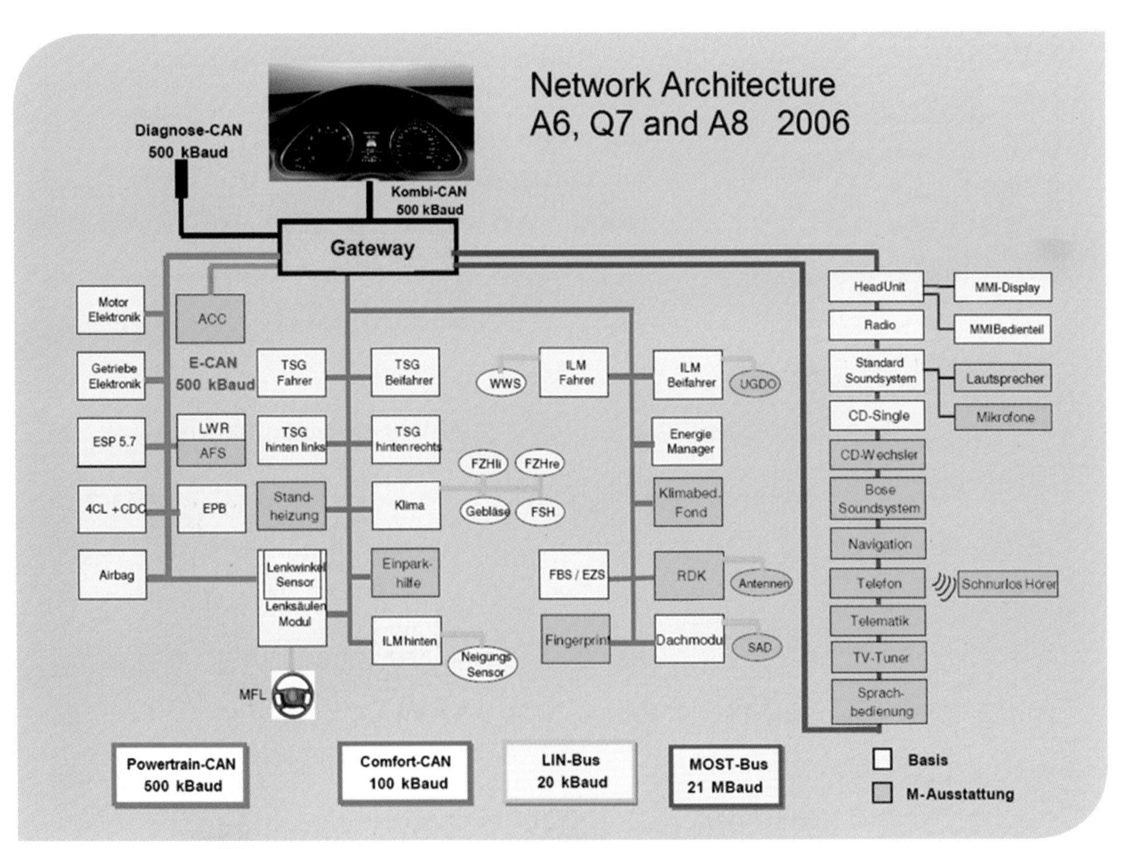

그림 1-06 **자동차 네트워크 구성** ▶ 출처 : 아우디자동차 정비지침서

(3) CAN 통신 속도

CAN 버스는 기본적으로 브로드캐스팅 방식이다. 모든 노드들이 전송되는 메시지들을 볼 수 있다. 이는 통신방식이 다른 PWM, VPW도 마찬가지다. 모든 노드들이 모든 메시지를 보게 되지만, 자기에게 해당되는 메시지에 대해서만 처리하게 된다.

메시지 프레임은 우선순위 정보가 포함되어 있어서, 우선순위가 높은 프레임이 먼저 전송되게 설계되어 있으며 메시지의 길이는 8 바이트로 매우 짧고, CRC-15 로 에러처리 및 보정을 한다. 전송속도는 사용되는 라인의 길이에 좌우되는데, 500m 정도에서 125kbit/s 의 속도를 낼 수 있다.

Eigenschaften	SAE J1850 PWM	SAE J1850 VPWM
Verwendet von	Ford	General Motors, Chrysler, Harley Davidson und Toyota
Bit-Kodierung	Pulsbreitenmodulation (PMW)	Variable Pulsbreitenmodulation (VPMW)
Bitrate	41,6 kbit/s	10,4 kbit/s (Mittelwert)
Datenleitung	Zwei-Draht (Twisted Pair)	Ein-Draht (Single Wire)
Signalpegel	5 V Differenzsignal Low < 2,2 V; High > 2,8 V Maximal 6,25 V	U_{Bat} unipolar Low < 3,5 V; High > 4,5 V Maximal 20 V
Nutzdaten	0 bis 8 Bytes je Botschaft	
Botschaftslänge	Maximal 101 Bit (inkl. Header und Trailer)	
Buszugriff	CSMA/CA	

(4) CAN 통신 순서

CAN의 특징으로서 자동적인 우선순위 제어 기능이 있다. 모든 노드들이 버스에 연결되어 있고, 누구나 메시지를 보낼 수 있지만, 우선순위가 가장 높은 메시지가 항상 버스를 획득 하도록 설계되어있다. 이는 비트 전송을 우성비트dominant bit와 열성비트recessive bit 개념으로 하기 때문이다. 우성 비트는 (0)을 나타내고, 열성 비트는 (1)을 나타낸다. 버스에서 한 노드가 비트 (0)인 우성 비트를 내보내게 되면, 현재 버스가 (1)이든 (0)이든 상관없이 버스가 (0)으로 되는 구조이다. 이는 논리적으로는 wired-AND 처럼 동작하는 것이다.

즉 노드 A 가 우성비트 (**비트 0**)를 내보내고, 노드 B 가 열성비트 (**비트 1**)을 내보내면, 버스의 신호는 (0)이 된다. 이때 노드 A 가 자신이 내보낸 신호가 아닌 신호가 버스에 반영되어 있음을 알고 충돌했다는 것을 알 수 있다. A 는 전송을 멈추고, 정해진 시간만큼(6 비트 클럭만큼) 기다린 후에 다시 전송을 시도하게 된다. 그렇기 때문에 우선순위가 높은 메시지는 대기 시간이 없이 바로 전송 될 수 있다.

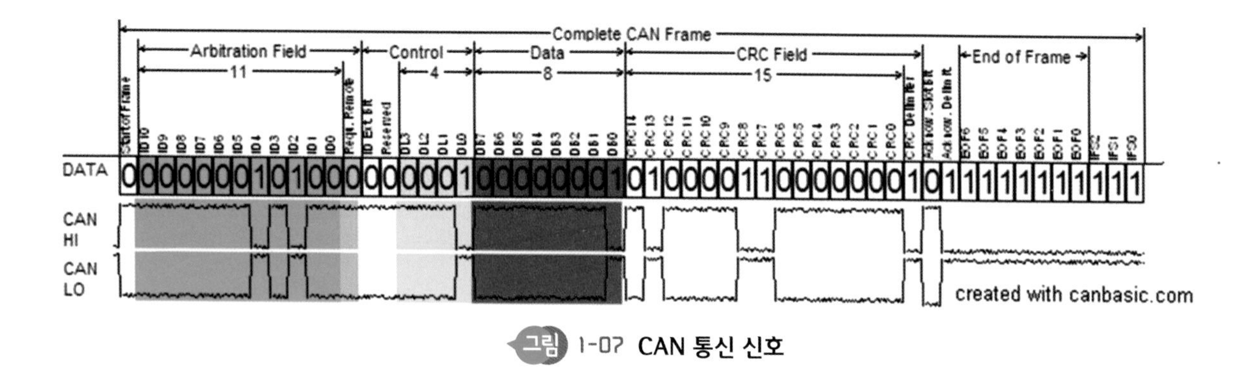

그림 1-07 CAN 통신 신호

(5) CAN 물리적 계층

High-speed CAN은 현재까지 가장 보편적으로 사용되는 물리적 계층이다. 고속 CAN 네트워크는 두 개의 와이어로 실행되며 최대 1Mb/s 전송 속도로 통신한다. 고속 CAN의 다른 명칭으로는 C-CAN및 ISO11898-2가 있다. 일반적인 고속 CAN 디바이스에는 ABSanti-lock brake systems, 엔진 컨트롤 모듈 및 방출 시스템 등 파워트레인 계통에 주로 사용되며 하이브리드 자동차 와 전기자동차 컨트롤 시스템 등에도 적용되어있다.

(6) 고속(HIGH SPEED) CAN 통신의 특징

① ISO 11898

② CAN 통신 Class 구분 : Class C

③ 전송속도 : 최대 1 Mbps

④ BUS 길이 : 최대 40m

⑤ 출력전류 : 25 mA 이상

⑥ 통신 선로 방식 : Line 구조 (2선)

⑦ 신호개수 : 약 500~800개

⑧ 메시지 개수 : 약 30~50개

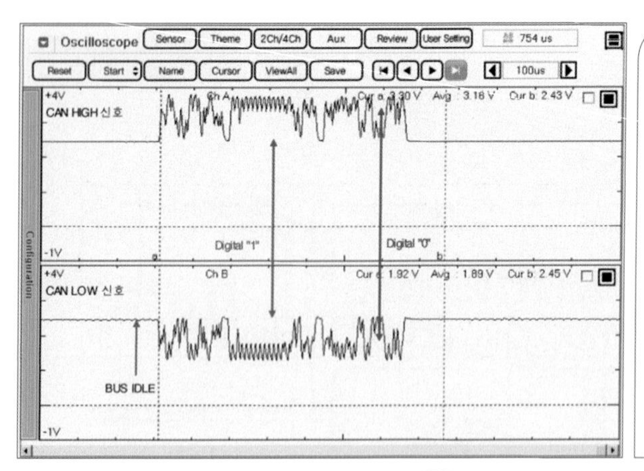

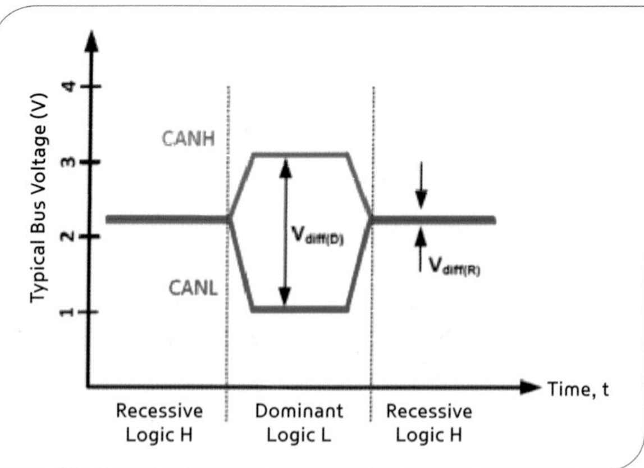

그림 1-08 고속(HIGH SPEED) CAN 전압파형

(7) 저속(LOW SPEED) CAN 통신의 특징

① ISO 11519

② CAN 통신 Class 구분 : Class B

③ 전송속도 : 최대 128 Kbps

④ BUS 길이 : 전송 속도에 따라 다름

⑤ 출력전류 : 1 mA 이하

⑥ 통신 선로 방식 : Line 구조 (2선)

⑦ 신호개수 : 약 1200~2500개

⑧ 메시지 개수 : 약 250~350개

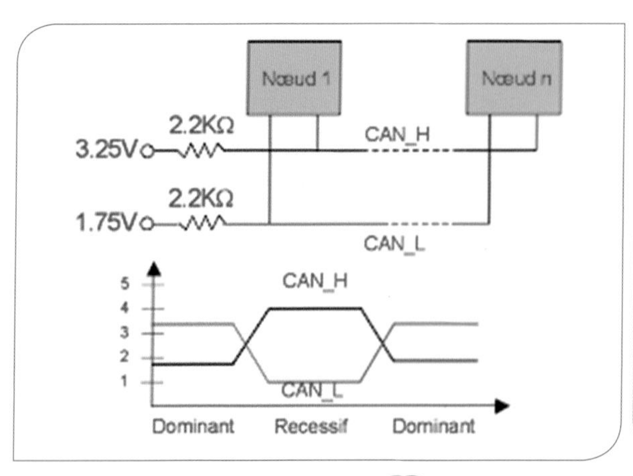

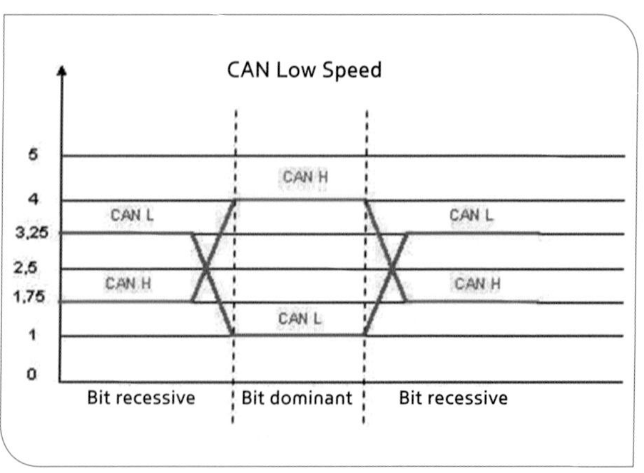

그림 1-09 저속(LOW SPEED) CAN 전압파형

(8) 저속/무정지형 CAN 하드웨어

저속/무정지형 CAN 네트워크 또한 두 개의 와이어로 실행되며, 최고 125 kb/s 속도로 디바이스와 통신하고, 무정지 기능이 있는 트랜시버를 제공한다. 저속/무정지형 CAN 디바이스는 CAN B 및 ISO11898-3로도 알려져 있다. 자동차에서의 일반적인 저속/무정지형 적용에는 파워트레인 계통을 제외한 오디오장치와 바디 컨트롤시스템 등이 있다.

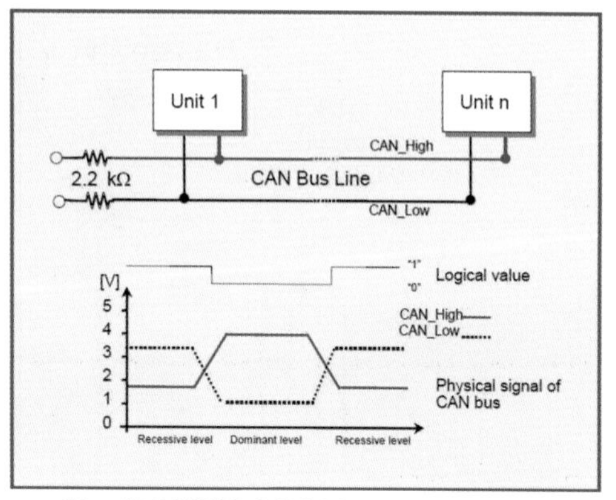

[For ISO11519-2 (10 kbps to 125 kbps)]

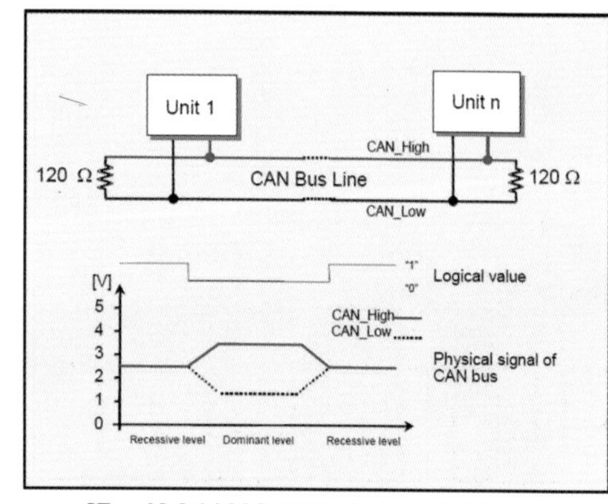

[For ISO11898 (125 kbps to 1 Mbps)]

그림 1-10 저속 무정지형

(9) 단일 와이어 CAN 하드웨어

단일 와이어 CAN 인터페이스는 최고 33.3 kb/s (고속 모드에서는 88.3 kb/s) 속도로 디바이스와 통신을 한다. 단일 와이어 CAN의 다른 명칭은 SAE-J2411, CAN A 및 GML A이다. 차량내 일반적인 단일 와이어 디바이스는 고성능을 요구하지 않는다.

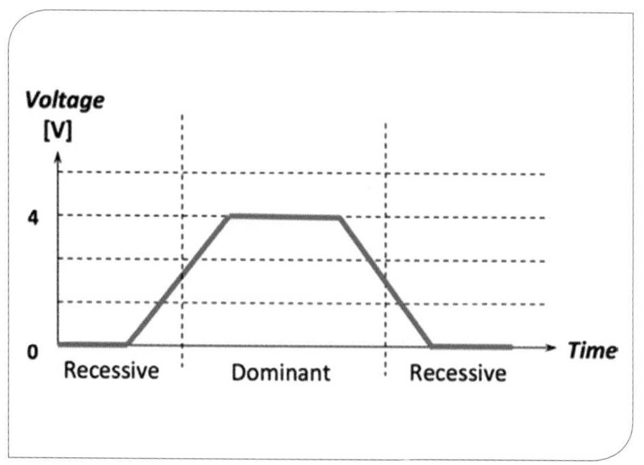

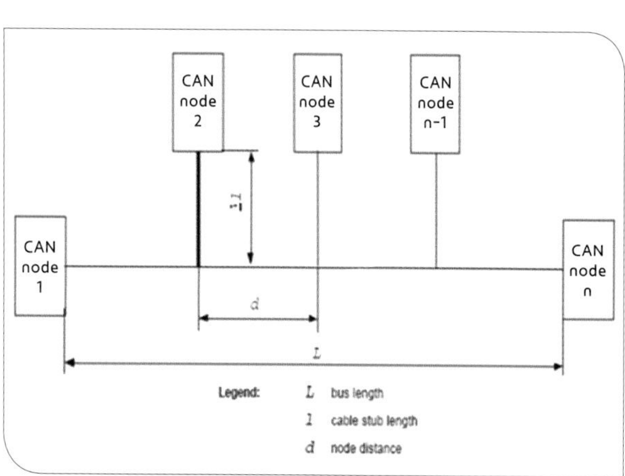

그림 1-11 단일 와이어 CAN

(10) CAN 메시지 형식

CAN 프로토콜에서 메시지는 최대 64bit 로 이루어진다. 메시지 내부에는 명시적인 주소 정보는 포함되지 않는다. 대신에 메시지의 내용 내부에 주소 정보를 포함해서, 상황에 따른 주소 처리를 하게 되어 있다. 따라서 메시지를 받은 노드는 스스로 메시지의 내용을 파악해서, 자신이 처리해야 할 메시지인지를 결정하여 응답한다.

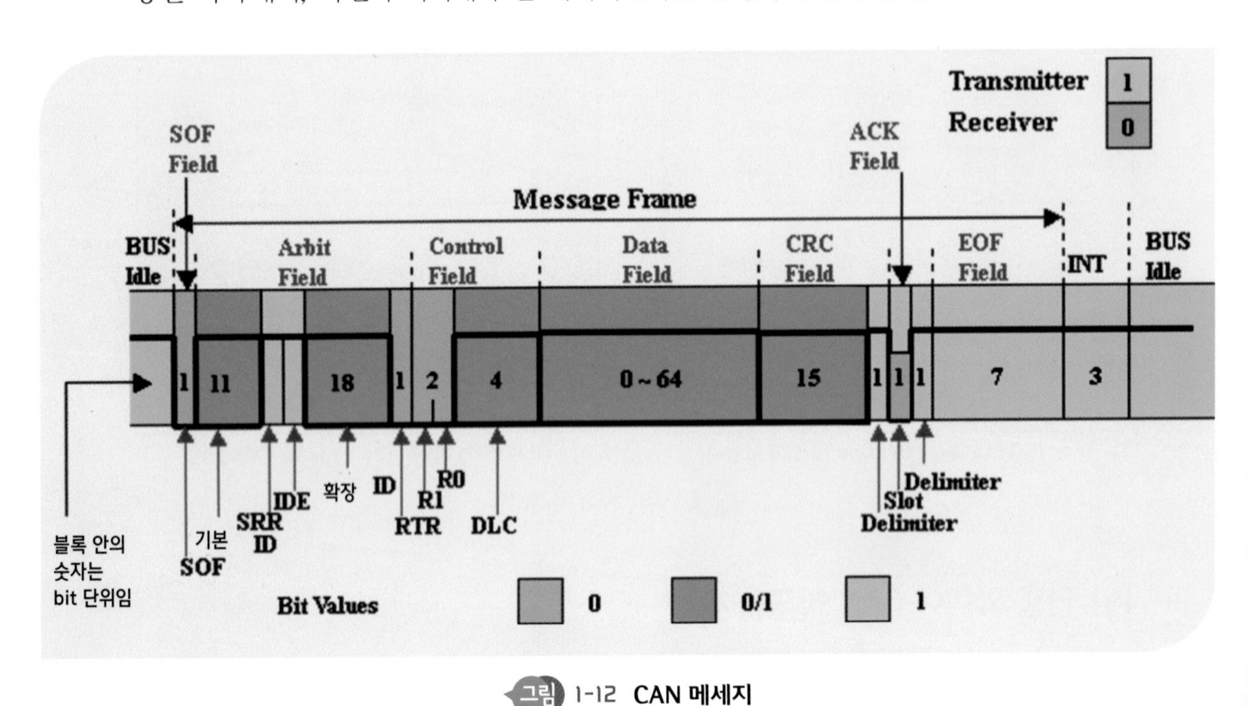

그림 1-12 CAN 메세지

(11) CAN BUS 전압 레벨

C-CAN 1 과 0 은 High / Low 두선 의 전압 차이로 결정. (두선의 전압차이가 0V 열성1)(2V이상 우성0)

- **High** : 2.5V 기준으로 3.5V로 상승 **Low** : 2.5V 기준으로 1.5V로 하강

  B-CAN 1 과 0 은 High / Low 두선 의 전압 차이로 결정

  (두선의 전압 차이가 5V 열성1, 2V이하 우성0)

- **High** : 0V 기준으로 3.5V로 상승 **Low** : 5V 기준으로 1.5V로 하강

03 자동차 바디전장 시스템 개요

1 바디 전기·전자장치 개요

운전자 또는 승객이 조작하는 도어 록, 라이트 제어 등의 기능은 BCMBody Control Module이 총괄 제어하며 SJBSmart Junction Box 및 SMK는 각종 스위치 감지 및 출력 그리고 승객 인증을 감지하여 바디 CAN 통신을 통해 기능이 제어된다.

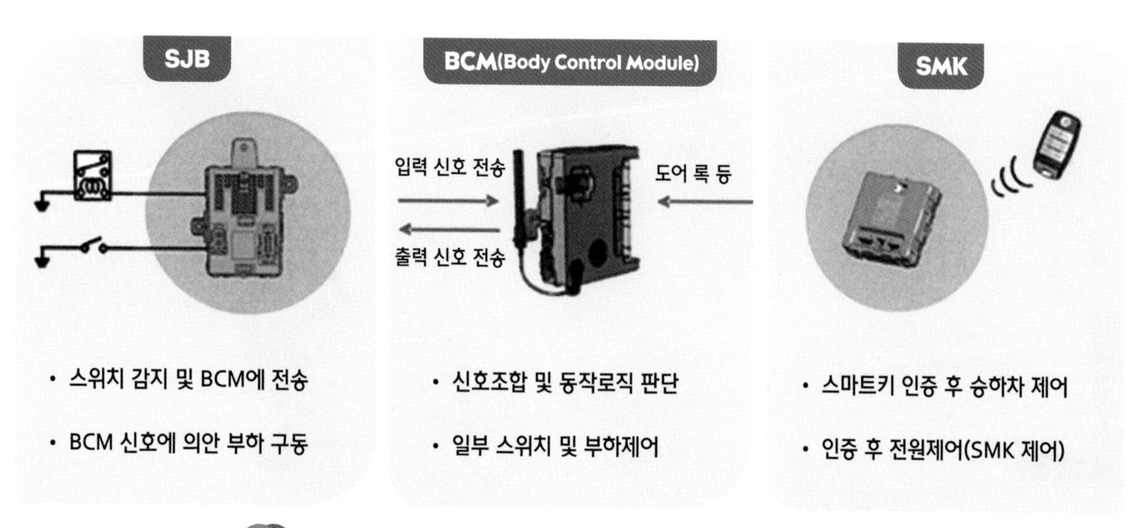

그림 1-13 바디 전기·전자장치 개요 ▶출처 : 현대 자동차 정비지침서

2 통합형 게이트웨이 모듈(IGPM : Integrated Gateway Power Control Module)

스마트 정션 박스(SJB)와 센트럴 게이트웨이(CGW)를 하나의 모듈로 통합한 실내 정션 박스(IGPM)이다. 차량의 전자제어 시스템이 증가됨에 따라 통신 성능의 향상 및 효율적인 네트워크 관리의 필요성은 더욱 중요해지고 있다. 차량의 네트워크 시스템은 총 6개 채널로 구성되어 있으며, 기본적으로는 각 채널 별로 독립적인 기능을 수행하도록 되어 있지만 제어 목적에 따라 다른 네트워크에 연결된 제어기의 정보를 필요로 하는 경우가 많다.

고급 차량에는 중앙 집중형 게이트웨이(CGWCentral Gate Way)를 적용하여 차량 통신 네트워크 시스템을 관리하고 있다.

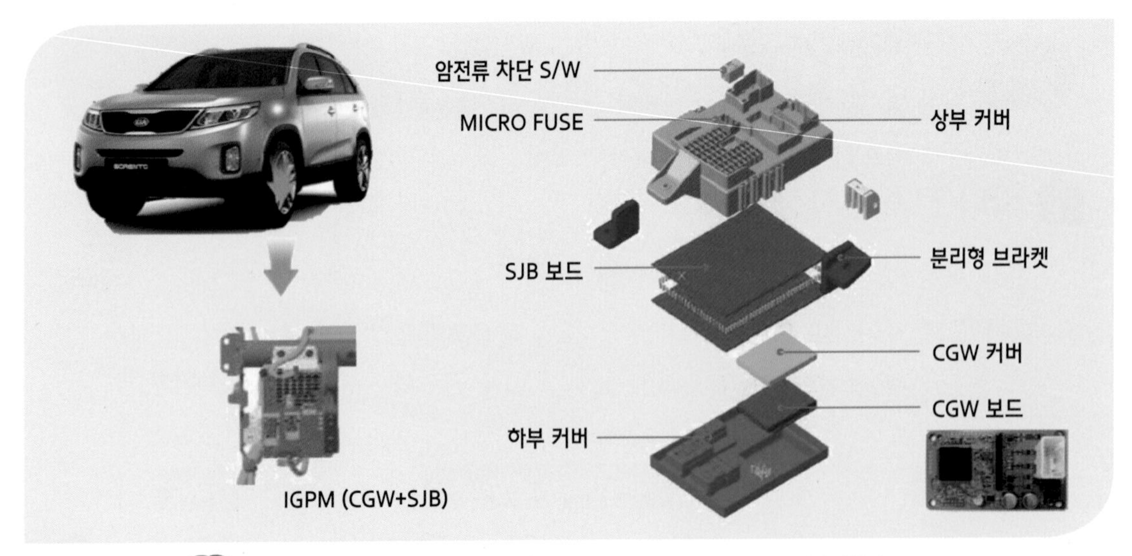

그림 1-14 **통합형 게이트웨이 모듈** ▶출처 : 기아자동차 스포티지 정비지침서

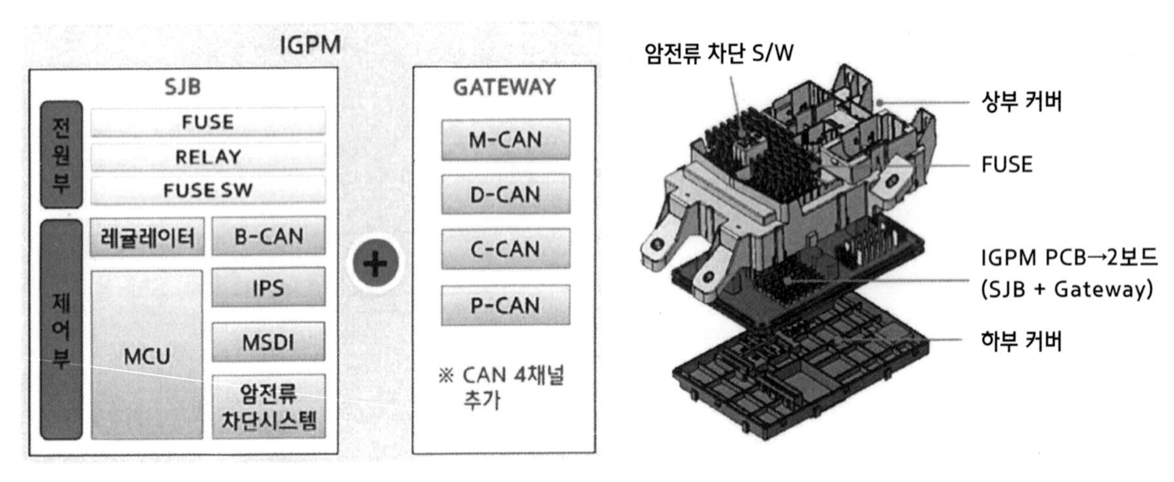

그림 1-15 **IGPM 블럭다이어그램** ▶출처 : 기아자동차 스포티지 정비지침서

3 CGW Central Gate Way

(1) 개요

네트워크에서 서로 다른 통신망의 프로토콜을 사용하는 네트워크 간의 통신을 가능하게 하는 장치로서 넓은 의미로 종류가 다른 네트워크 간의 통로 역할을 하는 장치 또는 소프트웨어를 의미한다. 특징으로는 다음과 같다.

① 서로 다른 속도를 갖는 모듈 간에 정보를 교환한다.

② 통신 부하 증가로 정보 손실을 방지하기 위한 네트워크 분리역할을 한다.

③ 수신된 CAN통신 정보를 직접 전달하거나 특정 Signal을 다른 네트워크의 CAN 통신 메시지로 재조합하여 전송한다.

④ 네트워크 부하율 분산/감소를 통해 차량 전자제어 모듈의 증가에 효율적인 대응이 가능하다.

⑤ 네트워크 간 통신 전달(Routing) 속도 향상 20ms에서 2ms (다이렉트 메시지 라우팅 시)

⑥ 네트워크 보안 성능 강화로 외부 기기에 의한 CAN통신 메시지 침입/유출을 방지한다.

⑦ 전용 게이트웨이 개발/적용을 통해 네트워크 관리 표준화 및 후속 차종 적용 확장성을 확보할 수 있다.

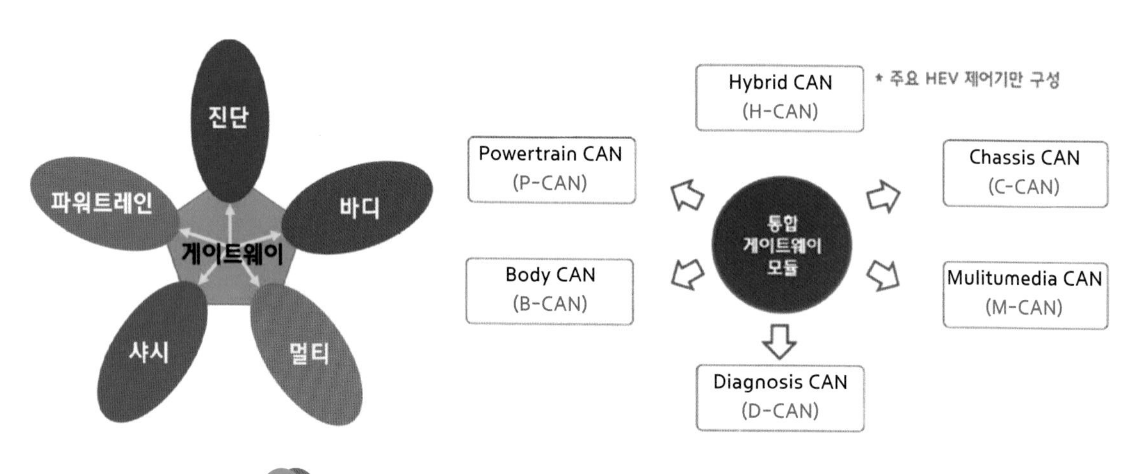

그림 1-16 **통합 게이트웨이** ▶출처 : 기아자동차 스포티지 정비지침서

(2) 분산형 게이트웨이

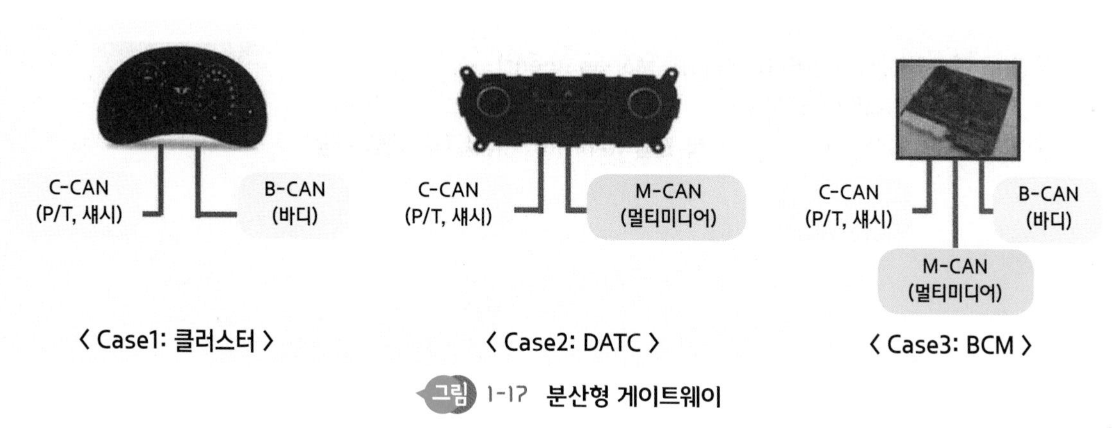

그림 1-17 **분산형 게이트웨이**

(3) 중앙 집중형(CGW) vs 분산형 게이트웨이 비교

① 중앙 집중형 게이트웨이

가) 네트워크 간 통신 전달 속도 향상 : 분산형 대비 10배 빠르다.

나) 통신 연결 가능 제어기 수 증대 : 데이터 부하율 분산

다) 네트워크 보안 강화 : CGW를 통해서만 차량 통신 네트워크에 접근 가능하다. (해킹 방지 방화벽 기술 적용)

라) 차종 및 시스템 추가 시 통신 확장성 좋다.

② 분산형 게이트웨이

가) 통신 연결 가능한 제어기 수 제한 : 데이터 부하율 집중된다.

나) 제어기 수 증가 시 오작동 발생 우려 : 특히 고속 CAN에서 발생할 수 있다.

다) 네트워크 보안 성능 취약 : C-CAN통신 라인 노출로 인해 외부 기기에 의한 메시지 침입/유출 우려가 있다.

라) 차종 및 시스템 추가 시 통신 확장성 어렵다.

(4) CGW Central Gate Way 주요기능

CGW는 전송 속도나 방식 등이 서로 다른 통신 네트워크 간의 정보를 받아서 각 시스템에 위배되지 않도록 메시지를 전송하는 라우팅 기능을 수행하며, 전송방식은 다음과 같이 크게 두 가지로 구분할 수 있다.

① 다이렉트 메시지 라우팅 Direct Message Routing

- 수신된 CAN통신 메시지를 가공하거나 재배치하지 않고 통째로 복사하여 전달하는 방식
- 시간 지연 없이 빠른 데이터 전송이 필요한 메시지 전송방식
- P/C-CAN통신에만 해당된다.

② 인 다이렉트 시그널 라우팅 Indirect Signal Routing

- 수신된 CAN통신 메시지의 특정 시그널을 다른 네트워크의 CAN통신 메시지로 재조합하여 송신하는 방식.

● 메시지 내에 있는 몇 개의 신호만 필요할 경우
● 송/수신 네트워크 간 통신 속도, 프로토콜이 상이할 경우
● 모든 CAN통신에 적용한다.

또한 RDBRouting Data Base에 각 네트워크 제어기 별 송/수신 메시지를 정의하고, 각 메시지들을 어느 네트워크에 어떠한 방식으로 전달(라우팅)할 지 관리하고 있다.

가) 데이터 라우팅 기능

차량 내에서 서로 다른 통신 네트워크간의 정보 교환을 담당한다.

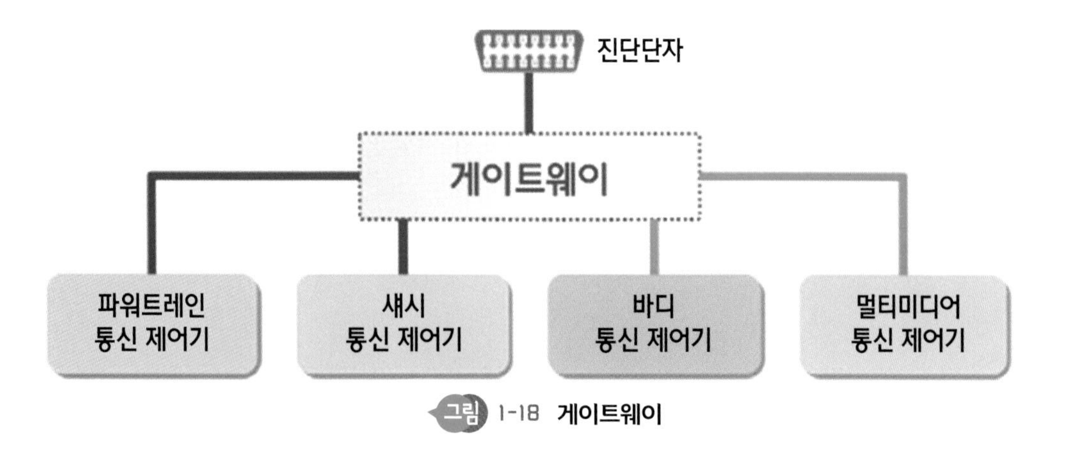

그림 1-18 게이트웨이

나) 고장진단 라우팅 기능

진단장비에 의한 P, C, B, M-CAN 네트워크 ECU 진단 및 강제 구동 기능

진단장비에 의해 네트워크 ECU 리 프로그램 기능

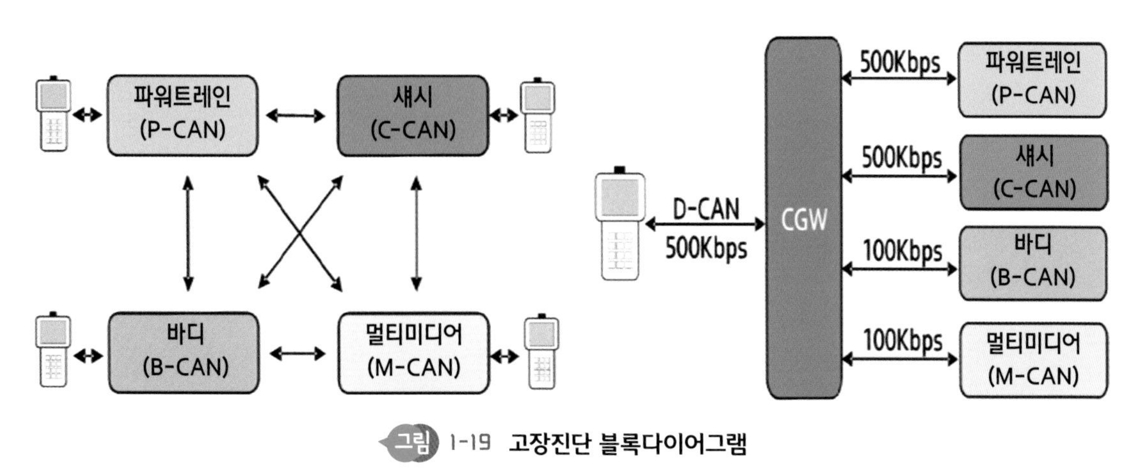

그림 1-19 고장진단 블록다이어그램

다) 네트워크 보안관리 기능

차량 네트워크로의 접속이 GCW와의 진단 통신(D-CAN)을 통해서만 가능하도록 함으로써 외부 기기를 이용한 차량 통신 네트워크 접속이나 메시지 침입, 해킹을 통한 메시지유출 등을 방지할 수 있다.

- 차량의 통신(고속 CAN)경로를 통한 외부의 침입으로부터 차량 내 제어기 보호 및 정보 유출 방지
- 통합형 게이트웨이(CGW)를 적용하여 OBD 진단 커넥터를 통한 미인가 장비의 접근 또는 리 프로그래밍을 차단한다.

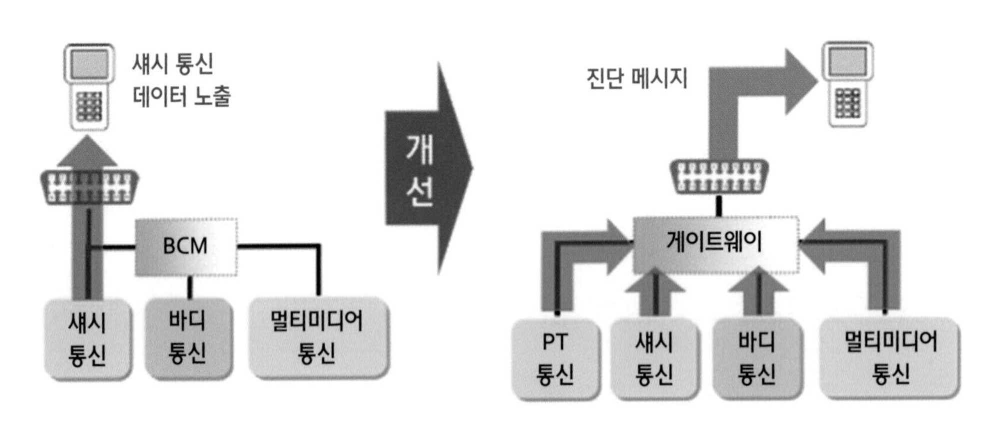

그림 1-20 네트워크 보안

라) 부가 기능

AVN 4.0(I-BOX) 원격진단

- 경고등 점등 시 I-Box와의 게이트웨이를 통한새시 시스템(P/C-CAN)원격 진단을 수행한다.
- 진단 장비 연결 시 게이트웨이를 통한 I-Box 원격 진단(P/C-CAN) 기능은 중지된다.
- P/C-CAN 10개 제어기 원격 진단 수행
- 시동 ON이후 8.5초가 지난 시점부터

마) 네트워크 보안관리 기능

신규 제어기 추가 시 네트워크 대응이 용이하다.

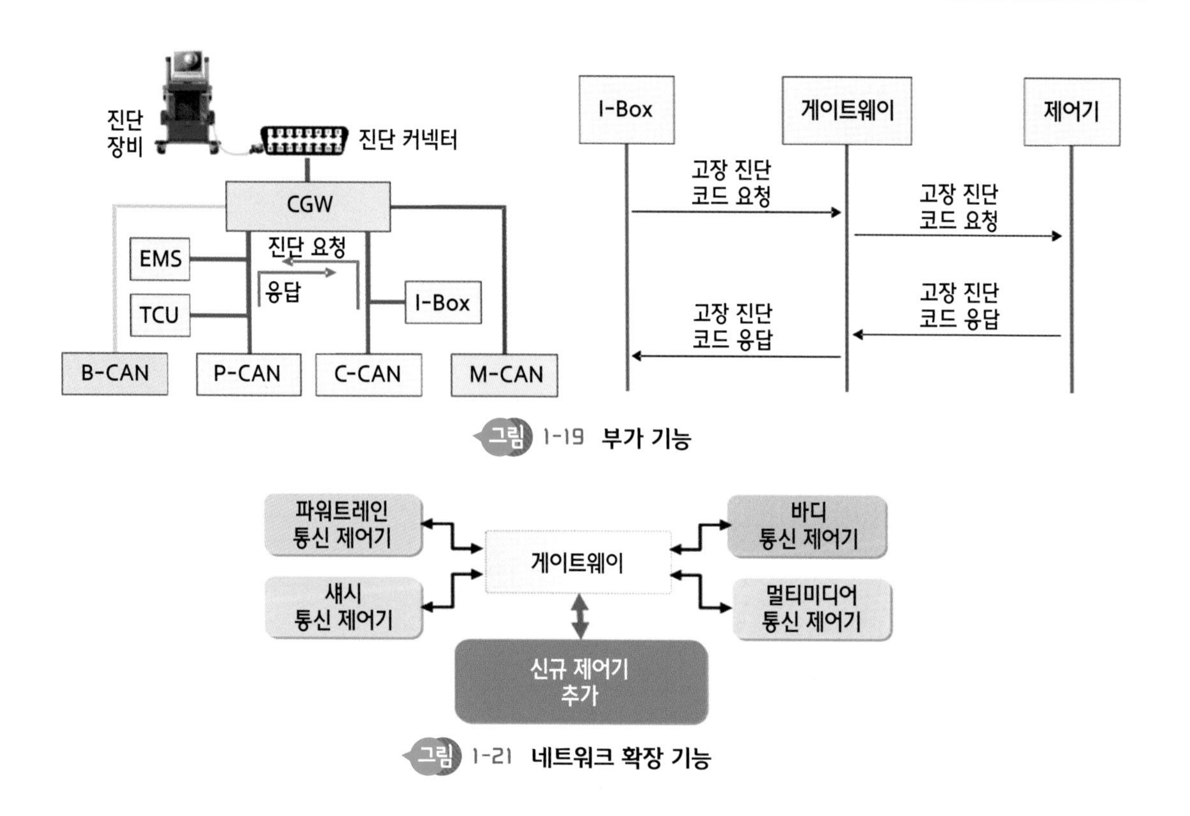

그림 1-19 부가 기능

그림 1-21 네트워크 확장 기능

4 입·출력 블록 다이어그램

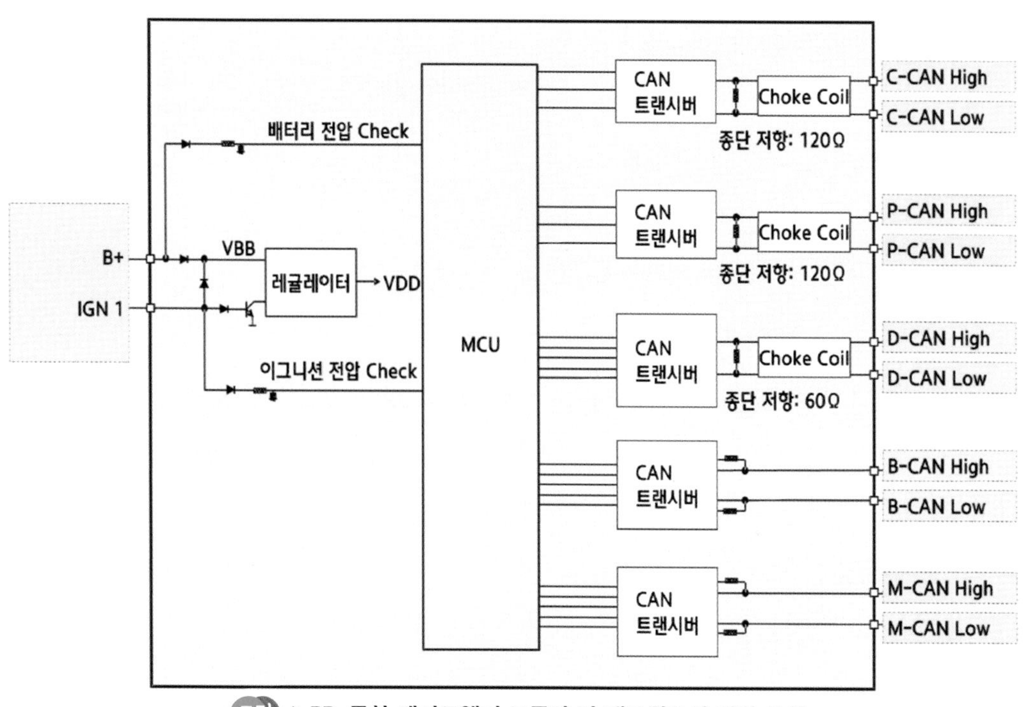

그림 1-22 통합 게이트웨이 모듈과 각 네트워크의 연결 구성
▶ 출처 : 기아자동차 K9 정비지침서

(1) High Speed CAN 종단 저항 장착 위치

① **C-CAN** : 클러스터 모듈 내부 (120Ω)

② **P-CAN** : EMS 모률 내부 (120Ω)

③ **D-CAN** : High Speed 임에도 내부종단저항을 60Ω인 이유는 진단장비에 종단 저항 60Ω이 설치되어 있기 때문이다.

(2) Gateway 블록 다이어그램

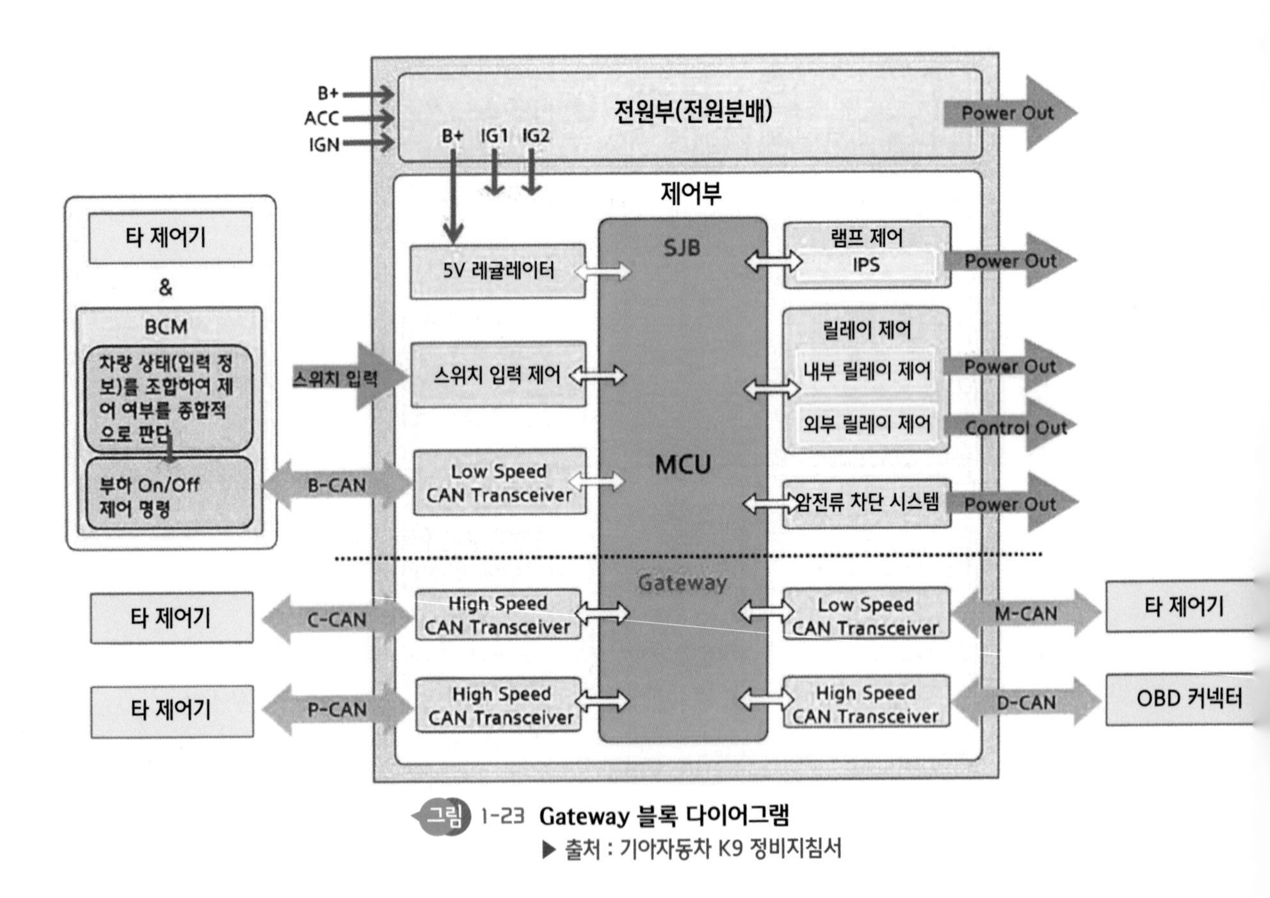

그림 1-23 **Gateway 블록 다이어그램**
▶ 출처 : 기아자동차 K9 정비지침서

(3) 커넥터 핀 Lay-out 및 전기적 특성

CGW 모듈의 정상 작동 전압은 6.5~18V이고 이그니션 전원이나 배터리 전원 중 어느 한쪽에 고장(단선/단락)이 발생하더라도 정상 작동한다.

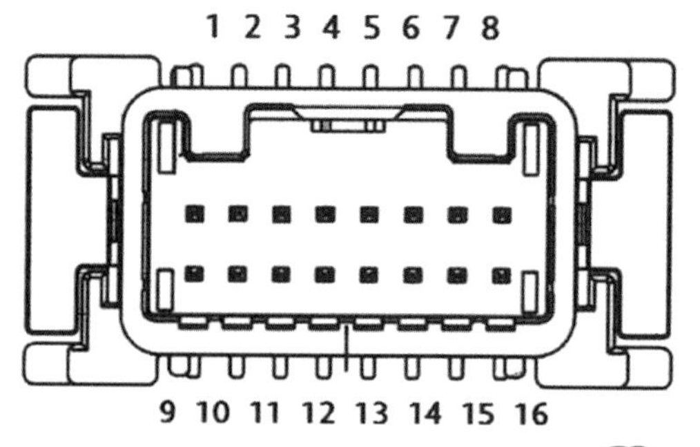

NO	명칭 및 기능	NO	명칭 및 기능
1	D-CAN Low	9	M-CAN Low
2	D-CAN High	10	M-CAN High
3	-	11	B-CAN Low
4	접지	12	B-CAN High
5	-	13	P-CAN High
6	IGN 1전원	14	P-CAN Low
7	-	15	C-CAN High
8	배터리 전원	16	C-CAN Low

그림 1-24 CGW 모듈

5 서비스 가이드

(1) DTC 검출

과거 DTC 자동 소거 방식 – IG OFF 또는 ACC 상태에서 IG ON 또는 시동 상태로의 변경이 30회 발생하는 동안 고장이 검출되지 않으면 과거 DTC는 자동 소거된다. (CGW ECU 내부 고장을 제외한 모든 DTC에 적용)

(2) 네트워크 구성정보 초기화

IGN ON 상태에서 CGW와 연결 된 제어기 탈거 시 Time Out 고장 코드 발생하면 네트워크 구성정보 초기화 실시(미 실시할 경우 DTC 소거 안됨)

(3) MCU 초기화

IGPM의 Main–H 전원 커넥터 탈거 후 재접속

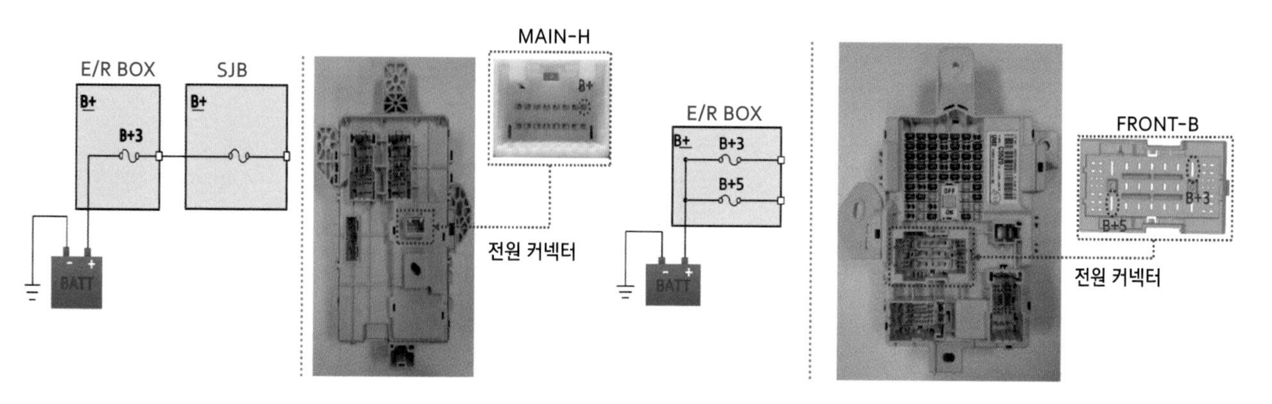

그림 1-25 MCU 회로 및 부품
▶ 출처 : 기아자동차 K9 정비지침서

04 바디컨트롤 모듈(BCM) 개요

1 BCMBody Control Module 개요

바디전장 기능을 통합 제어하며 파워 트레인 CAN통신과 바디전장 CAN통신의 정보 및 진단 통신 중계(Gate Way)를 수향하며 타이어 압력센서 신호 수신(TPMS 기능 내장) 또한 와이퍼, 램프, PAS, 도난 방지 등의 동작을 자동 컨트롤하는 시스템으로 여러 스위치 신호를 입력받아 시간 제어 및 경보 제어와 관련 된 기능을 수행한다.

2 입출력 블록 다이어그램

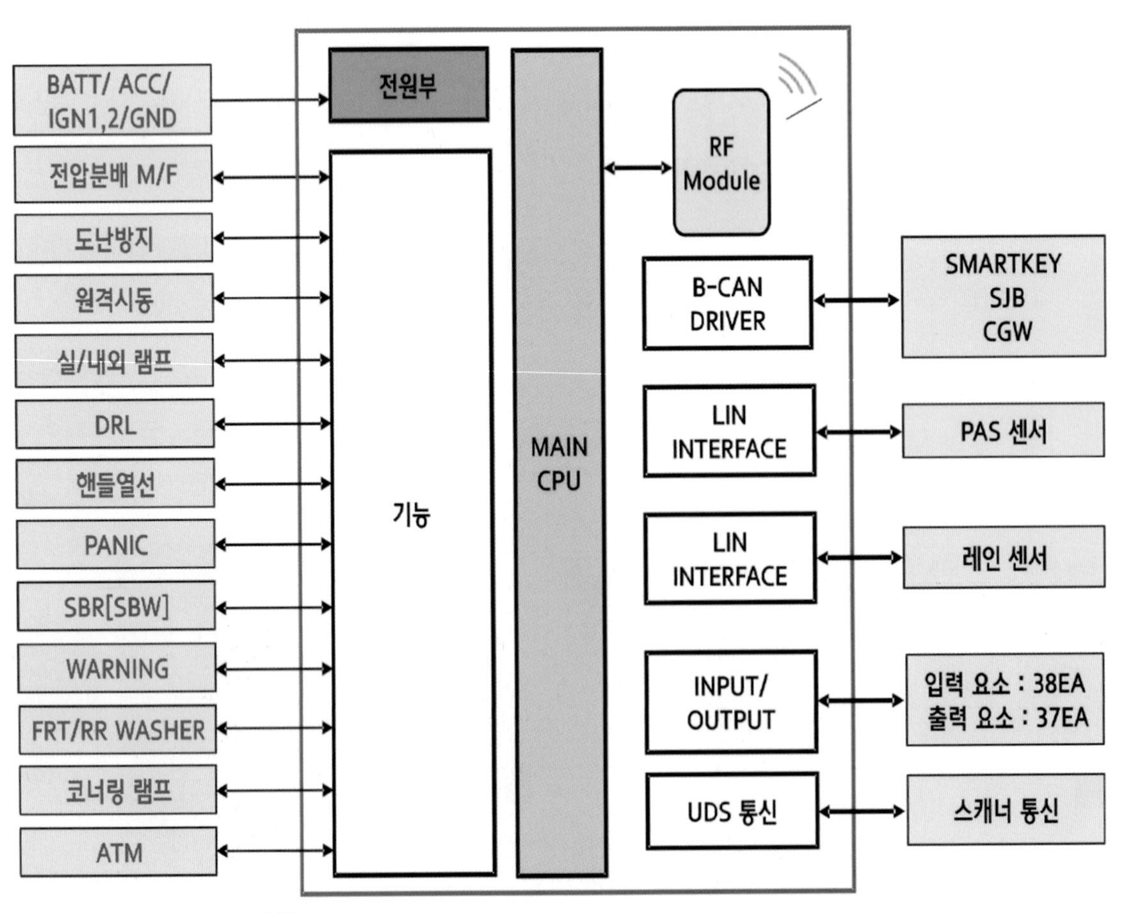

그림 1-26 BCM(Body Control Module) 입·출력 블록다이어그램
▶ 출처 : 기아자동차 K9 정비지침서

3 바디 컨트롤의 주요기능

NO	주요 기능	내 용
1	전압분배 M/F 시스템 적용 와이퍼/전조등 시스템	• 와이퍼 스위치 값 인식 후 와이퍼 HI/LOW 릴레이 제어 • 멀티 펑션 스위치의 전조등 HIGH/LOW, 앞 안개등, 미등 멀티 펑션 스위치 값을 인식하여 BCM(Body Control Module)은 각 스위치 별 출력 제어 (B-CAN 통신)
2	시트벨트 경고 (시트벨트 리마인더)	• 시트벨트 착용 유무에 따른 경고 기능 동작
3	고장 진단(스캐너 통신)	• UDS 통신
4	PAS/RPAS 경고	• 시프트 레버 (RorD) 이동 시 PAS 센서를 통한 전/후방 장애물 감지 기능 (LIN 통신)
5	와이퍼 & 와셔	• Front / Rear 와셔 스위치 ON 시 와셔 와이퍼 출력
6	핸들 열선	• 스위치 On시 열선 출력 시간(30분)후 자동 OFF • 저온, 고온, 타켓 온도에 따른 스티어링 휠 열선 제어 • 이상 현상 발생 시 경고등 점멸 • 49℃차단 / 48℃복귀 → 고장 시 인디케이터 점멸
7	도난방지 (ANTI – THEFT)	• REMOTE 록 30초경과시 도난 경계 상태로 유지되며, 이 상태에서 도어 및 후드, 테일 게이트강제 OPEN시 경보
8	ATM SHIFT LOCK	• IGN & 브레이크 상태에 따라 ATM SOL을 구동 시켜 SHIFT 레버를 이동 가능토록 하는 기능
9	혼& 백 알림 기능 (HORN ANSWER BACK)	• RKE LOCK 입력 후 4초 내 RELOCK시 비상등 & 혼 출력 • 북미 SMK : HORN ANSWER BACK 2STEP • 내수/북미 RKE : HORN CHIRP
10	PANIC (패닉)	• RKE & FOB PANIC 버튼 ON 시 혼 & 비상등을 출력
11	선루프 제어 타이머	• IG OFF후 30초 동안 선루프 타이머기능 동작
12	코너링 램프	• 차속 40km/h 미만 조건에서 방향 지시등 ON 시 동작 • 전조동 스위치 ON(Low/Hi 무관), 변속단 위치는 무관
13	DRL	• 점등 조건 : 발전기 H 신호 입력 시 동작 • 소등 조건 : 전조등 LOW ON 또는 앞 안개등 스위치 ON 시
14	PAS/에어백 옵션 단자	• 접지 시 해당 옵션으로 인식 • 접지 해제 시 해당 옵션 적용 안됨

(1) 주요 기능

BCMBody Control Module은 파워 도어 록 및 실내등과 같이 주로 사용자 의지에 의해 구동 되는 기능을 통합 제어하는 모듈로서 사용자가 특정 기능을 동작하기 위해 스위치를 조작하면, 그 신호를 입력받아 로직 판단 후 조건에 맞는 출력을 제어한다.

하지만 단독으로 많은 기능의 입력과 제어를 할 수 없기 때문에 바디 CAN 통신에 연결된 모듈(SJB, DOM)에서 입력 신호를 받아 기능에 대한 로직 판단 후 BCM이 직접 제어하거나 CAN 통신을 통해 SJB로 구동신호를 전송한다. 즉 바디전장 기능을 제어하는 두뇌역할을 수행한다.

또한 BCM은 통신 프로토콜이 다른 파워트레인 CAN통신과 바디 CAN통신의 통신 중계기(Gate Way)역할도 수행하며 차속 및 도어신호등 각각의 네트워크에 필요한 내용을 송수신한다.

① 통합제어 (미등 자동 소등기능)

미등이 점등된 상태에서 IGN off후 운전석 도어를 열면 자동으로 미등이 소등되는 기능이 동작되면 다음과 같은 로직이 수행된다.

가) BCM은 미등 스위치 on 및 IGN off 감지한다.

나) SJB는 운전석 도어가 열렸다는 신호를 감지하여 CAN통신을 통해 BCM으로 전달한다.

다) BCM이 "미등 자동소등 기능"에 조건이 만족되는지를 로직으로 판단한다.

라) 조건 만족 시 CAN통신을 통해 SJB로 미등 출력 off 신호를 전송한다.

마) SJB는 미등소등을 한다.

(2) BCM 제어기능

① **통신 :** CAN, LIN 통신 및 UDS 진단통신.

② **열선 :** 조향핸들, 앞/뒤 유리 열선제어.

③ **스마트키 연동 :** 아웃사이드 밀러 폴딩 언 폴딩, 포켓 퍼들램프 제어

④ **와이퍼 및 와셔 :** 프런트 와이퍼(Auto, Low, High)제어, 와셔연동 와이퍼 제어, 레인센서 연동 제어.

⑤ **UVO :** 도난신호 전송, 도어록/언록 서비스 제어

⑥ **실내조명 :** 감광식 룸램프, IGN 조명제어, AV연동제어(AV Tail)

⑦ **외장램프 :** 전조등, 미등, 안개등, 오토라이트, 스태틱 밴뎅 램프, 헤드램프, 에스코트, 스마트 웰컴(미등 점등)

⑧ **경고 및 부저 :** 안전벨트, 선루프 열림 경고, PAS, 주차브레이크, 외장램프 단선 경고

⑨ **도난경보장치 :** 리모컨 신호에 따른 제어

⑩ **기타 :** 파워도어록(차속 및 충돌 연동제어), 타이어 압력센서 신호 수신(TPMS)

(3) 기능을 수행하기 위해 BCM에 입 · 출력하는 요소

① PAS 옵션

주차 보조 시스템 중 PAS (전·후방 경보) 사양인지 및 RPAS (후방 경보)사양인지 구별하기 위해 와이어 링 결선으로 구분한다.

가) PAS 사양 : 접지(0V)

나) RPAS 사양 : 접지 해제(12V)

② PAS 센서 전원

BCM이 초음파센서 전원을 공급한다.

가) 전원단 접지 단락 감지용(약 350mA 이상 흐를 경우) 차단

③ 레인센서 옵션

레인센서 인지 및 일반 사양인지 구분한다.

가) 레인센서 적용 사양 : 접지(0V)

나) 일반 사양 : 접지 해제(12V)

④ 퍼들 램프 및 아웃사이드 밀러 폴딩제어

운전석 및 동승석 파워윈도우 스위치 신호를 B-CAN으로 수신하여 BCM에서 제어한다.

(4) 바디컨트롤 모듈 주요기능

① 전압 분배 M/F 적용

다기능 스위치에 내장된 라이팅, 와어퍼스위치를 일대일 접점에서 전압 분배 방식으로 변경 하여 BCM은 멀티 펑션 스위치 값을 인식하여 각 스위치별 출력제어를 한다.

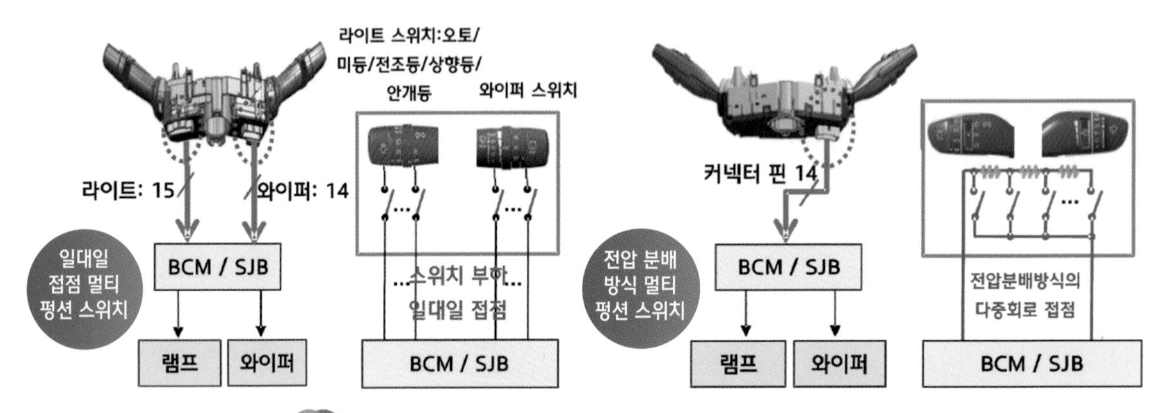

그림 1-27 **멀티펑션 스위치 회로** ▶ 출처 : 기아자동차 K9 정비지침서

② 라이트 회로

가) 작동방식

- 멀티펑션라이트스위치ON & IGN2 ON 조건이 되면 헤드램프 & 미등을 ON 한다.
- 운전자가 멀티 펑션 스위치 ON 시 BCM은 CAN통신 데이터로 멀티 펑션 상태 정보를 SJB 로 전송한다.
- SJB 는 멀티 펑션 상태 정보에 따라 미등, 전조등을 제어한다.
- 페일 세이프 진입 조건 (전조등 Low, 미등 점등)
  - SJB 내부 컨트롤러 고장 시 / CAN 통신 라인의 단선/단락(두선 모두 단선/단락 시) 발생 시

③ 와이퍼 회로

가) 작동방식

- 이전차량은 와이퍼 릴레이 전원 입력을 IG2 전원을 이용하였으나 신차에는 와이퍼릴레이 전원 입력 방식이 B+ 전원 이용 방식으로 변경되었다.

- 와이퍼 릴레이 전원 입력방식 변경으로, 와이퍼스위치ON 와이퍼 구동 중 전원 OFF시 와이퍼블레이드 중간 멈춤이 발생되었으나 릴레이 전원 입력방식 변경 후 중간 멈춤이 해소 되었다.

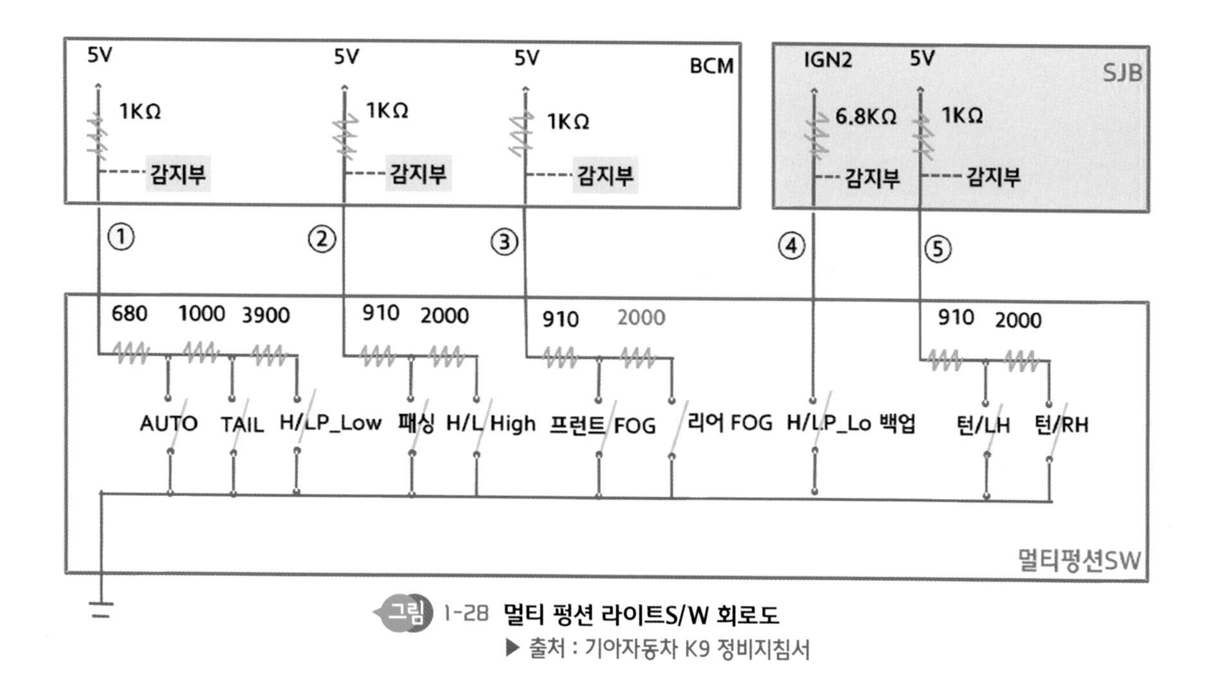

그림 1-28 **멀티 펑션 라이트S/W 회로도**
▶ 출처 : 기아자동차 K9 정비지침서

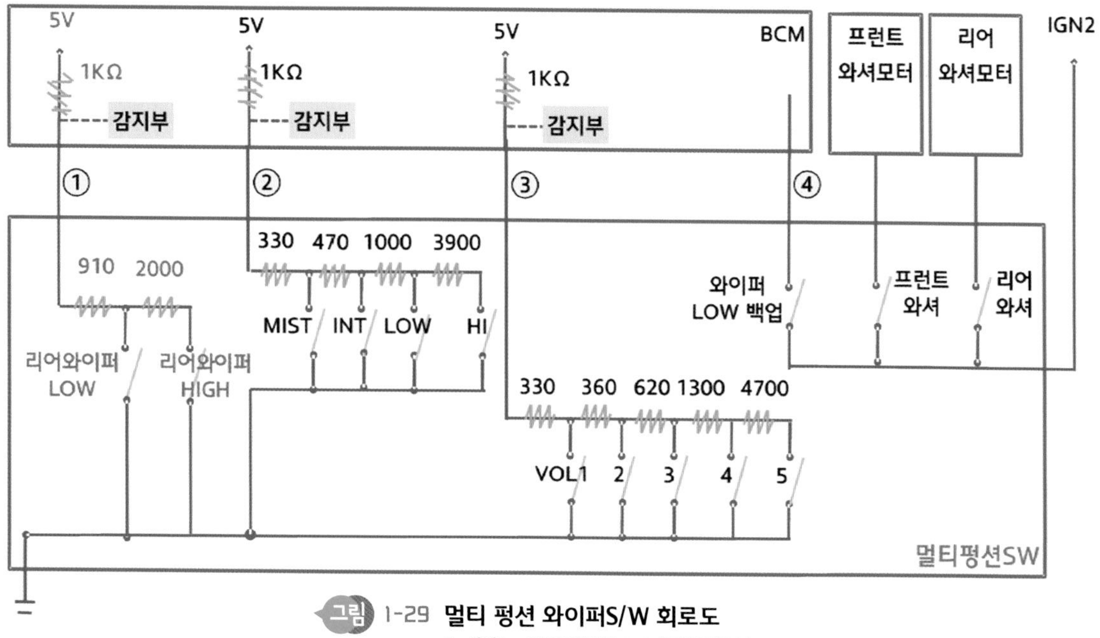

그림 1-29 **멀티 펑션 와이퍼S/W 회로도**
▶ 출처 : 기아자동차 K9 정비지침서

나) 와이퍼 회로 분석

- 멀티 펑션 스위치가 전압 분배 방식으로 적용
- BCM은 멀티 펑션 스위치 입력 전압 값을 통해 운전자의 의지를 파악하고 와이퍼 인트와 Low 구동

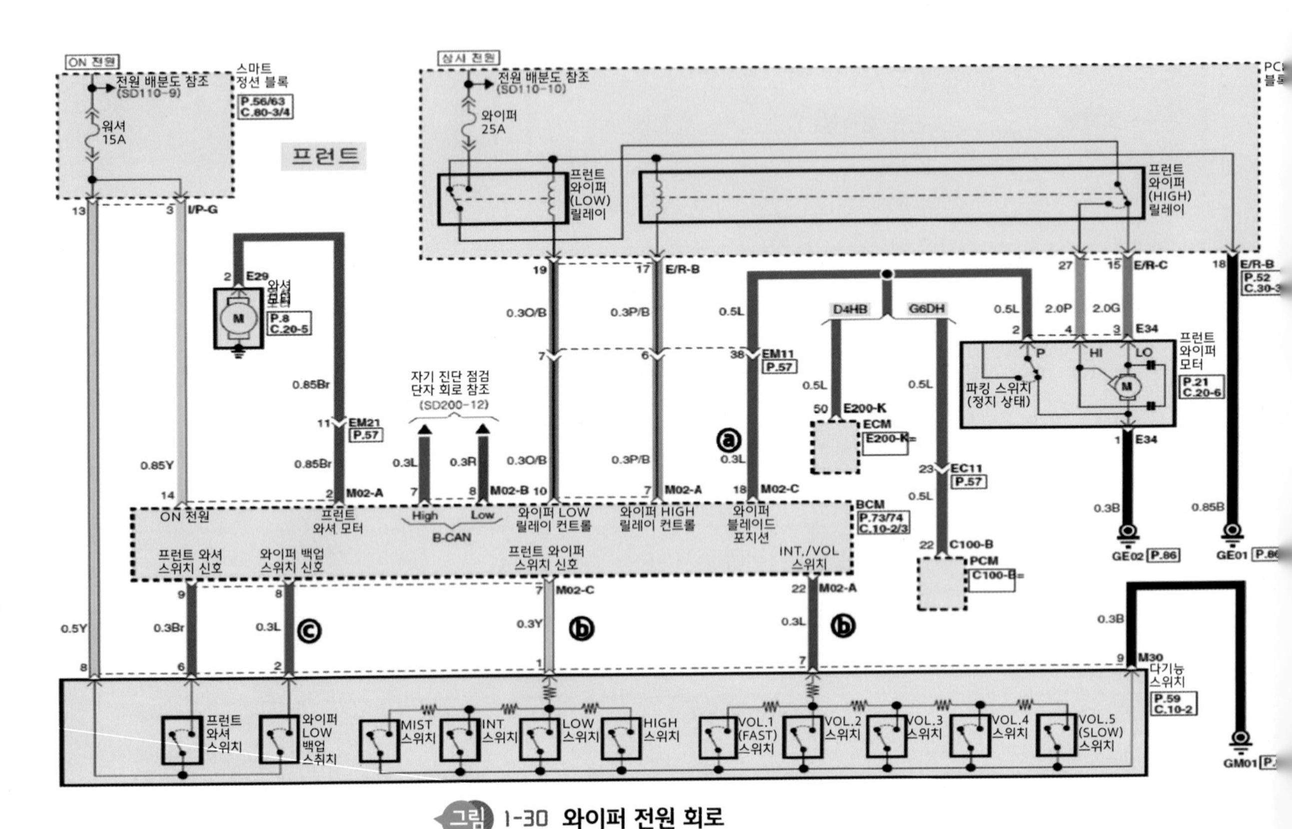

그림 1-30 와이퍼 전원 회로

▶ 출처 : 기아자동차 K9 정비지침서

다) 페일세이프 제어

- 멀티 펑션 스위치 단선으로 와이퍼 Low 신호를 받을 수 없을 때 BCM은 와이퍼 Low 백업 라인이 ON 상태이면 와이퍼 Low를 출력한다.
- BCM 마이컴 고장으로 와이퍼 스위치 입력 값을 받지 못할 경우 와이퍼 Low 백업스위치 ON 시 와이퍼 Low를 출력한다.
- **파킹 스위치**
  - 와이퍼 구동중 IG Off 시 블레이드를 파킹 위치로 복귀시키기 위해 파킹 스위치 신호 입력시까지 와이퍼 릴레이를 구동한다.

- 만일 10초안에 파킹 신호가 입력되지 않으면 와이퍼 블레이드 구속으로 판단하고 와이퍼 릴레이 구동을 중지한다.
- 단자 전압 : 파킹 위치 : 0V :와이퍼 구동 시 12V

● **다기능 스위치**

- 전압 분배방식의 다기능 스위치 적용((스위치 및 인트 볼륨)
- 단자 전압 : 5V풀업 및 스위치 단계별 전압 변화

● **백업 스위치**

- 백업신호는 입력되지만 전압 분배신호가 입력되지 않을 경우 와이퍼 모터를 Low로 작동시킨다.
- 단자 전압 : 스위치 Off 시 0V, 스위치 ON 시 12V.

05 스마트 정션박스(SJB) 개요

1 SJB 개요

SJB 내부 퓨즈를 통해 차량 각 시스템에 전원공급 및 IPS를 통한 램프 및 릴레이 구동하고 바디전장 스위치 작동여부를 감지하여 CAN통신을 통해 BCMBody Control Module으로 입력 및 BCM 로직 판단을 CAN통신으로 입력 받아 바디전장품의 제어를 행한다. SJB는 실내 정션 박스에 BCM의 기능을 일부 포함하고 CAN 통신과 IPS를 이용하여 램프류 및 각종 부하를 제어하는 일종의 전자제어 박스라 볼 수 있다.

IPSIntelligent Power Switch는 대 전류 부하 제어 기능에 과전류에 대한 보호기능이 추가되어 퓨즈와 릴레이 대처가 가능한 소자를 말한다.

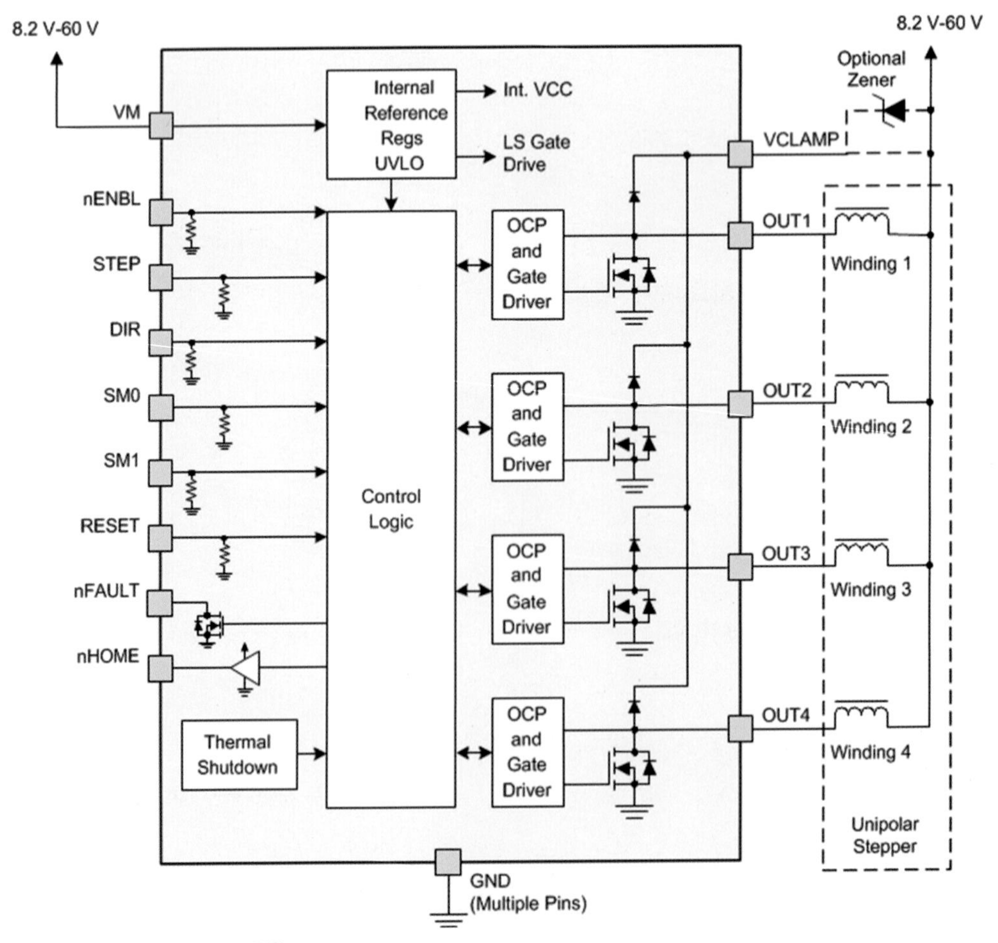

그림 1-31 IPS (Intelligent Power Switch) 등가회로

❷ 시스템 블록 다이어그램

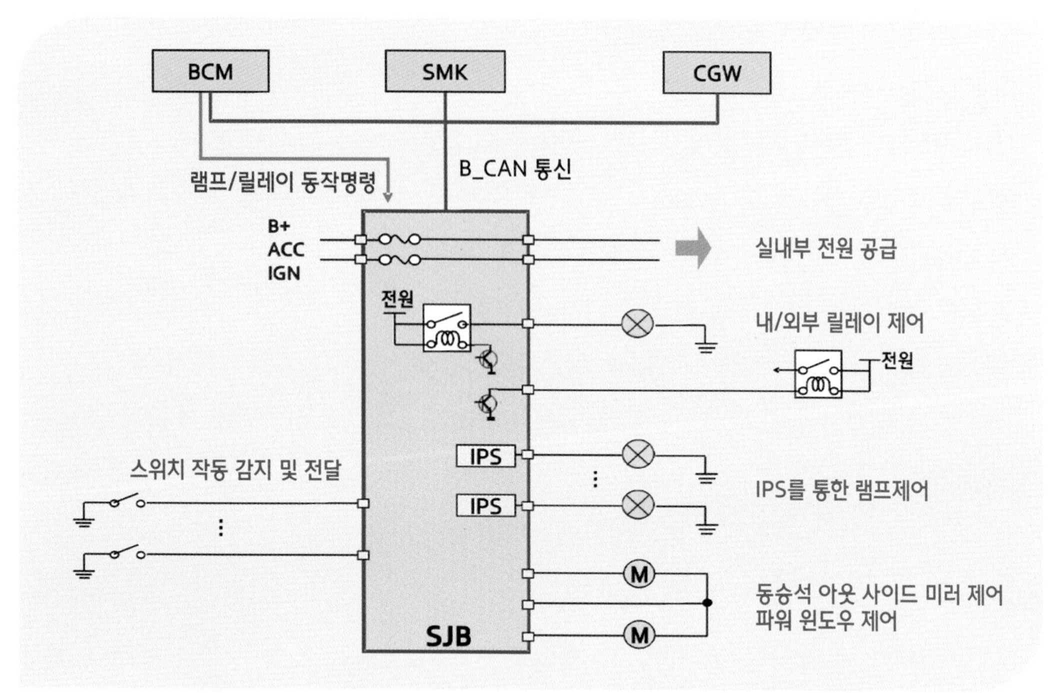

그림 1-32 **시스템 블록 다이어그램** ▶ 출처 : 기아자동차 K9 정비지침서

① **스위치 입력 :** 스위치 입력을 받아 스위치 상태를 CAN 메시지로 각 모듈에 전송

② **IPS를 통한 램프류 제어 :** BCM으로부터 CAN메시지로 명령을 받아 IPS로 램프류를 제어한다.

③ **내부 릴레이 제어 :** BCM으로부터 CAN메시지로 명령을 받아 SJB 내부에 있는 릴레이를 제어한다.

④ **외부 릴레이 제어 :** BCM으로부터 CAN메시지로 명령을 받아 SJB 외부에 있는 릴레이를 제어한다.

⑤ **Door Zone Architecture :** DDM으로부터 CAN메시지로 작동 명령을 받아 SJB 외부에 있는 보조석 O/S Mirror 및 Power Window를 제어한다.

⑥ **암전류 차단 시스템 :** 선적 및 장기주차 등 차량의 작동 상태에 따라 불필요한 암전류의 소모를 절감하기 위하여 부하에 공급되는 전원을 자동으로 차단한다.

⑦ **고장진단 :** IPS로 제어하는 부하에 대한 상태를 진단하고 표출한다.

⑧ SJB는 로직에 대한 판단은 하지 않으며 다른 모듈의 CAN통신 명령에 의해서만 작동한다.

3 주요기능 및 특징

① 바디 CAN통신전용 IC 적용

② 암 전류 자동 차단장치 적용

③ 바디전장 스위치 감지(방향지시등, 도어스위치, 미러조정 스위치, 도어록 스위치)

④ 방향지시등 제어(BCM 관계없이 SJB 단독 제어)

⑤ IPS를 통한 각종 램프 제어 및 PWM 정전압 제어(벌브 타입)

⑥ 램프의 단선, 단락 검출을 통한 진단기능 제공

⑦ Fail Safe 기능(통신 불량시 전조등, 미등 직접 제어)

⑧ 릴레이 제어(열선, 트렁크리드, 파워 윈도우 릴레이, ICM: 버글러 알람, 버글러 알람 혼, 미러)

4 스위치 제어 블록 다이어그램

각종 스위치의 동작상태(ON/OFF)를 파악하고 CAN통신을 통하여 타 모듈로 스위치 상태를 메시지로 전송하는 기능을 수행한다.

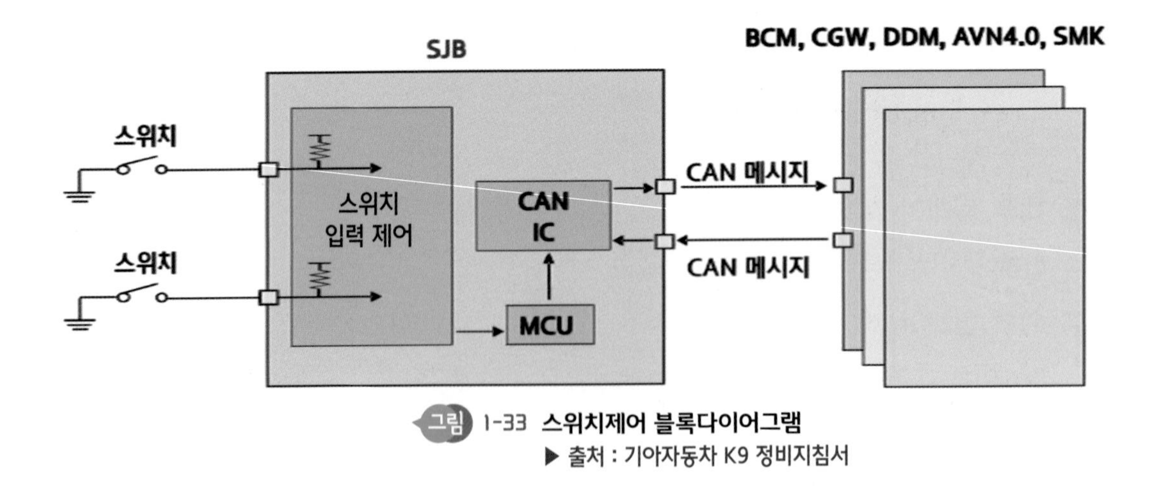

그림 1-33 스위치제어 블록다이어그램
▶ 출처 : 기아자동차 K9 정비지침서

5 내부 릴레이 제어 기능

BCM과 DDM에서 전송하는 CAN 메시지를 통하여 SJB 내부의 릴레이 On/Off동작을 수행하고 리어 와이퍼 릴레이는 BCM이 하드 와이어로 직접 On/Off를 제어한다.

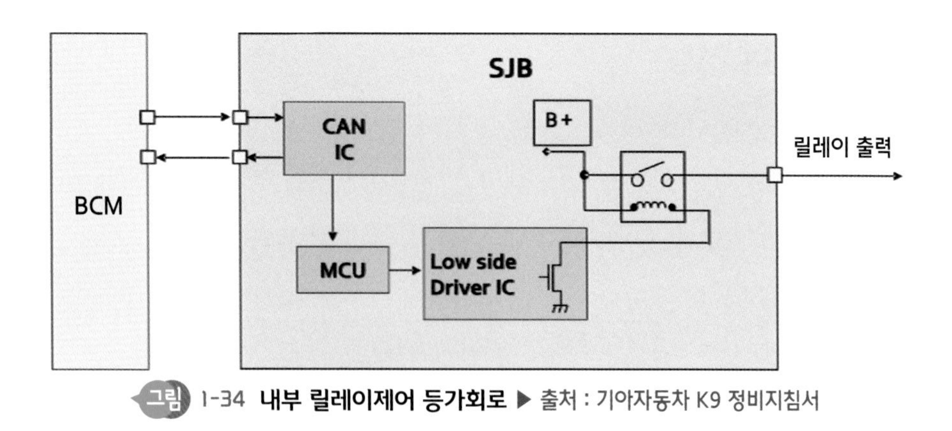

그림 1-34 **내부 릴레이제어 등가회로** ▶ 출처 : 기아자동차 K9 정비지침서

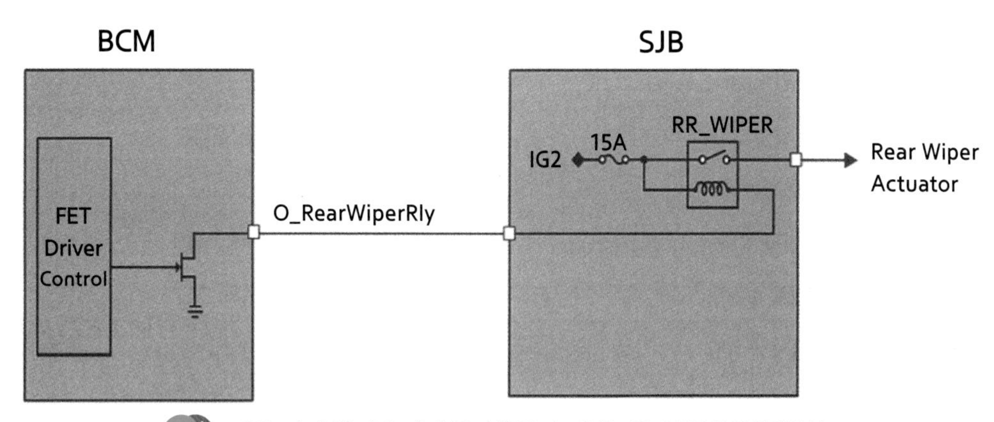

그림 1-35 **리어 와이퍼 제어 등가회로** ▶ 출처 : 기아자동차 정비지침서

6 외부 릴레이 제어 기능

BCM과 DDM에서 전송하는 CAN 메시지를 통하여 SJB 외부의 릴레이 On/Off동작을 수행하고 도난방지 혼 릴레이, 앞 유리 열선 릴레이, Dead Lock 릴레이를 직접 On/Off 제어한다.

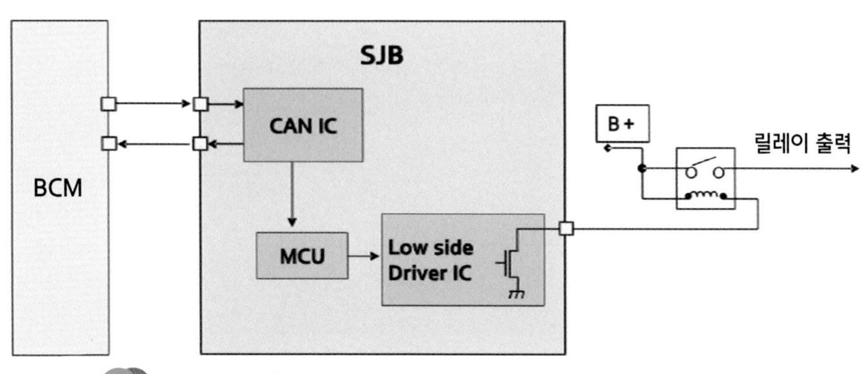

그림 1-36 **외부릴레이제어 블록다이어그램** ▶ 출처 : 기아자동차 K9 정비지침서

7 IPS 램프제어 기능

BCM에서 전송하는 CAN통신 메시지를 통하여 램프류 On/Off 동작을 수행하고 IPS를 통하여 램프에 흐르는 전류를 감지하여 과전류가 흐를 시 해당 램프를 Off 한다. (PCL 제어 : 램프의 전류를 감지하여 기준 전류를 초과할 경우 램프의 전류를 차단)

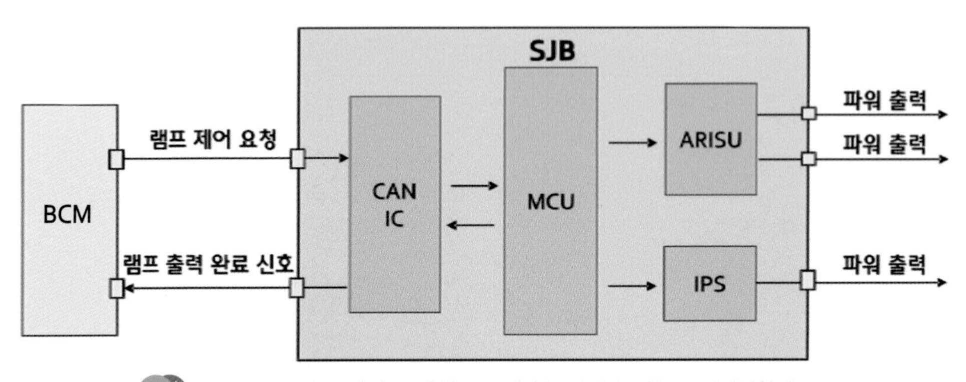

그림 1-37 **IPS 램프 제어 등가회로** ▶ 출처 : 기아자동차 K9 정비지침서

(1) ESS 제어 기능

기존 차량에서 별도의 릴레이 장착을 통해 제공하던 급제동 경보 시스템 (ESS Emergency Stop Signal 기능을 SJB 내부 IPS로 제어한다.

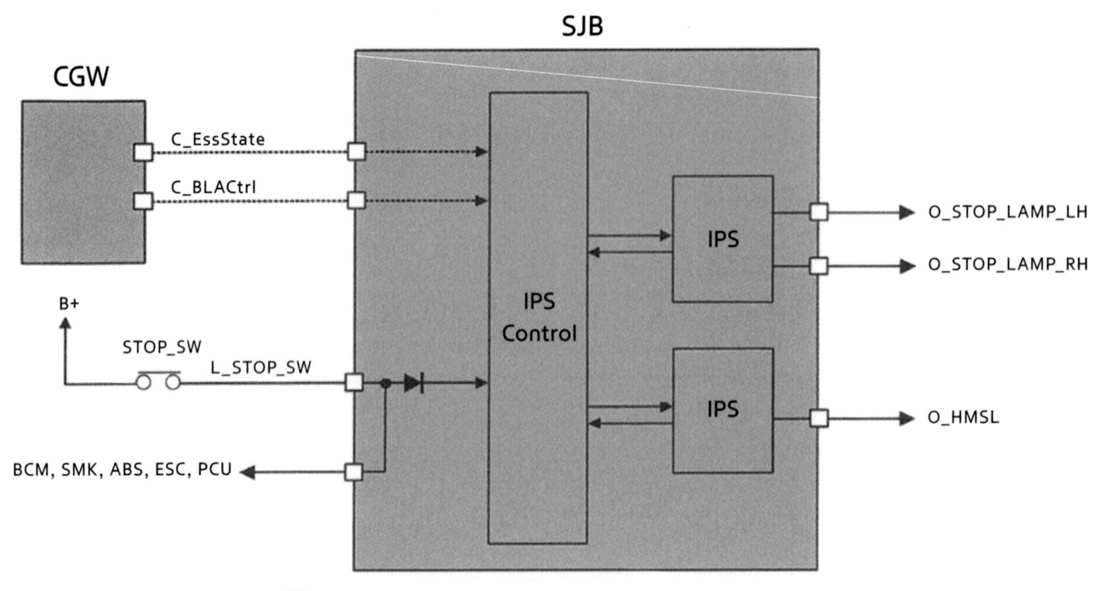

그림 1-38 **ESS 제어 등가회로** ▶ 출처 : 기아자동차 정비지침서

(2) 턴 시그널 스위치 전압 검출 방식

기존 차량에서 별도 배선을 통해 입력되던 L/RH 턴 시그널 스위치 신호가 한 선으로 입력되며 SJB 는 입력되는 전압의 차이로 LH/RH 신호를 판별한다.

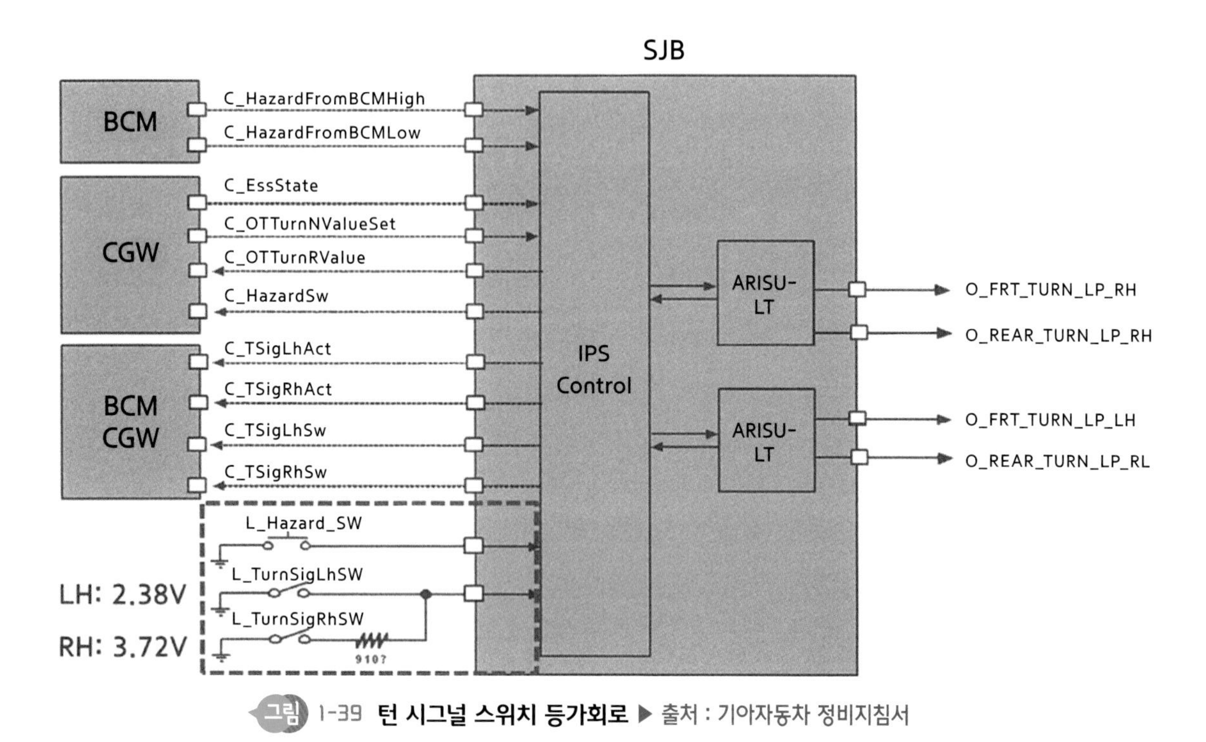

그림 1-39 **턴 시그널 스위치 등가회로** ▶ 출처 : 기아자동차 정비지침서

8 Door Zone Architecture

DDM 에서 전송하는 CAN통신 메시지를 통하여 O/S Mirror의 상/하/좌/우 동작 및 Power Window 상/하 제어 신호를 출력 제어한다.

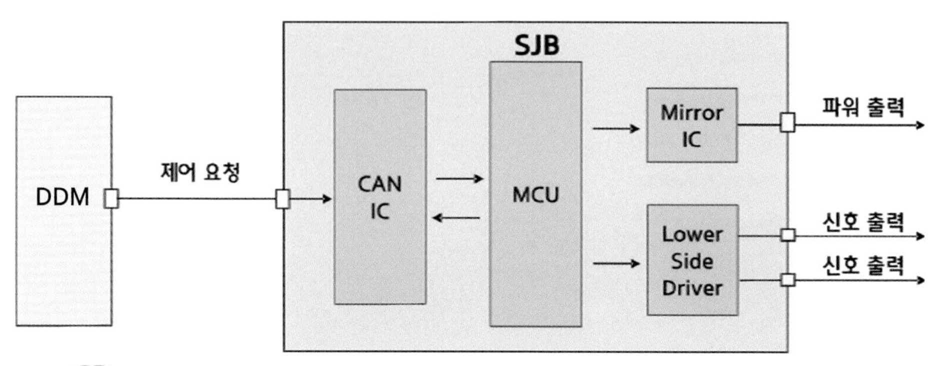

그림 1-40 **Door Zone Architecture 등가회로** ▶ 출처 : 기아자동차 K9 정비지침서

(1) O/S Mirror 제어

기존 차량의 아웃사이드 미러는 DDM이 직접 제어하여 구동하였으나 신 차량에서는 DDM의 신호를 받아 SJB 가 아웃사이더 미러 모터의 작동을 제어한다. (동승석 쪽만 해당되며, 운전석 측은 DDM이 제어한다.)

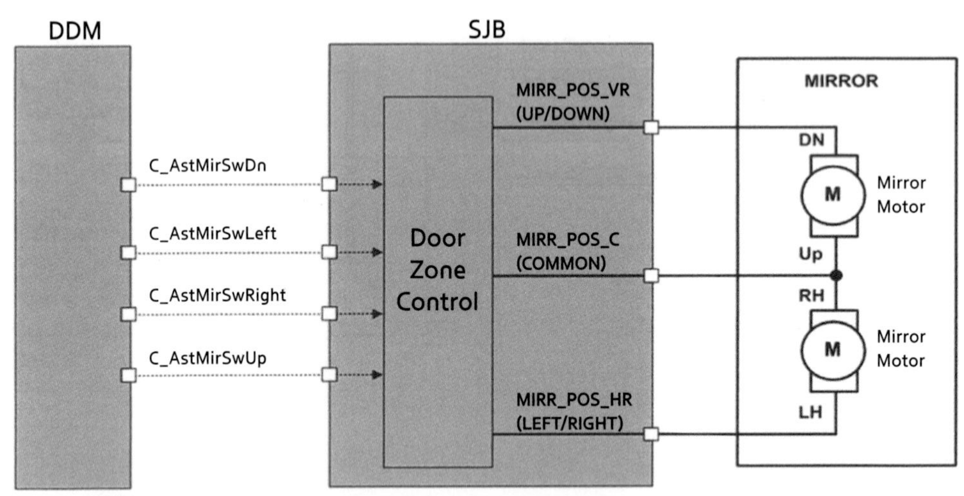

그림 1-41 **O/S Mirror 제어 블록 다이어그램** ▶ 출처 : 기아자동차 정비지침서

(2) Power Window 제어

기존 차량의 동승석 및 리어 파워 윈도우 제어는 DDM의 CAN 신호에 따라 ADM이 직접 제어 하였으나 신 차량에서는 DDM의 신호를 받아 SJB가 제어한다.

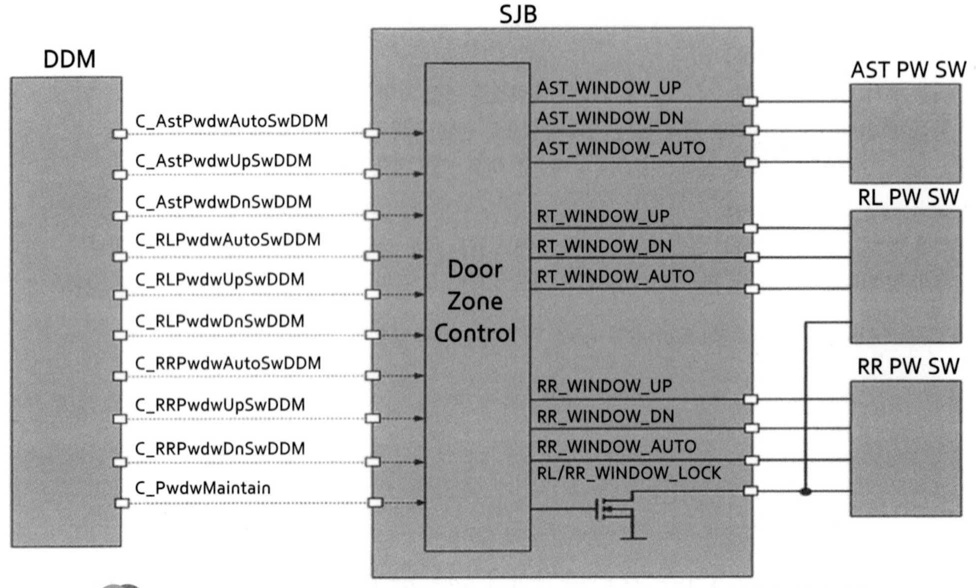

그림 1-42 **Power Window 제어 블록 다이어그램** ▶ 출처 : 기아자동차 정비지침서

9 페일세이프 Fail-safe 기능 제어

① B+ Back-Up

가) 적용 목적 : 메인 전원 이상(단선)에 의한 SJB 구동 불가 방지

나) 동작 방식 : 메인 전원 (B+ 3) 단선 시 Back-Up 전원 (B+ 5) 공급

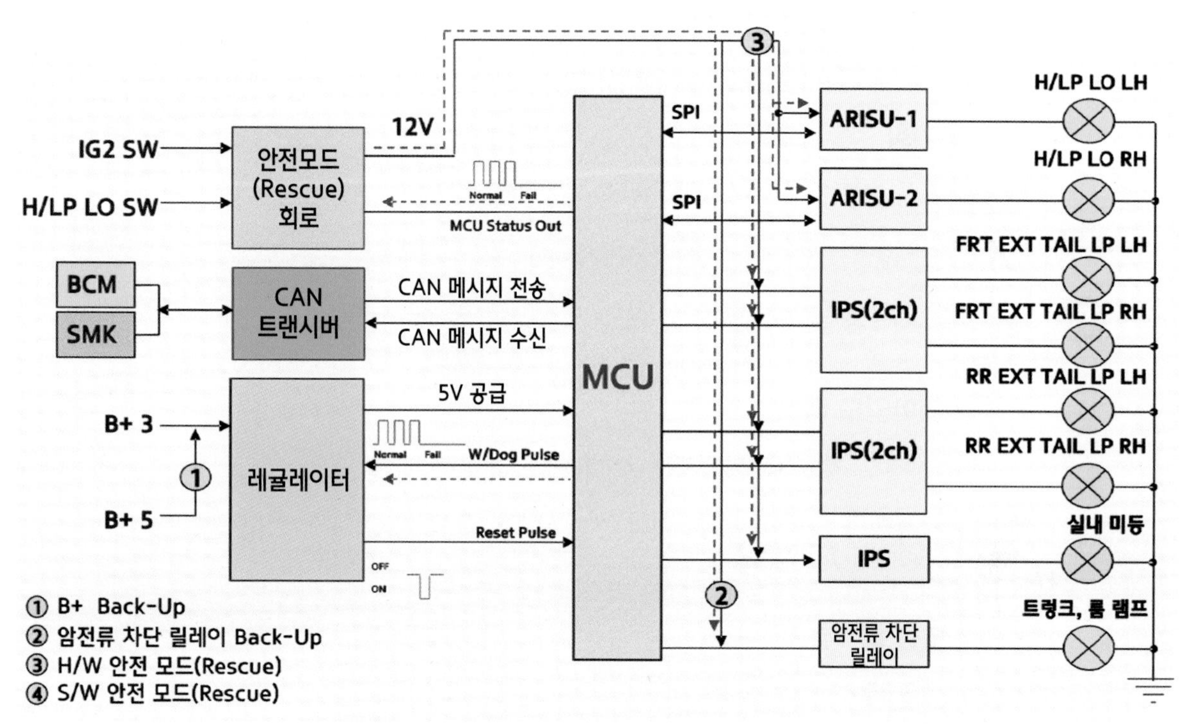

그림 1-43 페일세이프 (Fail-safe) 기능 제어 블록다이어그램
▶ 출처 : 기아자동차 K9 정비지침서

② 암 전류 차단 릴레이 Back-Up

가) 적용 목적 : SJB내 MCU에서 제어 불능상황 발생 시 해당 부하의 동작 불가 방지

나) 동작 방식 : IGN1 SW ON시 BACK-UP 전원 공급으로 암 전류 차단 릴레이 구동

③ H/W 안전 모드 (Rescue)

가) 적용 목적 : SJB 제어 불능 시 헤드램프 로우 출력으로 야간 시야 확보 및 주행 안전성 확보

나) 동작 방식 : MCU 고장(외부 물리적, 전기적 충격으로 인한 동작불능 시, IGN2가 ON 이고 헤드램프 로우 스위치가 ON 상태이면 미등, 헤드램프 점등.

④ S/W 안전 모드 (Rescue)

가) 적용 목적 : CAN 라인 단선 또는 BUS OFF 시 헤드램프 로우 점등으로 야간 시야 및 안전성 확보

나) 동작 방식 : CAN FAIL시, IGN2 가ON 이고 헤드램프 로우스위치가 ON 이면 미등, 헤드램프 점등

⑤ CAN FAIL

주기적인 CAN Signal이 1.5초 이상 수신되지 않으면 CAN Fail 조건이 된다.

⑥ MCU 초기화

IGPM의 Front-B 전원 커넥터 탈거 후 재접속 한다.

10 정션박스 기능을 수행하기 위한 입출력 요소 사항

① 동승석 리마인드 매트

동승석 안전벨트 경고를 목적으로, 승객 탑승 유무를 감지하는 매트로서 어드밴스드 에어백이 적용된 차량의 경우 승객 구분신호를 CAN통신으로 받아 BCM이 제어한다.

가) 승객 있을 때 : 2.8V 이상

나) 승객 없을 때 : 2.2V 이하

② HID 옵션

PCL 제어를 위해 HID 적용 유무를 확인하는 단자로 와이어링 결선으로 구분. (점등초기 돌입 전류량 다름)

가) HID 전조등 : 접지(0V)

나) 벌브 방식 전조등 : 접지 해제(12V)

③ 테일램프 옵션

정지등 및 테일 램프의 OCL 기능을 수행하기 위해 LED 방식과 벌브 방식을 구분

가) LED 방식 : 접지(0V)

나) 벌브 방식 : 접지 해제(12V)

④ 전방 안개등

전방안개등 적용유무 설정

가) 안개등 적용 : 접지(0V)

나) 안개등 미적용 : 접지 해제(12V)

11 램프 보호 기능

IPS를 통해 제어하는 대상램프의 단선 및 접지단락을 감지하여 해당 회로를 차단하는 기능이다.

① PCL Programmable Current Limit

가) 램프에 규정이상의 과전류가 흐를 경우 감지

나) 300ms 이상 과 전류가 흐르면 회로 차단한다.

다) 스위치 off후 on시 또는 IGN off후 on시 과전류가 흐르지 않으면 램프 정상 제어

라) 과전류 감지 시 고장코드 기록

② OCL Open Current Limit 기능

가) 램프에 전류가 흐르지 않을 경우 단선 감지

나) 램프의 단선 감지 및 방향지시등의 단선을 감지하여 빠른 점멸동작

다) 스위치 off후 on시 또는 IGN off후 on시 전류가 정상이면 램프 정상 제어

라) LED 방식 램프는 OCL기능 없음

12 암 전류 자동 차단장치

스위치 입력이 없을 때(Sleep 모드 진입) 주행과 관계없는 전원을 차단하여 암전류 발생을 억제하여 이상전류의 흐름을 차단한다.

암 전류 차단 이후에 IGN On, 스마트 키(리모컨), 도어 스위치, 도어 록 등 주요 스위치신호가 입력되면 차단모드는 즉시 해제된다.

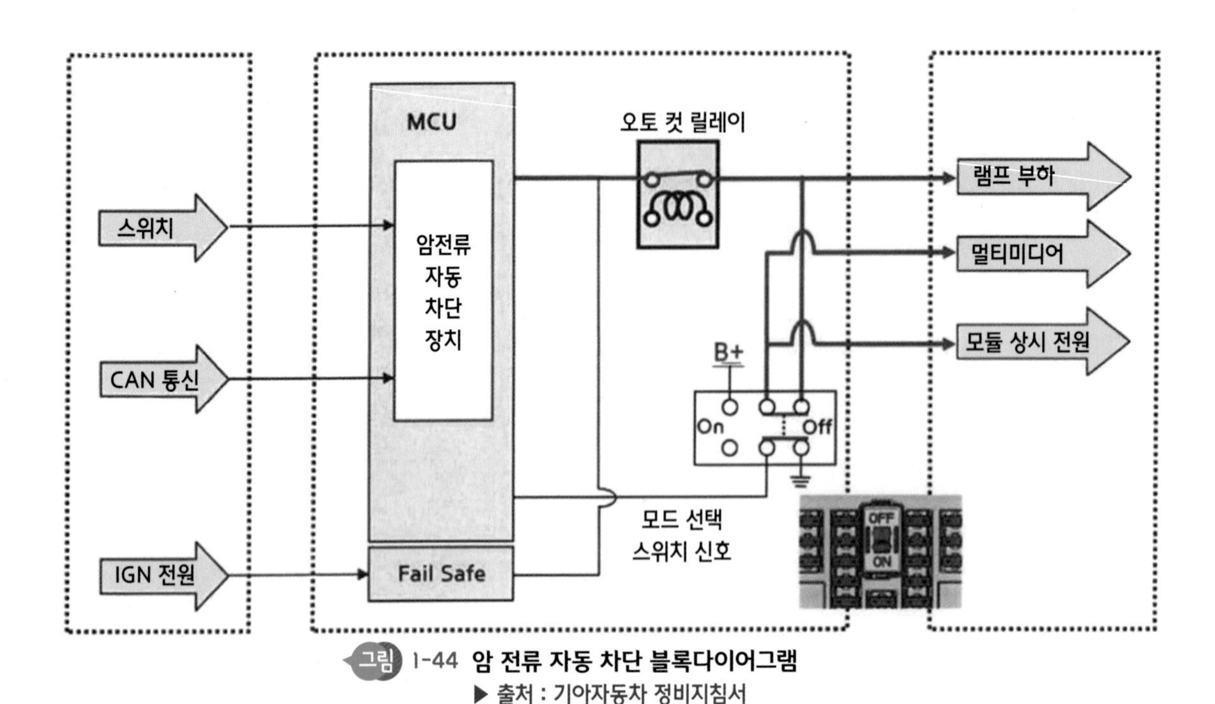

그림 1-44 암 전류 자동 차단 블록다이어그램
▶ 출처 : 기아자동차 정비지침서

모드 스위치 상태	차량상태	자동차단 모드
Off상태	경계진입 또는 스위치 상태가 변화가 없을 때	• CAN Sleep 진입 5분 후 오토컷 릴레이 차단 • 릴레이 차단 후 SJB도 power Down
On상태	스위치 상태가 변화가 없을 때	• CAN Sleep 진입 20분 후 오토컷 릴레이 차단 • 릴레이 차단 후 SJB도 power Down
	경계진입시	• 35초~65초후 오토컷 릴레이차단 (타 전장 모률 Sleep 대기시간: 30초 ~60초, SJB Sleep 대기시간: 5초) • 릴레이 차단 후 SJB도 power Down

06 통합 바디컨트롤 모듈(IBU) 개요

1 IBU Integrated Body control Unit 개요

바디전장 기능 통합 제어 및 스마트키 기능을 내장하고 타이어 압력센서 신호 수신(TPMS) 기능까지 하나로 통합되어 바디 전장을 제어하는 모듈이다.

바디컨트롤 모듈은 다음과 같은 특징을 가지고 있다.

- IBU는 기존의 BCMBody Control Module, SMK(스마트키유닛), TPMS의 기능을 통합 제어하는 전자장치의 종합 제어기 역할을 수행한다
- IBU 기능으로는 시트벨트 인디게이터, PAS, 리어 커튼, 스티어링 휠 열선 등을 제어한다.
- IBU는 버튼 시동 스마트키, 스마트 트렁크 기능을 제어한다.
- TPMS는 High Line 적용한다.

2 파워윈도우 제어 기능

(1) 속도 가변형 세이프티 파워윈도우 제어 구성도

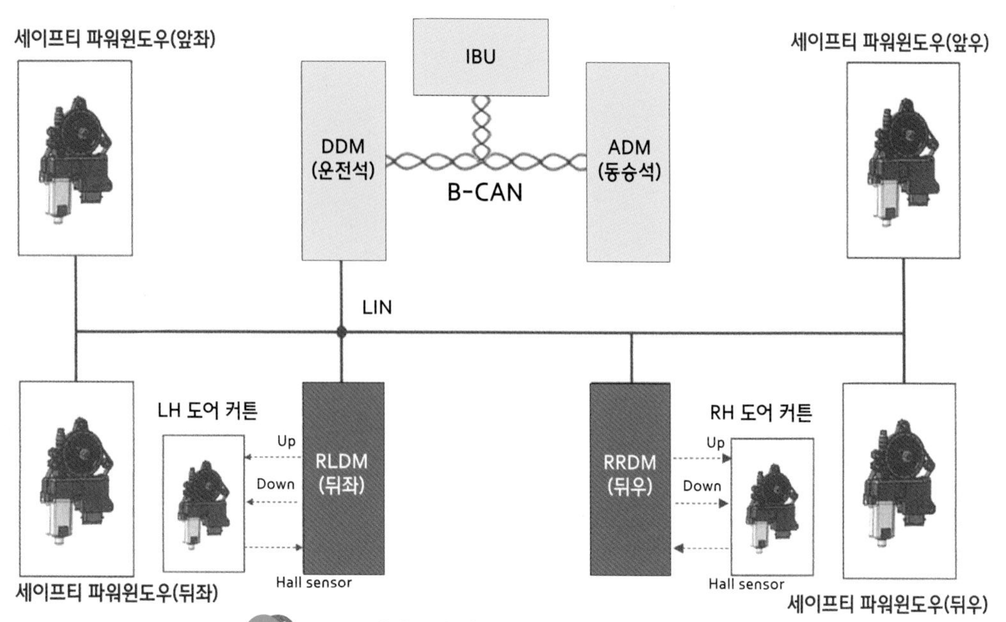

그림 1-45 세이프티 파워윈도우 제어 블록다이어그램
▶ 출처 : 기아자동차 정비지침서

(2) 모듈별 주요 입/출력 및 제어

입력 구분	주요 제어 내용
DDM CAN 입력	• 동승석 파워 윈도우 스위치 정보 • IBU 로부터 RKE에 의안 윈도우 Up/Down 명령수신
DDM LIN 입력	• RLDM/RRDM 스위치로부터 리어 좌/우측 스위치 및 커튼 위치 정보 • 앞좌/앞우/뒤좌/뒤우 세이프티 파워윈도우로부터 윈도우 개폐상태정보
DDM LIN 출력	• 윈도우 동작 가능 상태를 판단하여, 앞좌/앞우/뒤좌/뒤우 세이프티 파워 윈도우에 Auto Up/ Auto Down/Manual Up/Manual Down 명령 송신 • IBU로 부터 신호를 수신하여 Front 윈도우(앞좌/앞우), Rear윈도우(뒤좌/뒤우) Up/Down/Stop 명령송신 • LH/RH 도어 커튼 출력을 판단하여 RLDM/RRDM에게 Up/Down명령송신

(3) 리모컨 연동 파워 윈도우 제어

① 입/출력 및 제어특징

- LOCK 버튼을 3초 이상 작동 시키면 윈도우 Up.
- 도어가 UNLOCK 상태에서 LOCK을 하면 도어 LOCK후 윈도우가 작동.
- 4개의 윈도우를 동시에 작동해야 할 조건에서는 앞쪽 먼저 작동 후 200ms 후에 뒤쪽 작동.

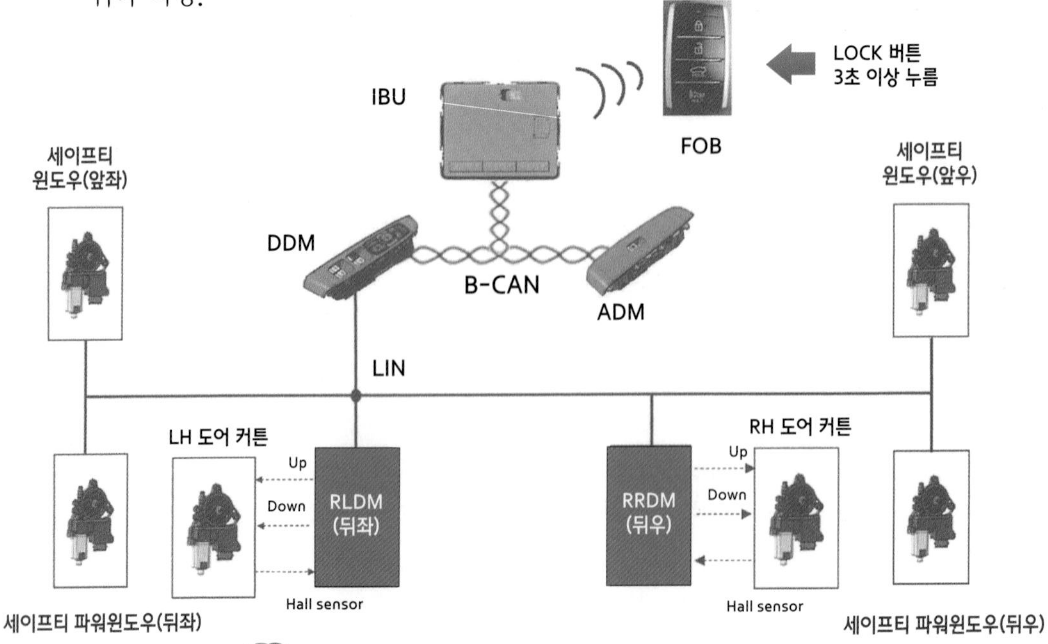

그림 1-46 리모컨 연동 파워윈도우 제어 블록다이어그램
▶ 출처 : 기아자동차 정비지침서

(4) 파워 도어록/언록 제어

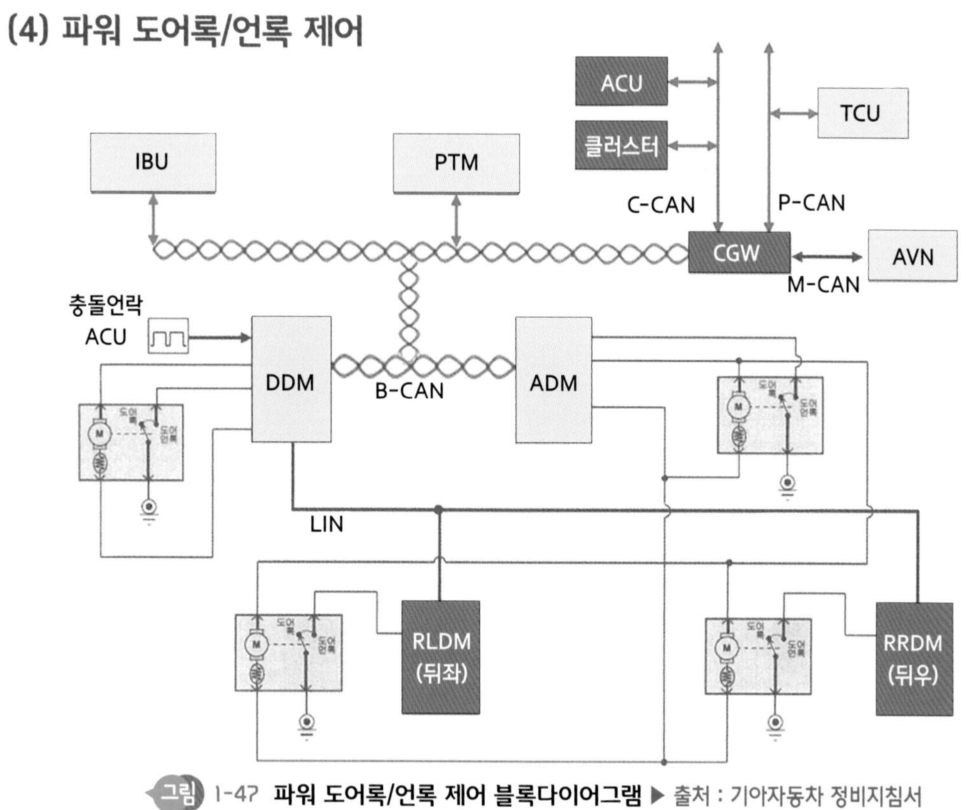

그림 1-47 **파워 도어록/언록 제어 블록다이어그램** ▶ 출처 : 기아자동차 정비지침서

① 입/출력 및 제어특징

구 분	주요 입/출력 및 제어 내용
DDM	• Crash Unlock 입력, 운전석 도어 록 액추에이터 제어 & 운전석 액추에이터록/언록 상태 모니터링 • CAN통신 메시지 송/수신, 집중 도어 록/언록 동작 관련 CAN통신 메시지 송/수신 & 액추에이터 상태 정보 송신
ADM	• 동승석, 뒤좌, 뒤우 도어 록 액추에이터 제어 & 동승석 액추에이터 록/언록 상태 모니터링 • CAN통신 메시지 송/수신, 집중 도어 록/언록 동작 관련 CAN통신 메시지 송/수신 & 액추에이터 상태 정보 송신
RLDM RRDM	• 뒤좌/뒤우 액추에이터 록/언록 상태 모니터링 • LIN 메시지 송신, 뒤좌/뒤우 도어 록 액추에이터 상태 정보를 DDM 으로 송신
IBU	• 집중 도어 록/언록 제어 관련 정보 CAN통신 메시지 송/수신, 버글러 알람 상태, 30초 Relock, 액추에이터 상태 등

(5) 아웃사이드 밀러 제어

① 시스템 구성 Block Diagram

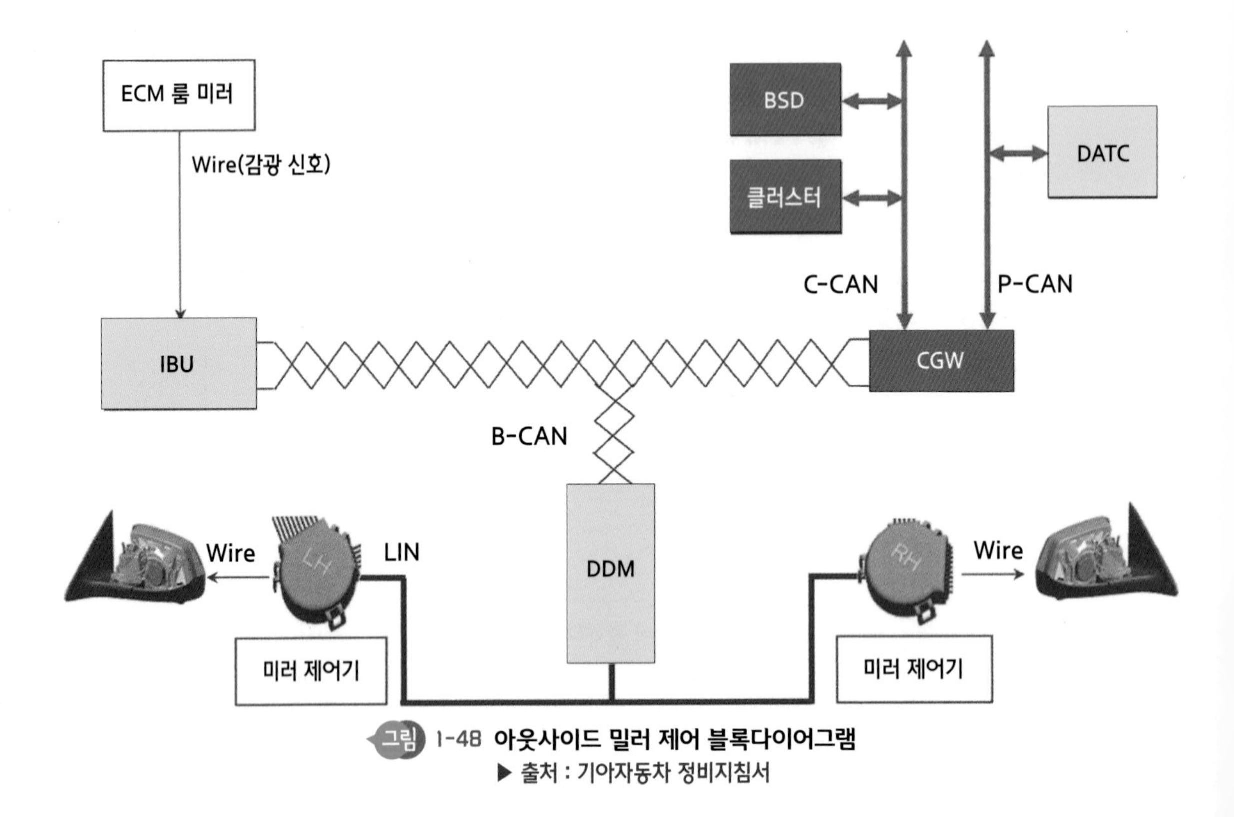

그림 1-48 아웃사이드 밀러 제어 블록다이어그램
▶ 출처 : 기아자동차 정비지침서

② 모듈 별 주요 입/출력 및 제어 내용

구 분	주요 제어 내용
ECM룸 미러	• 실내 룸 미러에 장착된 센서를 통해 ECM룸 미러 감광 실행 결과 값 (On/Off 신호) 을 배선을 통해 IBU로 출력 → IBU는 입력된 값을 DDM 으로 전송 → LIN 메시지로 좌/우 미러 제어기로 전송 → 아웃사이드 미러 감광제어
IBU	• 아웃사이드 미러 열선 출력 CAN통신 메시지를 DDM 으로 전송 →LIN 메시지로 좌/우 미러 제어기로전송 → 아웃사이드 미러 열선제어 • 패시브 록/언록 CAN통신 메시지 전송, RKE, 패시브 미러 폴딩/언폴딩 제어
DDM	• 아웃사이드 미러 각도 신호 및 위치 값(IMS제어, 오토리버스 포함) LIN 통신 메시지로 송/수신 → 제어기 • 미러 폴딩/언 폴딩 제어 신호 LIN통신 메시지로 전송 → 미러 제어기

③ 미러 통합 제어기

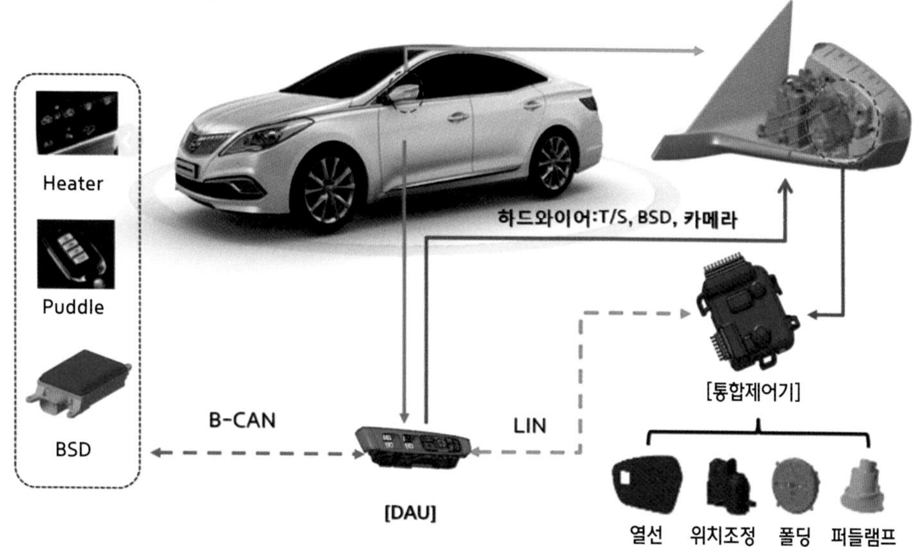

그림 1-49 **미러 통합 제어기 구성품** ▶ 출처 : 기아자동차 정비지침서

④ 미러 통합 제어기 회로도

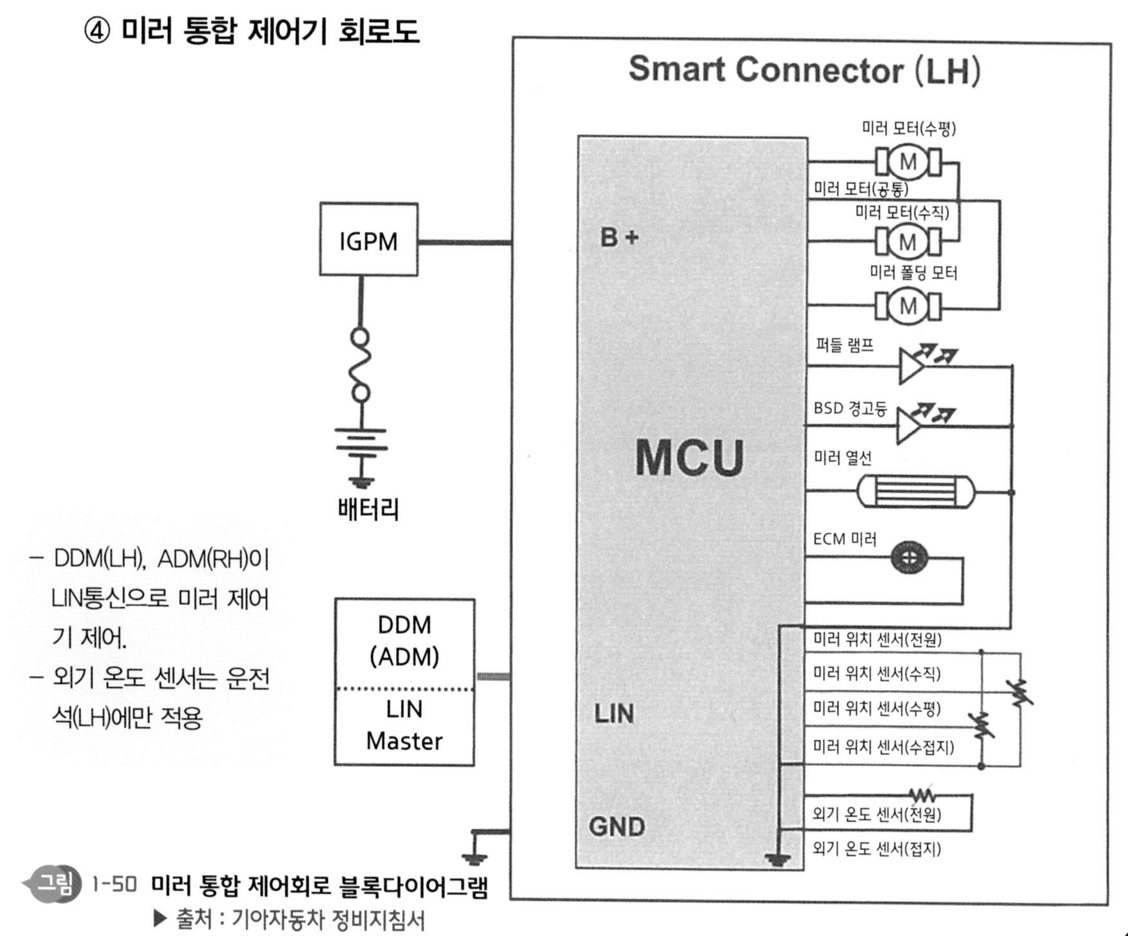

- DDM(LH), ADM(RH)이 LIN통신으로 미러 제어기 제어.
- 외기 온도 센서는 운전석(LH)에만 적용

그림 1-50 **미러 통합 제어회로 블록다이어그램**
▶ 출처 : 기아자동차 정비지침서

(6) 와이퍼 제어 시스템

① 시스템 구성 Block Diagram

와이퍼 제어는 B-CAN과 LIN통신을 통해 이루어진다.

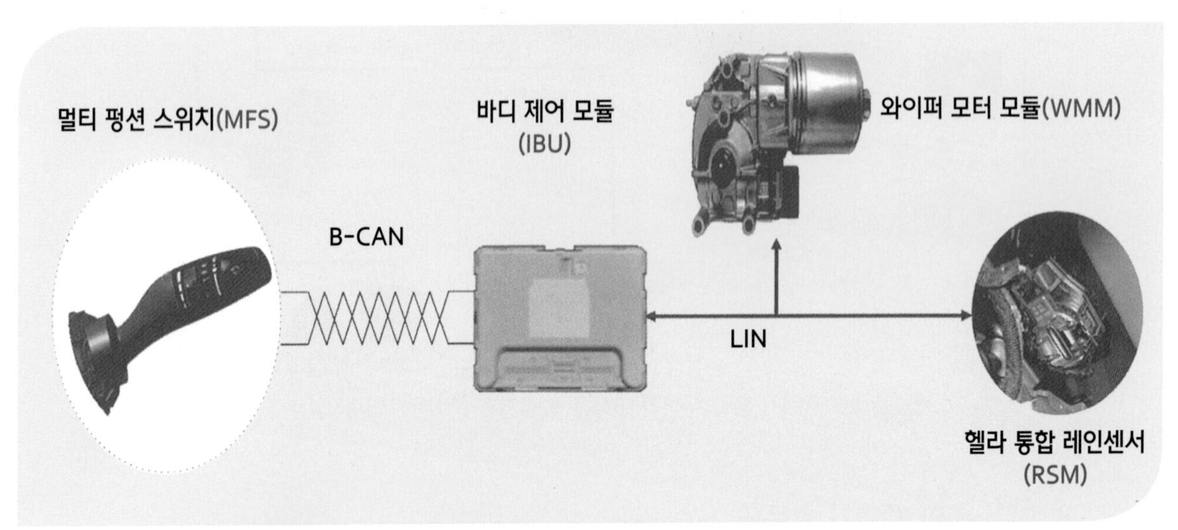

그림 1-51 와이퍼제어 블록다이어그램 ▶ 출처 : 현대 자동차 정비지침서

② 와이퍼 시스템 주요 입/출력 및 제어 내용

구 분	주요 제어 내용
멀티펑션 스위치	• 멀티펑션 스위치(와이퍼)의 각종 스위치 선택 신호를 B-CAN 통신 라인을 통해 IBU로 전송한다.
IBU	• IBU는 LIN 통신 라인을 통해 와이퍼 제어 관련 스위치 신호, 와이퍼 작동명령 및 레인 센싱 제어 관련 신호를 전송한다.
와이퍼 모터	• 와이퍼 모터 모듈은 모터 작동/고장 상태, 모터 위치(파킹 포지션, 와이퍼 작동 중) 정보를 LIN 통신 라인을 통해 IBU 로 전송한다.
레인 센서	• 레인센서 모듈은 빗물 량 감지에 따른 와이퍼 Low/High 구동 신호, 센서고장정보 등을 IBU으로 전송하면 IBU는 와이퍼모터로 작동 신호를 전송한다.

(7) 헬라 통합형 레인센서 시스템 구성

① 시스템 구성

헬라 통합형 레인센서

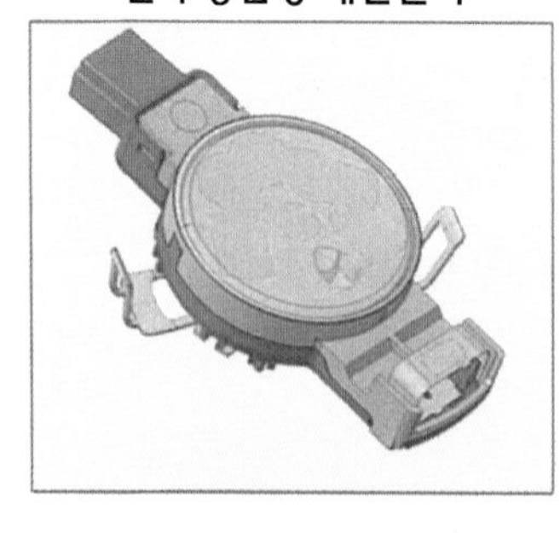

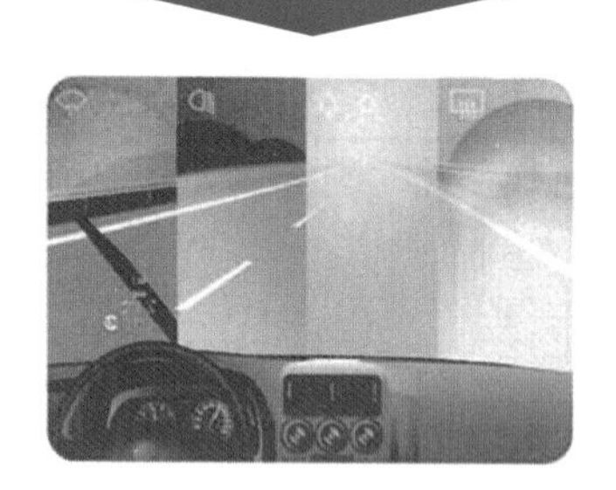

그림 1-52 헬라 통합형 레인센서 시스템 구성
▶ 출처 : 현대 자동차 정비지침서

② 입/출력 및 제어 특징

구 분	주요 입/출력 및 제어 내용
레인 센서	빗방울을 감지하여 와이퍼를 자동 제어한다.
오토라이트 센서	차량 주위와 전방의 빛의 밝기를 감지하여 오토라이트를 제어한다.
일사량 센서	차량내부에 비춰지는 빛의 방향을 감지하여 공조시스템에 그 신호를 보내준다.
HUD 센서	차량으로 반사되는 빛의 밝기를 감지하여 HUD 밝기를 제어한다.
습도 센서	앞 유리의 습도와 온도를 감지하여 공조시스템에 그 신호를 보내준다.

③ 헬라 통합 레인센서 와이퍼 연동 오토라이트 제어

빗물의 량에 따라 와이퍼와 오토라이트를 연동 제어 한다. 헬라 통합 레인센서 와이퍼 연동 오토라이트 제어 상세 로직은 다음과 같다.

가) 수동으로 와이퍼를 LOW또는 HI로 5초 이상 작동시키면 오토라이트 ON신호를 전송한다.

나) 사용자가 빗물 감지 후 AUTO모드를 선택했을 경우 30초 이내에 2회 이상 와이핑 동작이 된다면 오토라이트 ON신호를 전송한다.

다) 빗물 감지 이전에 AUTO모드를 선택했을 경우 60초 이내에 4회 이상 와이핑 동작이 된다면 오토라이트 ON 신호를 전송한다.

라) 상기 제어동작 중 60초 동안 2회 미만 와이핑 동작 시 2분 후에 오토라이트 OFF 신호를 전송한다.

마) 수동으로 와이퍼 작동 후 와이퍼 OFF상태로 30초 이상 유지 시 오토라이트 OFF 신호를 전송한다.

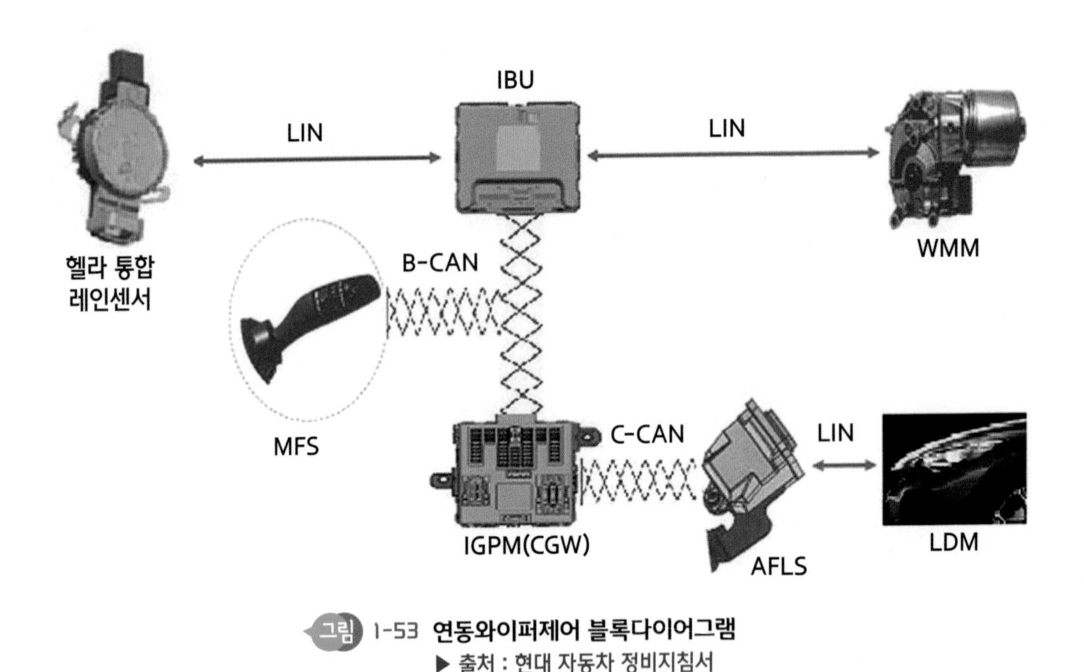

그림 1-53 **연동와이퍼제어 블록다이어그램**
▶ 출처 : 현대 자동차 정비지침서

④ IBU-헬라 센서 LIN 통신

헬라 통합 레인센서 LIN 통신은 다음과 같다.

가) 헬라 통합 레인센서는 LIN통신을 통해 IBU와 정보를 송·수신한다.

나) IBU로 부터 받는 신호는 와이퍼 위치, IGN ON, 스위치감도, 차량속도, 유리특성의 신호를 받는다.

다) IBU로 주는 신호는 와이핑 요청, 라이트 ON/OFF, 일사량 센싱 값, 앞 유리 온도와 습도, HUD 밝기 신호 값을 보낸다.

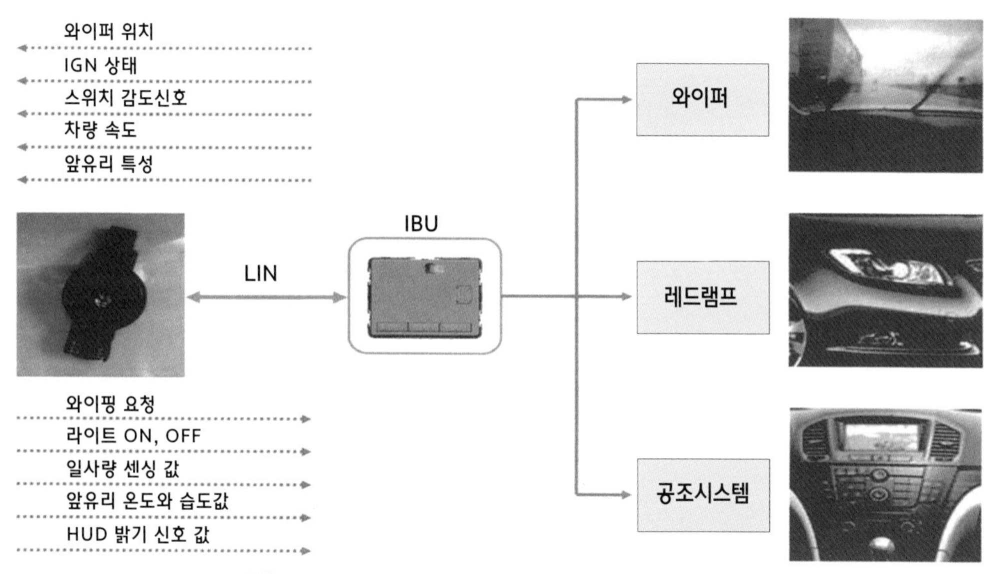

그림 1-54 **IBU-헬라 센서 LIN 통신 블록다이어그램**
▶ 출처 : 현대 자동차 정비지침서

⑤ 윈도우 열림 알림

윈도우 열림 알림 입/출력 및 제어 특징은 다음과 같다. 윈도우 열림 신호는 세이프티 ECU에서 12펄스(5mm) 이상의 위치 정보를 입력 받았을 때 송신한다.

- 각 도어 세이프티 ECU에서 LIN통신을 통해 DDM으로 윈도우 정보를 송신한다.
- DDM은 B-CAN통신을 통해 IGPM에 정보를 송신 한다.
- IGPM은 C-CAN통신을 통해 클러스터에 정보를 송신 한다.

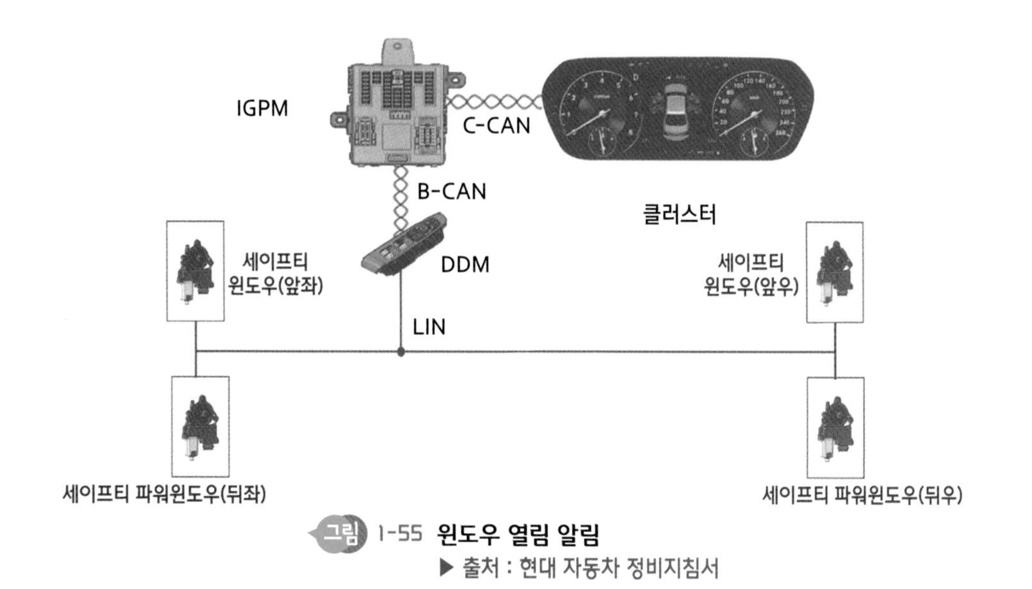

그림 1-55 **윈도우 열림 알림**
▶ 출처 : 현대 자동차 정비지침서

⑥ 암전류 차단 스위치 Off시 알림

SOC 표출은 고객에게 차량인도 시 또는 장기간 방치 시 배터리방전을 방지 하기 위한 기능으로 입/출력 및 제어 특징은 다음과 같다.

- 총 주행거리 50km 이하에서 표시 한다.
- 암 전류 차단 스위치 OFF(고객 인도전 모드) 상태에서 표시 한다.
- 고객에게 차량인도 후 배터리 방전을 사전예방하기 위해 표시 한다.

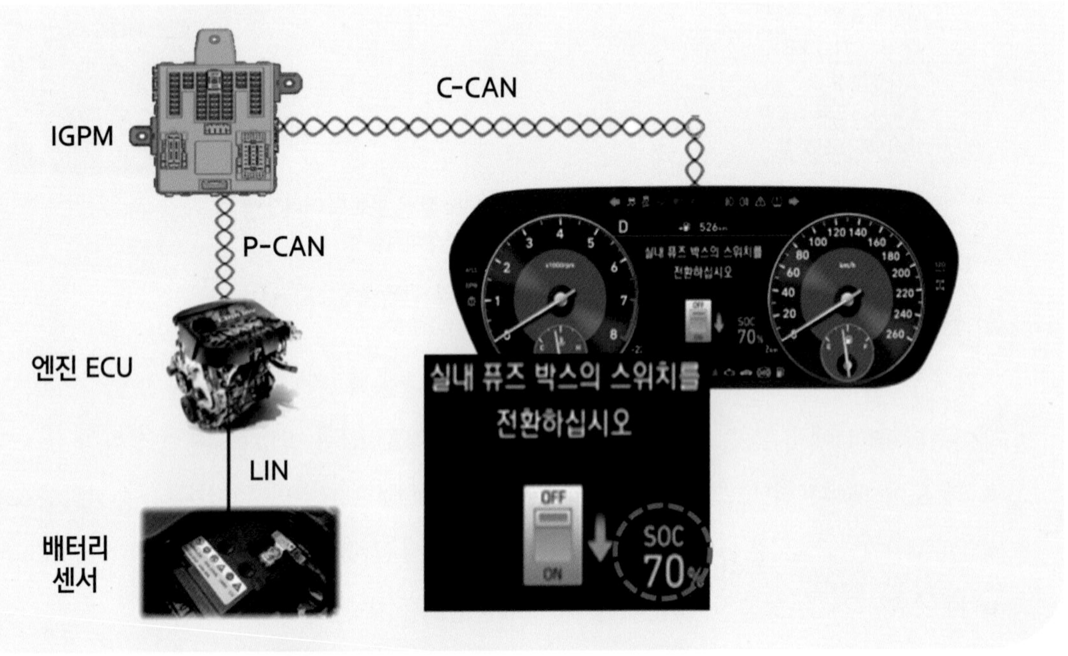

그림 1-56 암전류 차단 스위치 Off시 알림
▶ 출처 : 기아자동차 정비지침서

⑦ 헤드램프 제어 시스템의 구성

가) HI 헤드램프는 HID와 LED 타입의 램프 적용

Full AFLS는 C-CAN통신 라인을 통해 차속, 차고, 조향각 센서등 차량의 다양한 전장 Unit으로 부터 제공되는 CAN통신 Data를 입력 신호로 받아 야간 주행 시 발생되는 여러 가지 운전 상황(도로상태, 주행 상태, 승차인원 및 화물 적재량) 변화에 대해 최적의 헤드램프 조명 상태를 제공하기 위안 지능형 전조등 시스템이다.

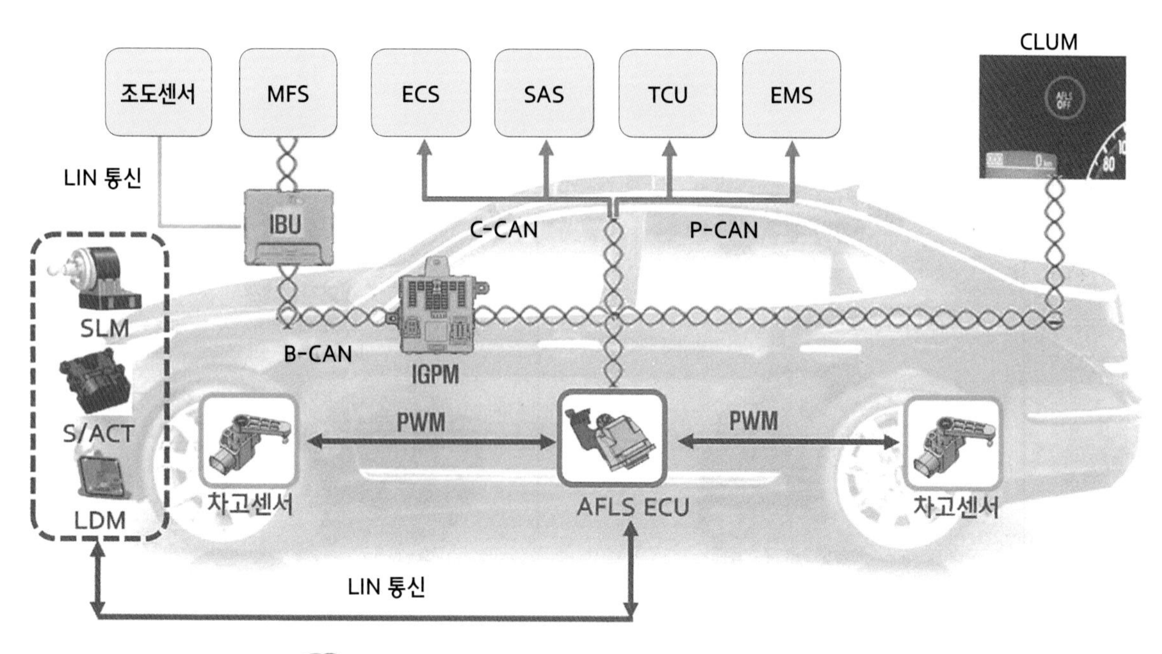

그림 1-57 **헤드램프 제어 시스템의 구성 블록다이어그램**
▶ 출처 : 현대 자동차 정비지침서

1-2 CHAPTER

자동차 전기장치 튜닝 계획

01 오디오 장치

1 소리의 성질

소리는 15℃에서 340m/s 속도로 전달되며 기온이 높아질수록 소리의 속력은 빨라진다. 또한 소리는 고체, 액체, 기체를 매질로 해서 전달되며 고체 매질에서 가장 빠르고 액체매질, 기체매질 순으로 전파 속도가 느려진다.

표 매질에 따른 소리 속도

기체매질	소리속도(m/s)	액체매질	소리속도(m/s)	고체매질	소리속도(m/s)
공기(0℃)	331	물(0℃)	1,402	알루미늄	6,420
공기(20℃)	343	물(20℃)	1,482	강철	5,941
수소	1,284	바닷물	1,522	화강암	6,000

출처: "Speed of Sound Using Lissajous Figures" Berg, Richard E.; Brill, Dieter R. The Physics Teacher, Volume 43, Issue 1, pp. 36-39 (2005).

2 소리의 3요소

소리는 파장, 주기(주파수), 진폭 등 3가지 요소로 특성이 정의된다. **주파수**frequency는 음의 높낮이를 나타내며 1초에 반복되는 주기 수를 말하며 **진폭**amplitude은 음의 크기를 나타내며 **데시벨**(dB)로 표시된다.

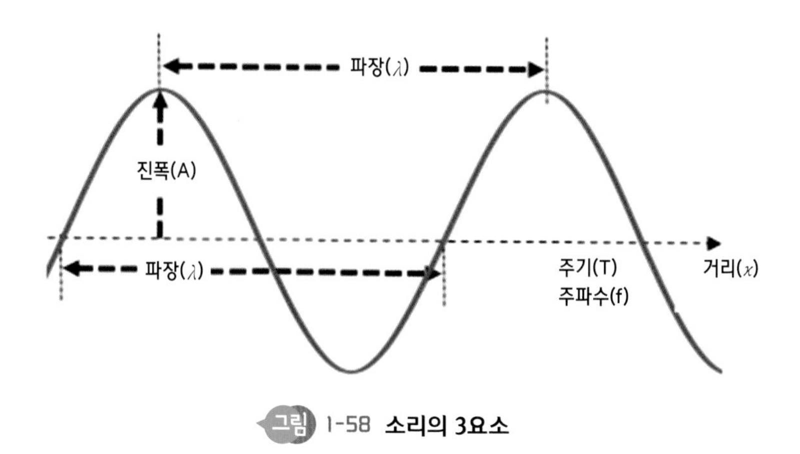

그림 1-58 소리의 3요소

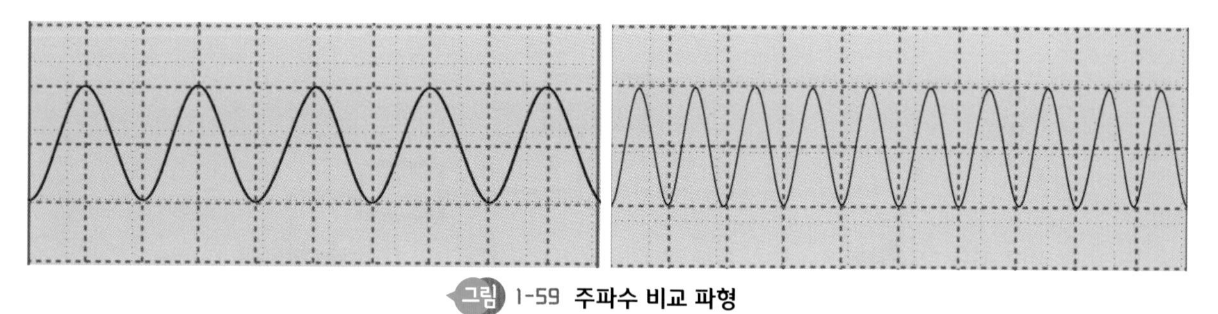

그림 1-59 주파수 비교 파형

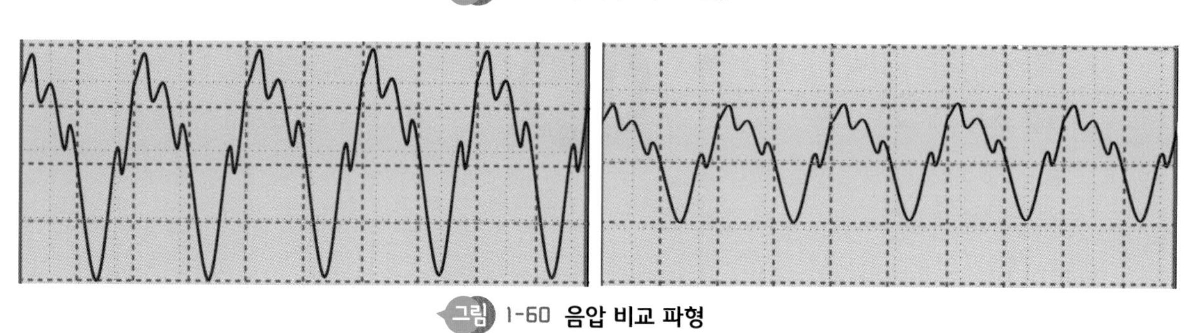

그림 1-60 음압 비교 파형

3 음색(tone color) : 음의 특성

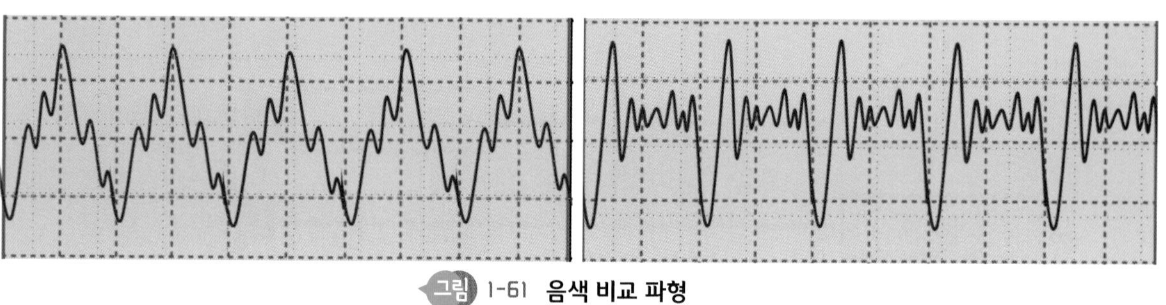

그림 1-61 음색 비교 파형

4 하스 효과(Hass Effect 또는 선행음 효과)

스테레오 시스템에서 두 개의 스피커로 주파수와 음압이 동일한 음을 동시에 재생하면, 인간의 귀에는 두 개의 소리가 정중앙에서 재생되는 것처럼 느껴지는데 이와 같이 소리가 스피커의 중앙에 정확히 위치하는 것을 **"음상이 정위되었다"**라고 한다.

오른쪽 스피커의 신호를 약간 지연시키면 음상은 왼쪽 스피커 방향으로 옮겨가는데, 이러한 현상을 **하스 효과**Hass Effect 또는 **선행음 효과**라고 한다. 일반적으로 도달 시간차는 1~30m/s의 범위 안에서 발생하는데, 시간차가 50m/s 이상이 되면 두 개의 소리가 마치 분리된 것 같이 들린다.

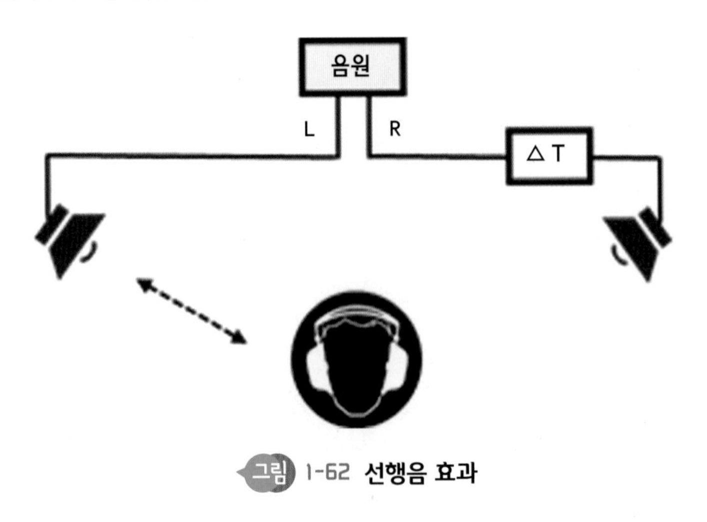

그림 1-62 선행음 효과

5 오디오 장치 구성

자동차 오디오에 적용되는 다양한 오디오 장치를 구성하는 스피커, 헤드유닛, 앰프에 대해 자세히 알아본다. 먼저 스피커는 사람이 들을 수 있는 음성 또는 소리를 발생하는 전기 부품으로 독일의 전기기술자인 지멘스에 의해 처음으로 탄생하였으며 전기적 전류 에너지를 기계적인 소리 에너지로 변환(플레밍의 왼손 법칙 적용)하는 장치이다.

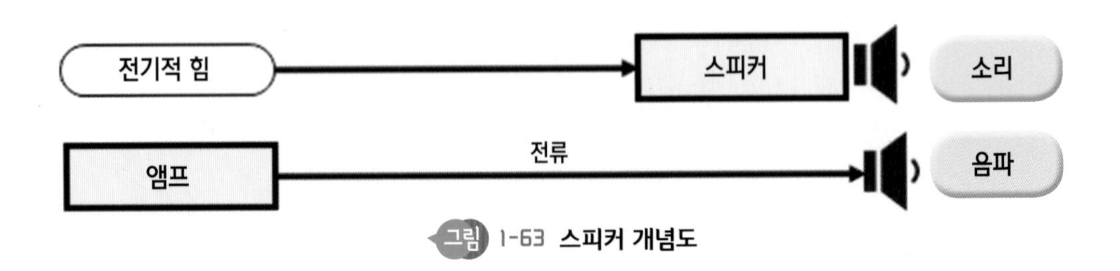

그림 1-63 스피커 개념도

스피커 구조를 설명하면, 스피커는 플레밍의 왼손 법칙을 이용한 것으로 그림과 같이 **자석, 보이스 코일, 댐퍼** 등으로 이루어진다.

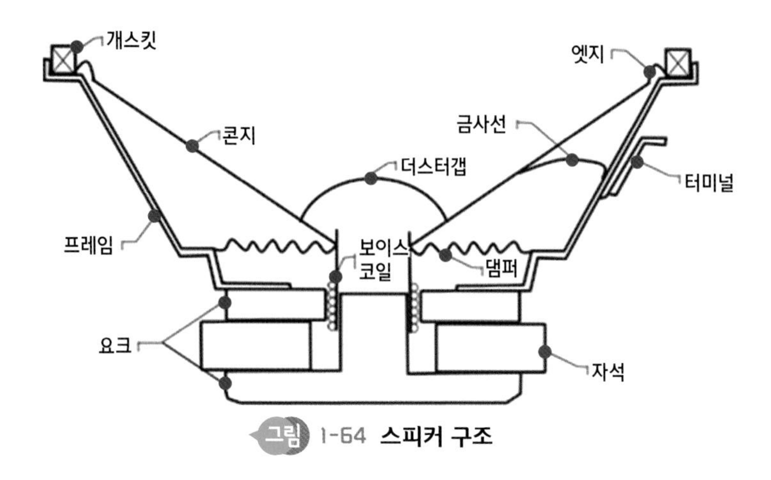

그림 1-64 스피커 구조

플레밍의 왼손 법칙은 그림과 같이 자계 내에 전류가 흐르는 도체를 두면, 도체에 힘이 가해지는 것을 말하며 전류, 자속 및 작용력 사이의 상관관계를 나타내는 법칙이다. 이러한 스피커의 종류를 살펴보면 다음과 같다.

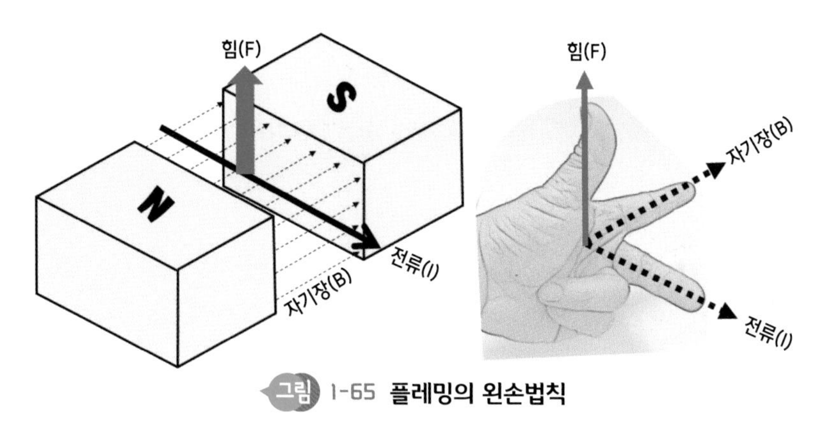

그림 1-65 플레밍의 왼손법칙

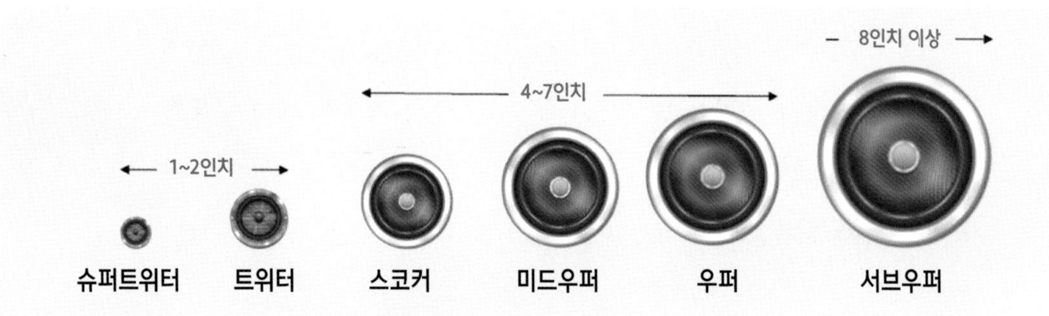

그림 1-66 크기에 따른 스피커 종류

(1) 스피커 종류

① 트위터 Tweeter

고음 전용 스피커로서 빠른 진동 및 소리의 확산, 즉 지향성이 우수하다. 진동판이 가볍고 구경이 작으며 1인치 돔형으로 3kHz 이상만 재생이 가능하다. 한편 **수퍼 트위터**Super-Tweeter는 10 kHz 이상의 음만 재생하는 목적으로 사용되며 악기의 음색이 미묘하게 변하는 등 섬세한 음색의 특징이 생긴다.

② 우퍼 Woofer

트위터의 상대적인 개념으로 중저음역의 재생을 담당한다. 개나 이리가 으르렁거리는 소리와 흡사하며 콘형으로 4인치~18인치의 다양한 크기를 가진다. 진동판의 크기가 작을수록 빠르게 진동하고 고음 재생에 유리하다.

③ 서브 우퍼 Sub-Woofer

우퍼의 재생 능력이 뒤떨어진 최저음역을 담당하기 위해 특별하게 설계된 우퍼로서 6인치~18인치의 크기를 가지며 주로 10인치~15인치의 콘형이 많이 사용된다. 100Hz 이하 음을 재생할 목적으로 설계되고 소리의 지향성은 없다. 인클로우저를 제작해 트렁크 룸에 장착하는데 헤드유닛의 자체출력으로는 구동이 불가능하므로 별도의 앰프를 장착 구동시켜야 하고 심장까지 울리는 서브 우퍼의 단단하고 힘 있는 저음은 카오디오의 가장 큰 특징이다.

(2) 헤드 유닛

다음은 헤드유닛을 알아본다. 헤드유닛은 CD, MD, TAPE, AM/FM 등 튜너가 함께 들어있는 데크를 말하며 **원음**Audio Source을 픽업하는 기능, 원음의 종류를 선택하는 기능, 선택된 원음을 각종 컨트롤하는 기능을 가진다. 크기에 따른 분류와 기능에 따른 분류는 다음과 같다.

① 크기에 따른 분류

가) 1DIN 헤드유닛

- 규격: 17.8cm x 4.8cm 또는 178 x 50mm
- 라디오는 기본, CD, MD, TAPE 중 택일

- 1DIN용 차량이나 1DIN 인대쉬 TV 조합 가능
- 2DIN용일 경우 서랍장이나 마감재 사용(레벨메타)
- 음질 위주의 제품이 많음

나) 2DIN 헤드유닛

- (90년대 초반)일본 도요타 – 파이오니아의 헤드유닛 OEM
- RADIO, TAPE, CD를 모두 재생
- EQ, DSP, CROSSOVER 등 다양한 기능과 화려한 디스플레이가 가능
- 기능성과 그래픽 중요시
- 모두 자체 자출력
- 초보자에 적합/선호

② 기능에 따른 분류

가) SLAVE 헤드유닛

- 1DIN형태가 보편적
- 독립작동 불가능
- 추가 장착되므로 ADD-ON UNIT이라 함
- CD 또는 MD플레이 가능
- DSP, EQ 기능이 있는 유닛도 있음

나) 무출력 헤드유닛

- 내장앰프가 없음
- CD플레이어가 많음
- 탁월한 음질 추구
- 높은 PRE-OUT
- 온도 상승으로 인한 음의 열화현상 해소

(3) 앰프

마지막으로 앰프에 대해서 알아본다. 앰프는 입력되는 신호를 증폭시켜 주는 역할을 하는 기기로서 **앰플리파이어**Amplifier의 약자로 '증폭기'라고 한다. 형태와 기능 등에 따라서 분류하면 다음과 같다.

① 형태에 따른 분류

가) 내장앰프

- 파워드 헤드 유닛 Powered Head Unit
- 프런트 좌/우 채널, 리어 좌/우 채널 – 4채널 구성
- 한정된 공간(1DIN, 2DIN)에서 4채널 파워앰프 탑재
- 하이브리드 파워 IC를 알루미늄 다이캐스트 재질의 방열판에 부착한 구조
- RMS 40W/CH의 정격 출력 이하로 설계

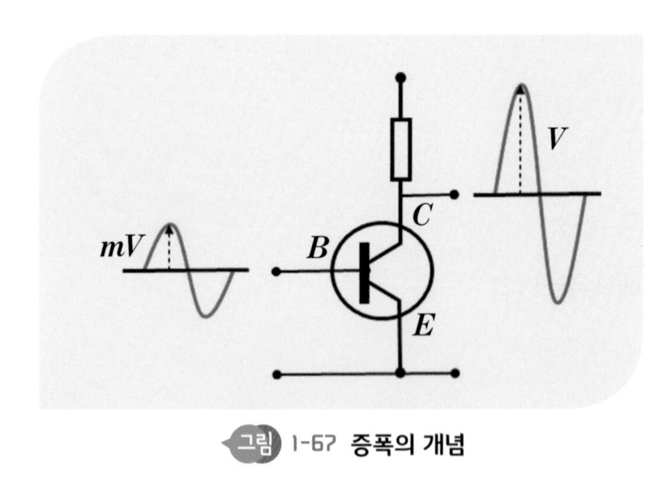

그림 1-67 증폭의 개념

나) 외장형 파워앰프

- 한정된 공간 – 자동차 실내
- DC 12V의 배터리 전원 전압
- 영하 20도 ~ 영상 80도의 극심한 온도 변화
- 자동차 주행 과정에서 발생하는 진동: 고도의 신뢰성과 작동 정성이 요구되며, 설치 및 장착의 편리성과 반복 작동 시 균일한 품질 유지가 관건.
- 직접적인 조작이 불가능한 장소인 자동차의 트렁크 설치: 일반적으로 최소한의 필수 기능부만을 탑재

② 기능에 따른 분류

가) 파워앰프

- 프리앰프에서 다듬어진 작은 신호를 본격적으로 증폭해서 스피커를 구동할 수 있는 큰 출력의 신호를 만들어 주는 역할

- 홈 오디오는 2채널의 앰프가 일반적
- 카오디오는 멀티채널의 앰프를 사용하며 크로스오버를 내장하여 원하는 주파수 대역만을 재생할 수 있음
- DC전원을 사용함으로써 홈 오디오의 파워 앰프 전원부가 빠지게 되므로 컴팩트하며 저음 특성이 우수

나) 프리앰프

- Control AMP라 함
- 파워앰프 전단에 연결하며, 다양한 소스 기기 선택, 볼륨 조절, 톤 콘트롤, 밸런스 조정 기능을 갖춤
- 전력을 증폭하는 출력부가 없어 스피커는 구동할 수 없으므로 반드시 파워앰프와 조합해서 사용하여야 하고 소리를 다듬어 파워앰프로 전달

③ 증폭 소자에 따른 분류

가) 트랜지스터(TR) 방식

- 가볍고, 효율이 높으며 충격에 강하며, 가격이 저렴하여 소형화 가능
- 취급이 편하고 발열량이 적기는 하지만 증폭 정도에 따라 높은 열을 낼 수도 있어 고출력 앰프를 제작하려면 전류제한 회로(온상 차단회로)를 추가해야 하므로 그 구성은 다소 복잡해짐

나) 전계효과 트랜지스터(FET) 방식

- 적정 수준의 출력을 가지는 앰프 회로를 구성한다면 온도상승 방지회로가 필요없으며 표현되는 음색이 다소 부드러움.
- MOSFET: 대출력 구현 가능. 낮은 전류에서도 증폭 왜곡률이 적고 음색도 부드러우며 고출력 회로를 구성하기에 매우 유리한 소자여서 소형 고출력 앰프로 각광받고 있음

다) 진공관(Vaccum Tube) 방식

- TR에 비해 엄격한 사용조건이 요구되는 소자
- 진동에 약하고 크기가 크며 발열량과 전력소모가 많아 점등 차량용으로는 매우 까다로운 소자임
- 독특한 음질 때문에 활발한 개발이 이루어지고 있음

- 회로구성은 간단하므로 그 만큼의 회로 간성이 줄어드는 장점을 갖춤
- 음색은 부드러우면서 포근하고, 음의 뉘앙스를 잘 살려주는 편으로 차가운 음질의 디지털 기기를 진공관 앰프에 적용하면 좀 더 여유 있는 음색을 즐길 수 있음

④ 작동 방식에 따른 분류

가) A클래스

- 증폭 소자인 트랜지스터의 동작 영역 중에 직선성이 우수한 부분에서만 트랜지스터가 증폭 작동을 수행할 수 있도록 단전원의 중간에서 동작점을 설정하는 방식
- 무신호 시에도 항상 정격 출력 시의 50% 정도만큼 전류를 흘려주어야 하므로 효율이 떨어지고 증폭단의 발열이 극심해지는 단점이 있음
- 증폭 소자의 동작이 안정적이며 스위칭 디스토션의 일그러짐을 대폭 줄일 수 있어서 비교적 고음질 재생에 유리함

나) B클래스

- 정현파의 음향 파형에 대해 (+)상의 반주기는 (+)쪽 담당 트랜지스터만이 증폭을 수행하고, 나머지 (–)상의 반주기는 (–)쪽 담당 트랜지스터만이 증폭을 수행
- 증폭 소장의 작동 효율을 최대한 높이는 증폭 방식
- 증폭 소자인 트랜지스터의 동작 효율은 대단히 높아지지만 보통 0.7V 이하의 동작점에서는 증폭소자의 비직선 특성을 피할 수 없음
- (+)파형과 (–)파형이 연결되는 교차점에서 크로스 오버 디스토션 발생하여 음질을 치명적으로 손상하는 경향이 있음
- 단순한 음향의 증폭 용도로는 사용할 수 있지만 음악 재생용 고급 앰프에는 사용하기 어려움

다) AB클래스

- 양 전원(+/–전원) 사용은 B클래스 앰프와 동일
- 아이들링 전류의 바이어스 전압을 A클래스와 B클래스의 중간 정도로 선택 AB클래스 앰프
- 트랜지스터 등의 증폭 소자가 비직선 영역에서 작동하는 것을 배제하는 동시에

(+)파형과 (−)파형이 연결되는 교차점에서의 크로스오버 디스토션 발생을 근원적으로 제거함으로써, 비교적 높은 효율을 유지하는 동시에 어느 정도 증폭 소자의 직선성을 확보

- 증폭 소자의 작동에서도 상당히 높은 효율을 유지할 수 있으면서 거의 A클래스 앰프에 가까운 저디스토션 특성과 고음질 유지가 가능하기 때문에 음악 재생용 앰프류에 가장 널리 활용되는 방식

라) D클래스

- 입력되는 음향 신호원을 샘플링하여 스위칭 신호로 변경한 뒤, 대전력 스위칭 증폭을 가한 후에 일정한 필터 회로를 거치게 함으로써, 일반적인 가청 신호로 전환시키는 방식
- 음향 신호원의 샘플링과 스위칭 과정에서 고역대에 문제점을 발생시키게 되므로 저역 재생에 많이 활용됨
- 서브 우퍼 전용 파워 앰프나 저음역 전용 파워 앰프

02 전조등

1 전조등 관련 법규

전조등 관련 법규는 "자동차 안전기준에 관한 규칙(국토해양부령 제 136호)" 제 38조에 언급이 되어 있다. 그 중 중요한 내용만 발췌하면 다음과 같다.

① 등광색은 백색일 것

② 광도는 4등식의 경우 12,000cd~112,500cd이며 2등식은 15,000cd~112,500cd 사이에 있어야 한다.

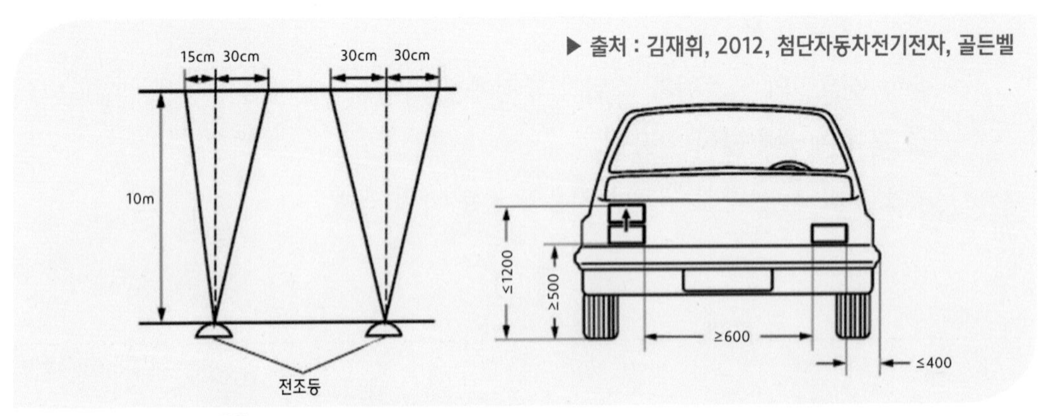

그림 1-68 전조등의 주광축의 좌/우 진폭과 설치 위치 (단위 mm)

따라서 전조등의 밝기, 높이 등을 임의로 조정하거나 튜닝하면 불법이 되고 더욱 중요한 한 것은 마주 오는 자동차의 시야에 방해가 되어 안전에 심각한 해를 끼칠 수 있다는 점이다.

2 전조등 규격

자동차 필라멘트 전조등 관련 규격은 UN 규정 37에 정의되어 있으며, 3그룹으로 분류된다.

① **Group 1:** 일반적인 제약 없이 사용되는 등

② **Group 2:** 신호등(전조등 제외)으로만 사용 가능한 등

③ **Group 3:** 대체품으로는 사용 가능하지만 신제품으로 개발할 수 없는 광원

우리의 자동차 전조등은 Group 1에 속하며 그 규격과 종류는 다음 〈표〉와 같다.

표 Group1 전조등 규격표

구분	필라멘트	Nominal power	전구 base(per IEC 60061)	사진
H1	1	6V &12V: 55W 24V: 70 W	P14.5s	
H3	1	6V &12V: 55W 24 V: 70 W	PK22s	
H4	2	6V &12V: 60/ 55 W 24V: 75/70 W	P43t	
H7	1	12V: 55 W 24V: 70 W	PX26d	

출처: http://www.namyung.co.kr/eagleye/sub020104.asp

우리나라 자동차별 전조등 규격표를 **[부록]**에 첨부한다.

3 LED Light Emitting Diode

LED는 반도체의 일종으로 전기 에너지를 빛으로 변환하여 발산하는 반도체 다이오드이다. 반도체의 장단점은 다음 표와 같다.

표 반도체의 장단점

장점	단점
• 기계적으로 강하고 수명이 반영구적이다.(40,000시간 이상) • 전력 소모가 작다. • 소형이고 가볍다.	• 온도가 상승하면 특성이 나빠진다. • 역방향 전압이 작다. • 정격전압 이상이면 고장나기 쉽다.

LED 전조등을 사용하면 수명이 반영구적이고, 전력소모가 작아 연료소모가 줄어들어 CO_2 감소에 효과적이다. 일반적인 LED는 다양한 빛의 색을 발산하는데 특히 자동차 전조등은 법규에 따라 백색을 지녀야 하므로 백색광을 전조등으로 사용하야 한다. LED 백색광은 색온도에서 약 6,000˚K이다.

LED 전조등의 단점은 온도 상승에 따른 기능 상실이다. LED에 전류가 흐르면 빛과 열로 전력을 소모하는데, 이때 열이 발생하기 때문에 방열판을 설계하여 LED에서 발생하는 열을 배출해야 한다.

아래 그림은 LED로 개발된 전조등이다.

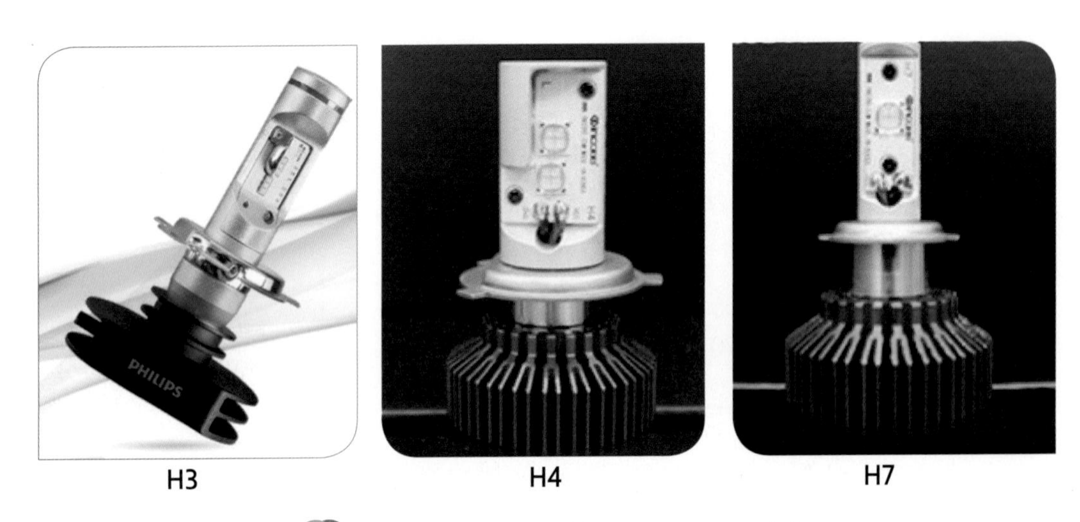

그림 1-69 **LED 전조등** ▶ 출처 : 필립스 & 인코브 홈페이지

1-3 CHAPTER

자동차 전기장치 튜닝 장착

01 오디오 장치 점검하기

1 회로도 분석

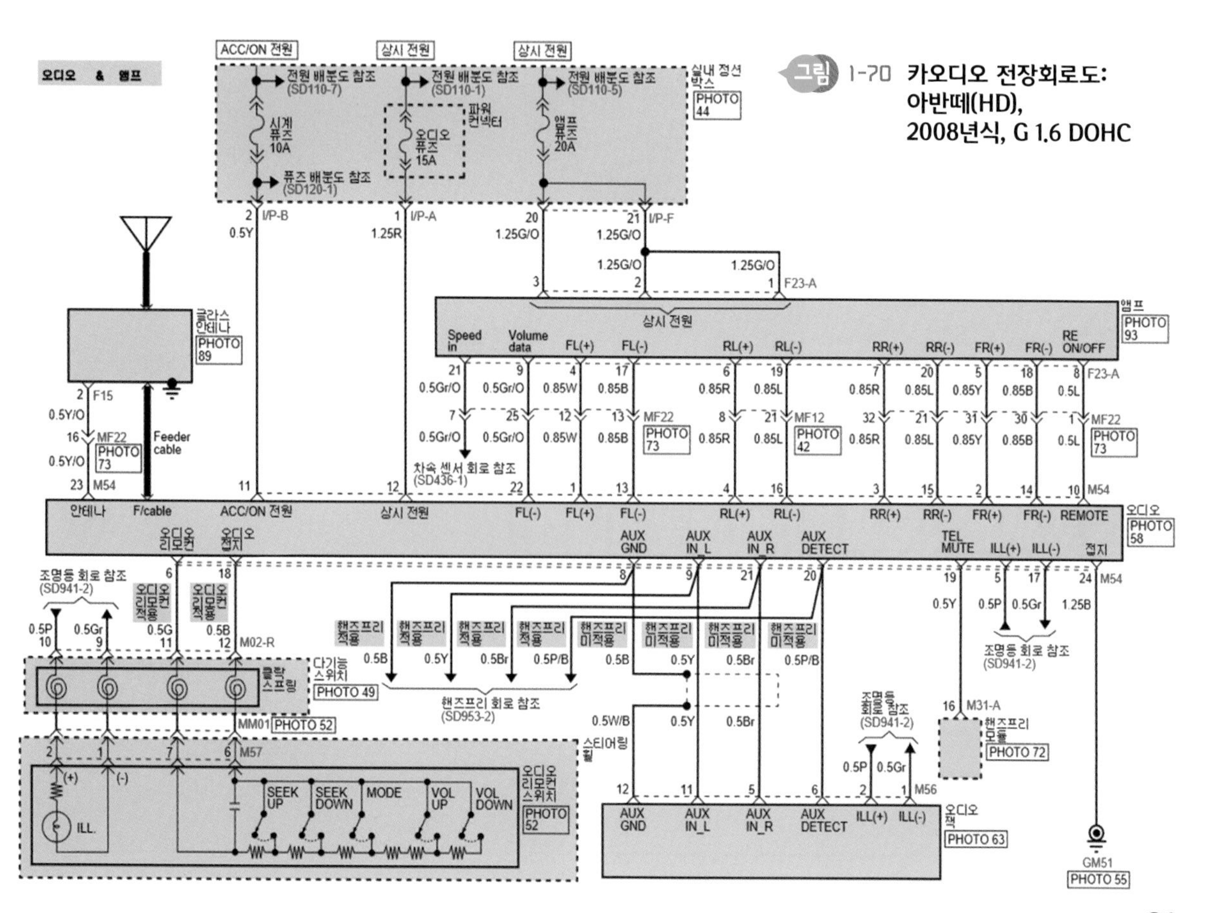

그림 1-70 카오디오 전장회로도: 아반떼(HD), 2008년식, G 1.6 DOHC

이 그림은 아반떼 1.6 DOHC 차량에 적용된 카오디오 시스템의 전장회로도 예시이다. 이와 같은 전장회로도를 분석하기 위해서는 모듈 간에 연결된 커넥터 번호를 읽는 방법과 기기 간에 연결된 전선의 표기 방법, 나아가 전선 다발(**하니스**Harness)에 대한 표기 방법에 대해 이해해야 한다.

2 커넥터

위 회로도에서 각 사각형 블록은 자동차의 전장 모듈에 연결된 커넥터를 나타내며, 하나의 커넥터가 다른 커넥터와 연결될 때의 단자 번호가 사각형 외부에 삼각형과 함께 표시된다. 실차에서의 단자 번호의 규칙은 다음 [표]와 같다.

표 하니스 커넥터

암커넥터(하니스측)	수커넥터(부품측)	비고
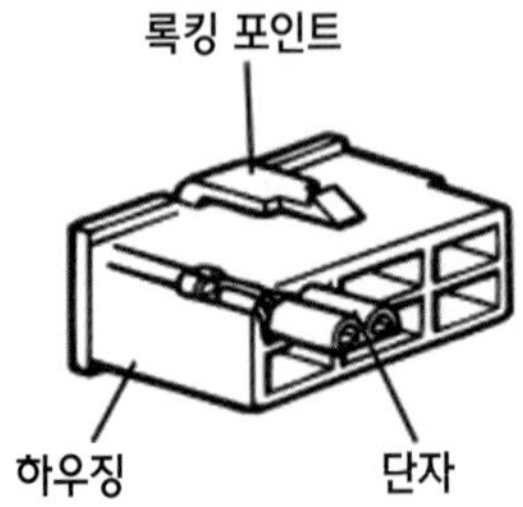 록킹 포인트 하우징 단자	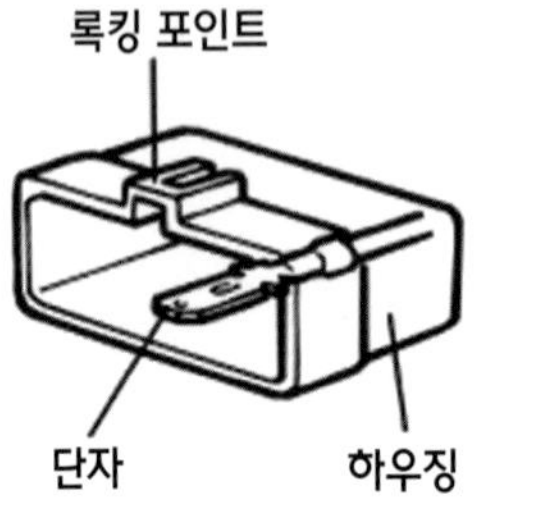 록킹 포인트 단자 하우징	암수 커넥터 구분은 하우징 형상이 아닌 단자 형상에 따름. 암커넥터는 회로의 전원 공급 쪽에, 수커넥터는 부하 쪽에 위치. 수커넥터가 빠질 경우 단락(합선)을 방지하기 위함.
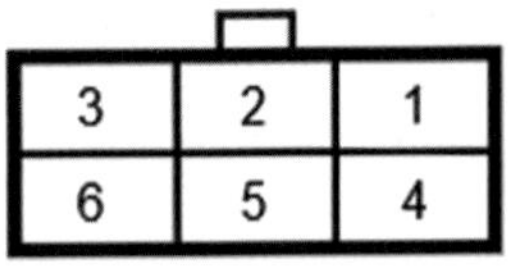 3 2 1 6 5 4	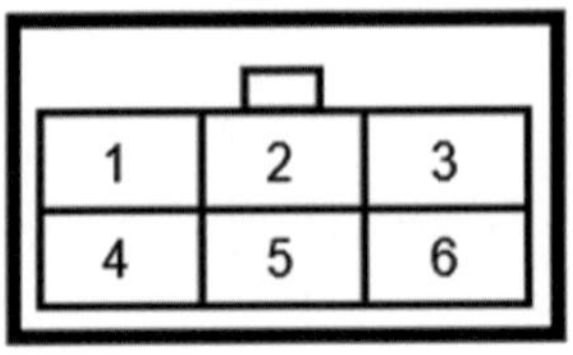 1 2 3 4 5 6	
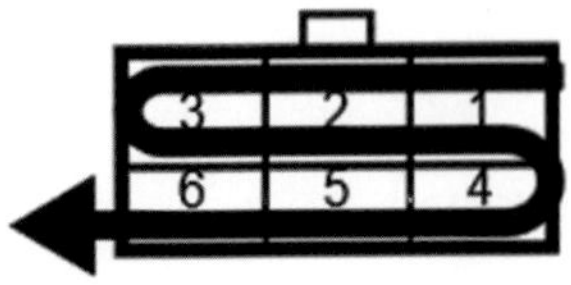 3 2 1 6 5 4	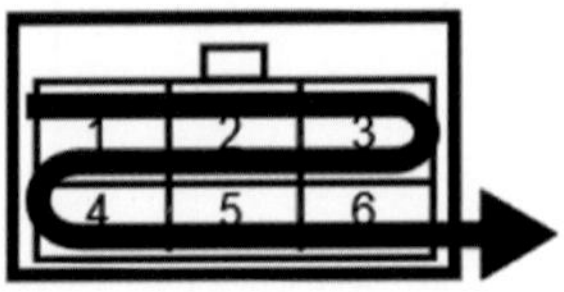 1 2 3 4 5 6	암커넥터 단자 번호는 오른쪽 위에서 왼쪽 밑으로, 수커넥터 단자 번호는 왼쪽 위에서 오른쪽 밑으로 번호를 매김.

3 와이어 색상

회로도에 표시되는 '0.5W/B'의 의미는 전선 내 동선의 단면적이 임을 뜻하고, 흰색White 바탕에 검정Black 줄무늬로 전선 피복이 되어 있다는 뜻이다. 이외에도 회로도상의 와이어 색상을 식별하는 데 사용되는 약어는 아래 표와 같다.

표 와이어 색상표

기호	와이어색상	기호	와이어색상
B	검정색(Black)	O	오렌지색(Orange)
Br	갈색(Brown)	P	분홍색(Pink)
G	초록색(Green)	R	빨강색(Red)
Gr	회색(Gray)	W	흰색(White)
L	파랑색(Blue)	Y	노란색(Yellow)
Lg	연두색(Light Green)	Pp	자주색(Purple)
T	황갈색(Tawny)	Ll	하늘색(Light Blue)

※ Y/B: 노랑 바탕색에 검정색 줄무늬 선(2가지 색)

4 하니스 기호

전장회로도 상에는 여러 전선이 하나의 다발로 연결되어 있는데, 이를 하니스라고 하며, 각 하니스의 명칭, 장착 위치에 따라 아래와 같이 분류하여 식별 기호를 부여한다.

표 와이어 하니스 기호

기호	하니스 명칭	위치
E	엔진 룸 하니스, 프런트 하니스, 배터리 하니스	엔진 룸, 실내
M	메인 하니스	실내
A	에어백 하니스	실내, 크래쉬 패드
R	루프 하니스	루프
D	도어 하니스	도어
C	컨트롤 하니스, 인젝터 하니스	엔진
F	플로어 하니스	실내 플로어

5 커넥터 식별 번호

커넥터 식별 번호는 와이어링 하니스 기호와 커넥터 일련번호로 구성되어 있다.

① 부품과 와이어링의 연결

부품과 와이어링의 연결 표시법은 아래와 같다.

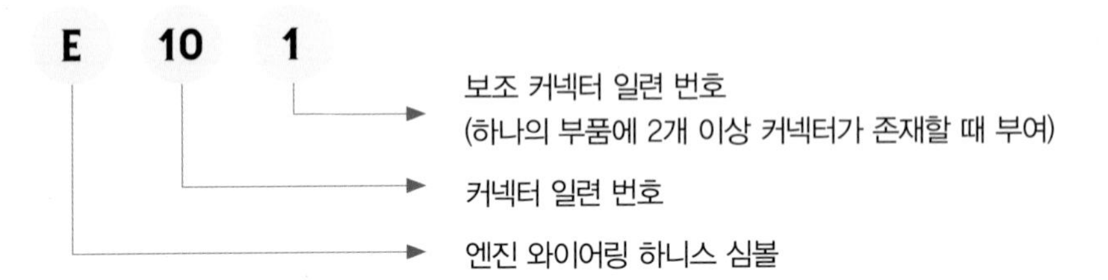

② 와이어링 사이의 연결

각 와이어링 하니스를 연결하는(와이어링과 와이어링의 연결) 커넥터는 아래와 같이 표기한다.

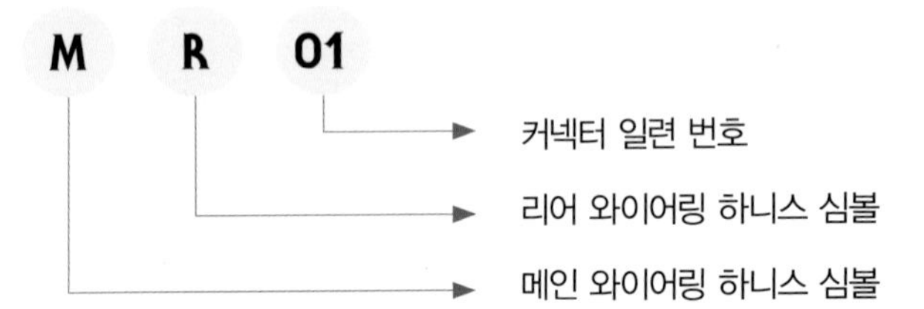

③ 정션 박스와의 연결

정션 박스와 각 와이어링 하니스를 연결하는 커넥터는 아래의 심볼로 나타낸다.

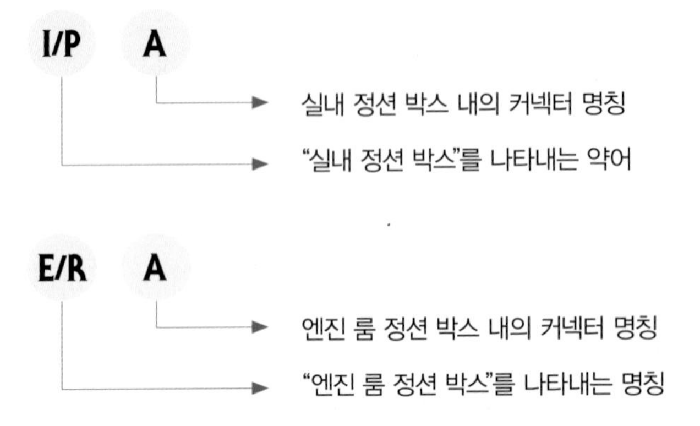

02 카오디오 조립·장착하기

카오디오 실습 세트를 통한 조립 및 장착은 서브 우퍼 시스템 연결 후 작동 실습, 배선 확인, 오디오 기기 탈거 및 재배선, 오디오 기기 핵심 기능 확인, 오디오 기기 재조립, 재조립 후 기능 확인의 과정으로 진행된다.

(1) 작동 확인

메인 앰프 시스템과 서브우퍼 시스템을 연결하여 카오디오 시스템이 정상 동작하는지 확인한다.

(2) 배선 확인

메인 앰프 시스템과 서브 우퍼 시스템의 기기별 연결 배선도를 멀티 테스트를 통해 확인하고 이를 통해 오디오 배선도를 작성한다.

(3) 오디오 기기 탈거 및 재배선

멀티 앰프 시스템의 오디오 배선도가 완성이 되었다면 장착된 오디오 기기를 모두 탈거한 후 실험 테이블에 재배치하여 연결한다.

(4) 오디오 기기 핵심 기능 확인

재배선이 완료되면 헤드 유닛의 기본 동작(음원 좌/우 조절, 음원 전/후 조절기능)을 확인하다.

(5) 재조립

기능 확인을 완료하고 기존 실습 세트에 모든 카오디오 기기를 재장착 및 재배선한다.

(6) 기능 확인

정상적으로 배선되었는지를 메인 앰프 시스템과 서브 우퍼 시스템을 연결하여 확인하다. 어느 정도 능숙해지면 실제 차량의 카오디오 시스템 조립 및 장착하는데 차종을 선정하고 카오디오 기기가 선정되었다면 실차 조립 및 장착과정을 진행한다. 실차 장착은 기존 기기의 탈거, 기본 배선 작업, 카오디오 기기 장착, 서브 우퍼 작업, 배선 연결 후 마감 작업으로 진행된다.

03 전조등 조립·장착하기

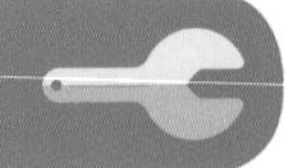

먼저 LED 전조등 튜닝 대상 차량의 전조등 형식을 파악하고 다음과 같은 내용을 확인한다.

1 LED 전조등 전력 확인하기

LED 전조등의 장점 중의 하나인 낮은 전력 소모는 LED를 생산하는 반도체 회사에 따라 다를 수 있지만 기존 할로겐 전조등보다는 전력 소모가 작다. 예를 들어 현대자동차의 올뉴투싼 LED 전조등 H7의 사양을 보면 아래 [표]와 같다.

표 올뉴투싼 LED 전조등 사양

LED	Watt	입력전압	Lm/W	색온도	각도	수명
CREEXHP50 (18Wx2)	36	7~32V	108	6000˚K	240	40,000시간

일반적으로 자동차 전조등의 전력은 55W인 반면 LED 전조등은 36W로 약 65%의 전력을 사용한다. 이 경우 35% 만큼 연료소모가 줄고 CO_2 배출량도 감소한다.

2 전조등 전류 확인하기

일반적으로 LED 전조등은 램프형 전조등보다 전력 소모가 적다. 선택된 LED 전조등의 설명서를 통해 소비전력을 확인한다. 소비전력이 확인되면 다음 아래와 같은 방법으로 소비 전류를 계산한다.

전력Power은 전압과 전류의 곱으로 표시되므로 $P=V \cdot I$ 이다. 자동차의 배터리 전압을 12V로 가정하여 일반적인 전조등과 LED 전조등에 사용되는 전류를 계산해보면 다음과 같다.

① **일반적인 전조등**의 경우는 $I_G = \frac{P}{V} = \frac{55\,W}{12\,V} = 4.58A$

② **LED 전조등**의 경우는 $I_L = \frac{P}{V} = \frac{36\,W}{12\,V} = 3A$

3 전조등 퓨즈 용량 확인하기

전조등 퓨즈는 차량에 따라 2개의 전조등에 1개의 퓨즈를 설계하는 방식과 양쪽 전조등마다 각각 퓨즈가 있도록 설계하는 2가지 방식이 있다. 일반적인 퓨즈 용량은 소비전류의 약 2배를 권장한다. 예를 들어 전류가 2.5A이고 퓨즈 1개를 설계한다면 총 소비전류 5A의 2배인 약 10A 퓨즈를 사용하고, 양쪽 전조등 각각에 설계하는 경우라면 2.5A의 2배인 5A의 퓨즈 2개를 사용하여야 한다.

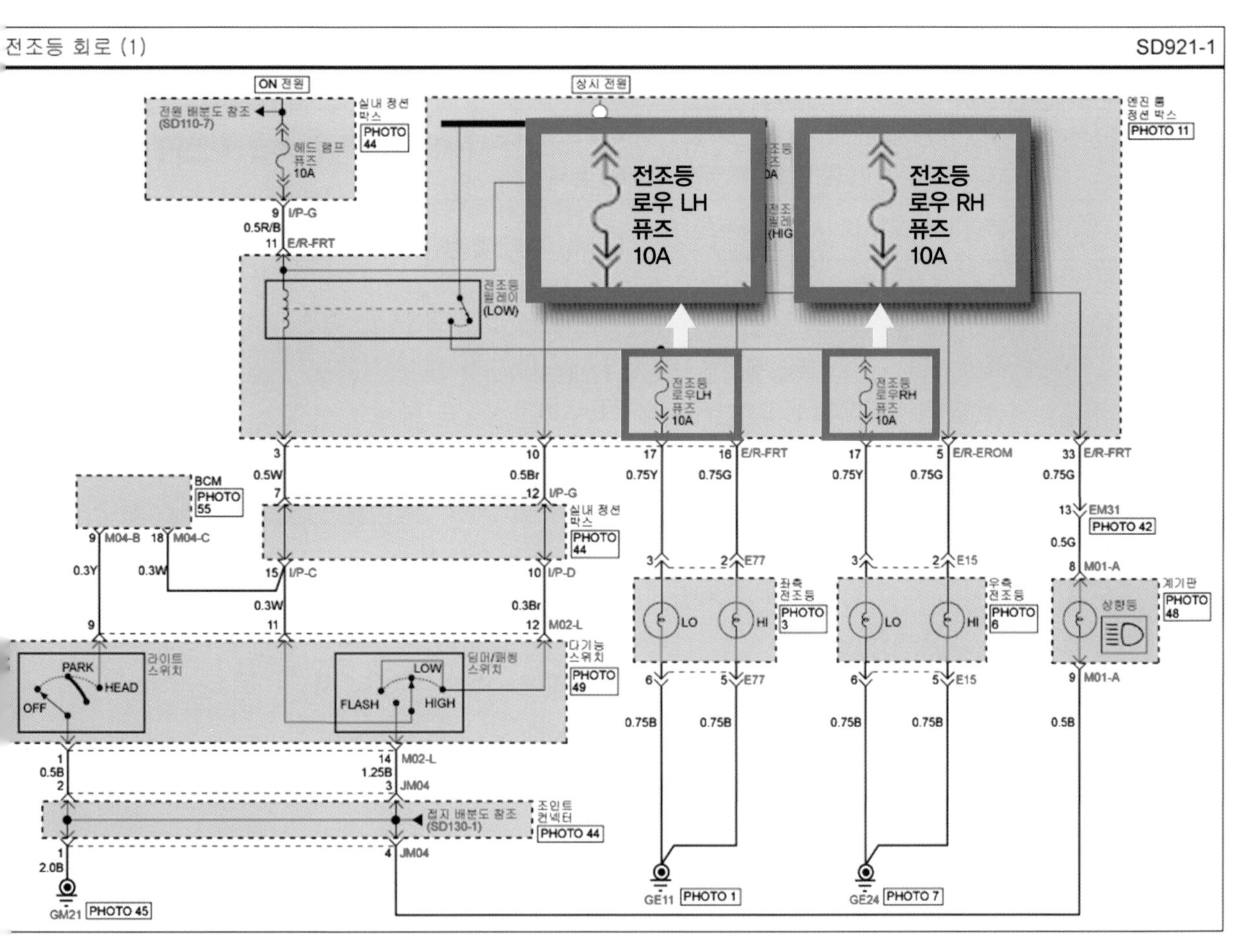

그림 1-71 아반테XD 전조등 회로도

LED 전조등의 경우도 이와 같은 규칙을 적용하면 6A의 퓨즈를 사용해야 한다. 그러나 범용 퓨즈는 5A/7.5A/10A/15A/20A/25A/30A로 규격화되어 있기에, 전조등 퓨즈 10A를 제거하고 5A의 퓨즈를 선정한다.

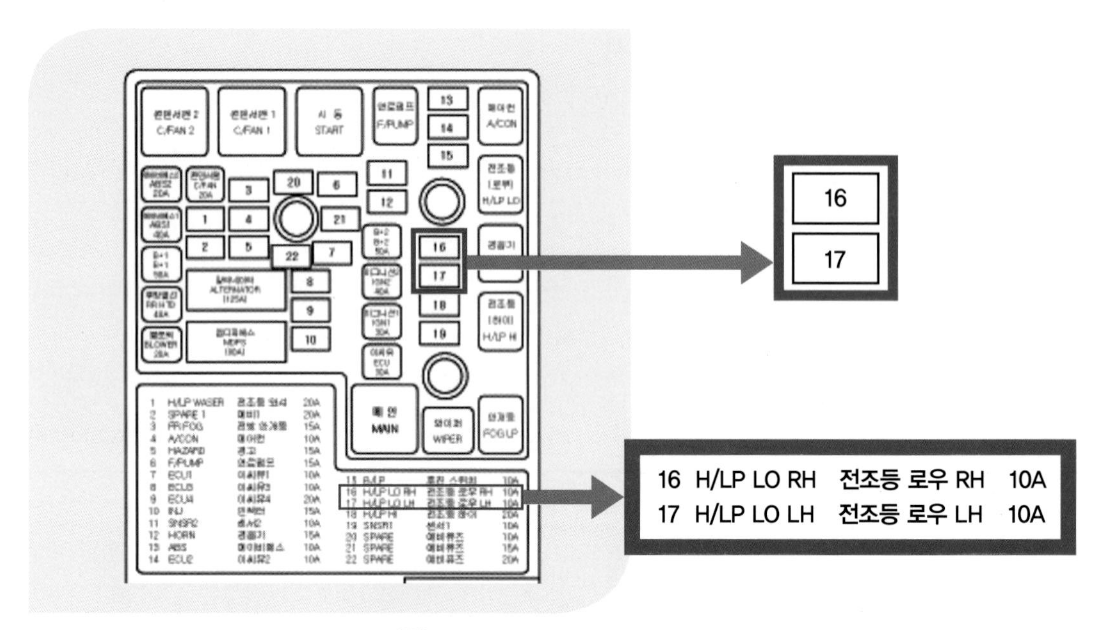

그림 1-72 아반테HD 엔진룸 정션박스

위 그림에서 확인한 퓨즈의 용량이 10A이다. 회로도의 표시된 퓨즈의 실제 위치는 엔진룸의 퓨즈 박스 안에 있다. 퓨즈 박스를 열면 일반적으로 뚜껑의 안쪽에 퓨즈 및 릴레이 그림과 함께 명칭이 기록 되어있다. 그림에서는 **16번**이 오른쪽, **17번**이 왼쪽 전조등 퓨즈이다. LED 전조등을 사용하기 위해서는 10A의 두 퓨즈를 제거하고 5A 퓨즈로 교환한다.

4 LED 전조등 선택하기

기본적으로 원래 차량에 장착된 것과 같은 형식의 LED로 제작된 전조등을 선택하는 것이 바람직하다. LED는 색온도가 있어 사용자의 요구에 맞는 색을 선택한다. 색온도는 생산자마다 다를 수 있으며 그 온도의 특성을 이해하여 선택에 도움을 준다.

색온도란 완전 방사체의 분광 복사율 곡선으로, 흑체의 온도. 절대 온도인 273°K와 그 흑체의 섭씨온도를 합친 색광의 절대 온도이다. 표시 단위로 K Kelvin를 사용한다.

완전 방사체인 흑체는 열을 가하면 금속과 같이 달궈지면서 붉은색을 띠다가 점차 밝은 흰색을 띠게 된다.

① **해 지기 직전 :** 2200K(촛불의 광색)

② **해 뜨고 40분 후 :** 3000K(연색 개선형 온백색 형광등, 고압 나트륨 램프)

③ **해 뜨고 2시간 후 :** 4000K(전구색, 온백색 형광등, 할로겐 램프)

④ **정오의 태양 :** 5800K(냉백색 형광등)

⑤ **흐린 날의 하늘 :** 6500K(주광색 형광등, 수은 램프)

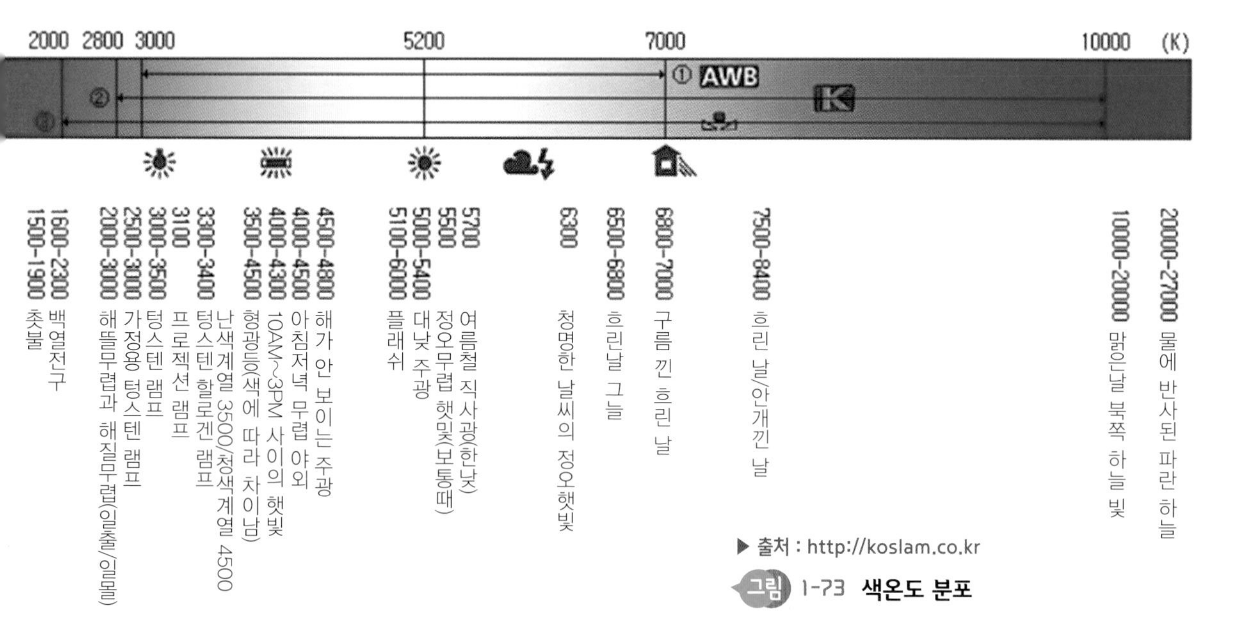

▶ 출처 : http://koslam.co.kr

그림 1-73 **색온도 분포**

또한 LED 전조등은 생산자마다 그 모양과 사양이 다를 수 있다. 그러나 차량의 튜닝을 위해서는 기존의 전조등 형식과 LED 전조등 형식이 반드시 같아야 한다. 아래 그림 좌측은 할로겐 H4 전조등이고 우측은 필립스사의 H4 형식 LED 전조등이다.

▶ 출처 : https://www.philips.co.kr

그림 1-74 **H4 할로겐 전조등**

그림 1-75 **필립스 H4 형식 LED 전조등**

표 필립스 H4 LED (12953BWX2): 전조등 중요 사양

항목	사양
1. 형식	H4
2. 용도	전조등 하향등 및 상향등
3. 부품	반도체 LED
4. 색온도	6200
5. 사용전압	12V ~ 24V
6. 소비전력	2315% W
7. 수명	5,000시간
8. 베이스	P43T
9. 루멘[lm]	하향등: 1,00015% lm, 상향등: 1,25015% lm

선택된 LED 전조등의 사양은 설명서를 참조하며, 중요사항은 [표]와 같다. 필립스 LED 전조등은 빛을 발산하는 LED 램프와 발전기 또는 배터리 전압의 리플을 제거하는 전원 안정기(레귤레이터)로 구성되어 있다. 또한 전조등은 좌우측 한 쌍으로 구성되므로 LED 전조등 1쌍, 전원안정기 1쌍이 필요하다.

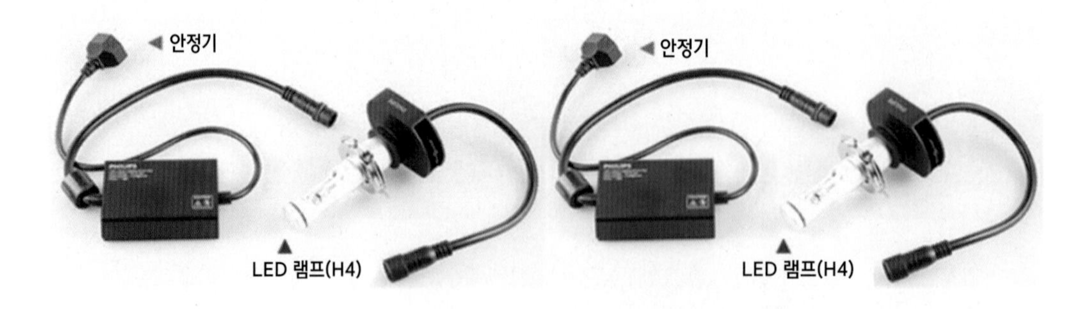

그림 1-76 필립스 H4 형식 LED 전조등 구성품

5 LED 전조등 장착하기

LED 전조등 장착 방법은 다음 5단계로 구분된다.

① **기존 전조등 탈거 :** 전조등 모듈에서 전조등 덮개를 탈거한 후 전조등을 탈거한다.

② **LED 전조등 장착 :** LED 전조등을 장착한다.

③ **H4 LED 전조등 고정 :** LED 전조등을 록 장치를 이용하여 고정한다.

④ **LED 전조등 케이블을 뺀 상태에서 덮개 장착 :** 전조등 덮개를 완전히 장착하기 전에 전조등 전원 케이블을 외부로 뺀다.

⑤ 안정기 케이블과 전원 케이블 연결: 전조등 케이블과 안정기 케이블을 연결한다.

그림 1-77 LED 전조등 장착 과정

6 타사의 LED 전조등 장착할 경우

모든 LED 전조등은 그 베이스가 같지만 LED 방열 문제로 생산회사마다 방열판의 형상이 다르다. 따라서 장착 시 생산자의 장착 설명서를 참고해야 한다. 그 일례로 다른 회사의 LED 전조등을 다음 그림에 나타내본다.

반디 LED H4 전조등

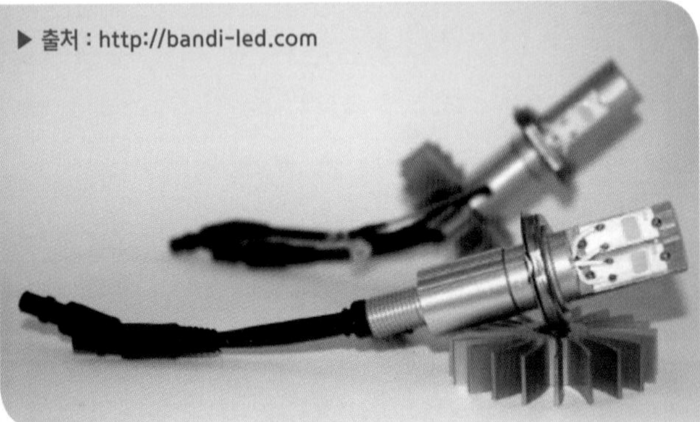

새일 LED H4 전조등

 1-78 **다른 회사의 H4 형식 LED 전조등**

7 전조등 소비전류에 따른 퓨즈 교환

필립스 H4 LED 전조등의 소비전력은 2315% W이므로 계산의 편리성을 위해 24W, 공급 전압을 12V라 하면, 소비전류는 LED 전조등 1개당 2A가 된다. 아반테는 전조등 좌우측에 대한 퓨즈가 각각 있으므로 4A 퓨즈를 사용하면 된다. 그러나 범용 퓨즈로는 4A가 없고 5A / 7.5A / 10A / 15A / 20A / 25A / 30A만 있으므로 5A의 퓨즈를 선정하여 좌우측 퓨즈를 교환한다.

1-4 CHAPTER

자동차 전기장치 튜닝 시험

01 LED 전조등 시험하기

전조등은 하향등과 상향등으로 구분된다. 하향등은 30m 이내의 거리를 비추는 데 사용하고 상향등은 100m의 거리를 비추는 데 사용한다. 따라서 그 재질이나 형태에 관계없이 전조등(LED 전조등 포함)을 장착한 차량은 도로교통법이 정한 규칙을 준수해야 한다.

1) 전조등에 관한 도로교통 법규 전조등 관련 법규는 "자동차 안전기준에 관한 규칙(국토해양부령 제 136호)" 제 38조에 언급이 되어 있고, 그중 중요한 내용은 다음과 같다.

① 좌우에 각각 1개 또는 2개를 설치할 것

② 등광색은 백색일 것

③ 광도 4등식: 12,000cd ~ 112,500cd, 2등식: 15,000cd ~ 112,500cd

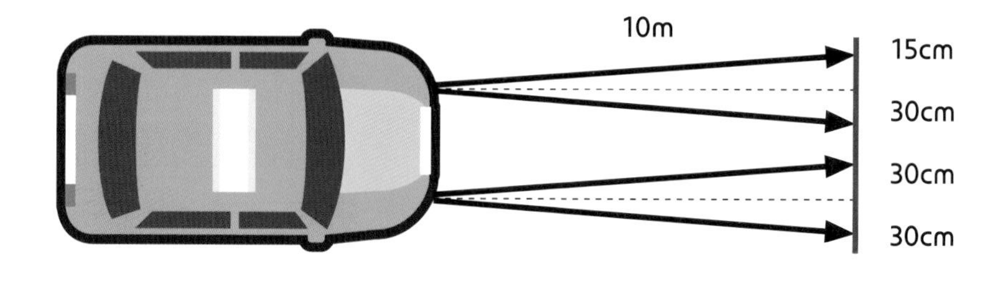

그림 1-79 전조등의 주광축의 좌/우 진폭

02 LED 전조등 시험기의 종류

집광식과 투영식이 있고 집광식은 1m 거리에서, 투영식은 3m 거리에서 측정한다. 투영식 전조등 측정기와 각부 명칭은 아래 그림과 같다.

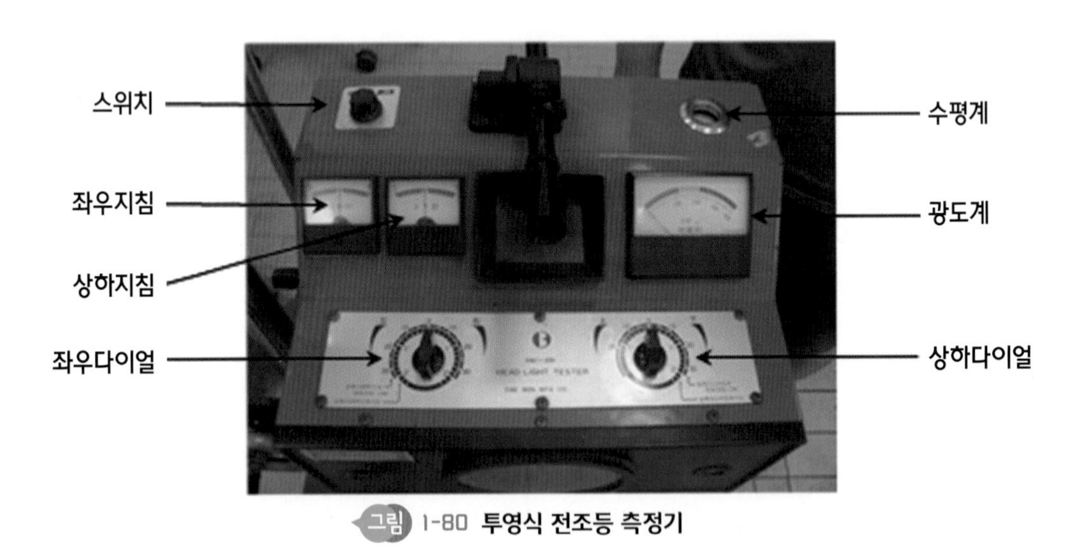

그림 1-80 투영식 전조등 측정기

03 LED 전조등 시험, 검사

전조등을 시험 검사하기 위해서는 시험 전 숙지사항과 준비 작업을 철저히 해야 한다. 전조등 시험 전 알아두어야 할 사항은

① 자동차는 예비운전이 되어 있는 상태에서 운전자 1인이 탑승한 상태로 측정한다.

② 타이어 공기압은 표준으로 맞추어야 한다.

③ 측정 시 엔진 회전수를 2000rpm으로 올린다.

④ 4등식인 경우 측정하지 않는 전조등은 빛을 차단한 상태에서 진행한다.

또한, 전조등을 시험 검사하기 위해서는 측정기 수평 확인, 축전지 성능 확인, 거리, 타이어 공기압, 운전자 1명 탑승 등의 준비를 해야 하며, 전조등 측정 시에는 상향등을 켜야 하며 2등식과 4등식의 조도값, 장비 사용법 등을 숙지하여야 한다.

04 전기장치 점검 순서

1 1단계 : 고객 불만 사항 검토

정확한 점검을 위해 문제되는 회로의 구성부품을 작동시킨 후 문제를 검토하고, 그 현상을 기록한다. 확실한 원인이 파악되기 전에는 분해나 테스트를 실시하지 말아야 한다.

2 2단계 : 회로도의 판독 및 분석

회로도에서 고장 회로를 찾아 시스템 구성 부품으로의 전류 흐름을 파악하여 작업 방법을 결정한다. 작업 방법을 인식하지 못할 경우에는 회로 작동참고서를 참조한다. 또한 고장 회로를 공유하는 다른 회로를 점검한다. 예를 들어 같은 퓨즈, 접지, 스위치 등을 공유하는 회로의 명칭을 각 회로도에서 참조한다. 1단계에서 점검하지 않았던 공유되는 회로를 작동시켜 본다. 공유회로 작동이 정상이면 고장회로 자체의 문제이고, 몇 개의 회로가 동시에 문제가 있으면 퓨즈나 접지 상의 문제일 것이다.

3 3단계 : 회로 및 구성 부품 검사

회로 테스트를 실시하여 2단계의 고장 진단을 점검한다. 효율적인 고장 진단은 논리적이고 단순한 과정으로 실시되어야 한다. 고장 진단 힌트 또는 시스템 고장 진단표를 이용하여 확실한 원인 파악을 한다. 가장 큰 원인으로 파악된 부분부터 테스트를 실시하며, 테스트가 쉬운 부분에서부터 시작한다.

4 4단계 : 회로 작업 확인

수리 후 확인을 위해 다시 한 번 더 점검을 실시한다. 만약 퓨즈가 끊어지는 문제였다면, 그 퓨즈를 공유하는 모든 회로의 테스트를 실시한다.

05 전기장치 전압 테스트

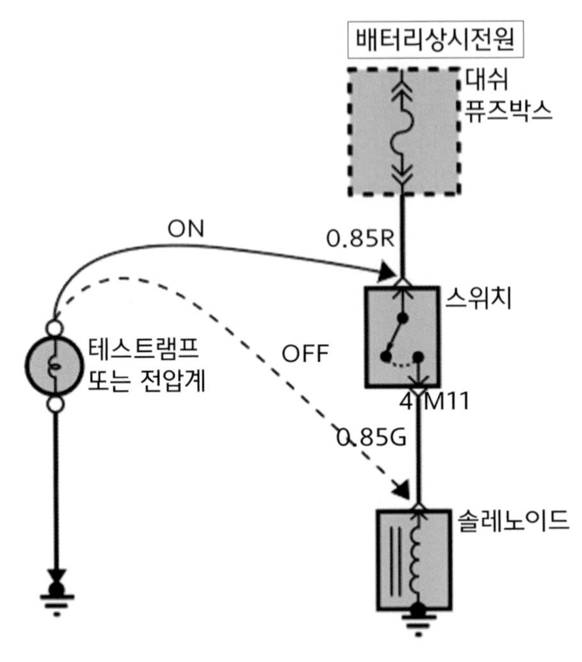

그림 1-81 **전압 테스트** ▶ 출처 : 아반떼(HD), 2006년식, G 1.6 DOHC, 전장회로도

커넥터의 전압 측정 시에는 커넥터를 분리시키지 않고 탐침을 커넥터 뒤쪽에 꽂아 점검한다. 커넥터 접속 표면 사이의 오염, 부식으로 전기적 문제가 발생될 수 있으므로 항시 커넥터의 양면을 점검해야 한다.

① 테스트 램프나 전압계의 한쪽 리드선을 접지시킨다. 전압계 사용 시에는 접지시키는 쪽에 반드시 전압계의 (–)리드선을 연결해야 한다.

② 테스트 램프나 전압계의 다른 한쪽 리드선을 선택한 테스트 위치(커넥터나 단자)에 연결한다.

③ 테스트 램프가 켜진다면 전압이 있다는 것을 의미한다.

④ 전압계 수치를 읽는다. 규정치보다 1볼트 이상 낮은 경우는 고장이다.

06 전기장치 통전 테스트

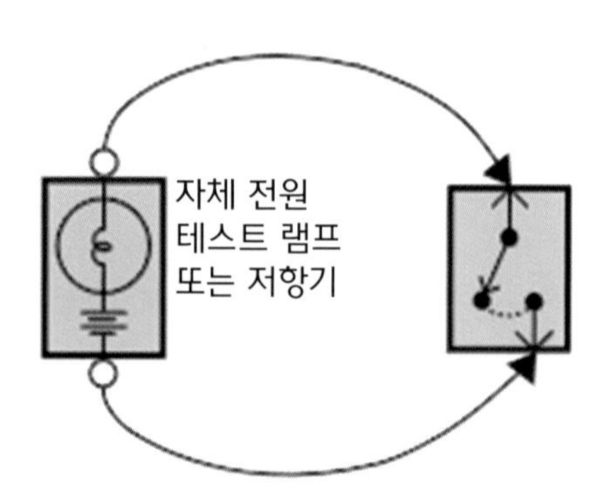

그림 1-82 **통전 테스트** ▶ 출처 : 아반떼(HD), 2006년식, G 1.6 DOHC, 전장회로도

① 배터리 (-)단자를 분리한다.

② 자체 전원 테스트 램프나 저항기의 한쪽 리드선을 테스트하고자 하는 회로의 한쪽 끝에 연결한다. 저항기 사용 시에는 리드선 2개를 함께 잡은 다음 저항이 0Ω이 되도록 저항기를 조정한다.

③ 다른 한쪽 리드선을 테스트하고자 하는 회로의 다른 한쪽 끝에 연결한다.

④ 자체 전원 테스크 램프가 켜지면 통전 상태이다. 저항기 사용 시 저항이 0Ω 또는 값이 작으면 양호한 통전 상태를 나타낸다.

07 접지 단락 테스트

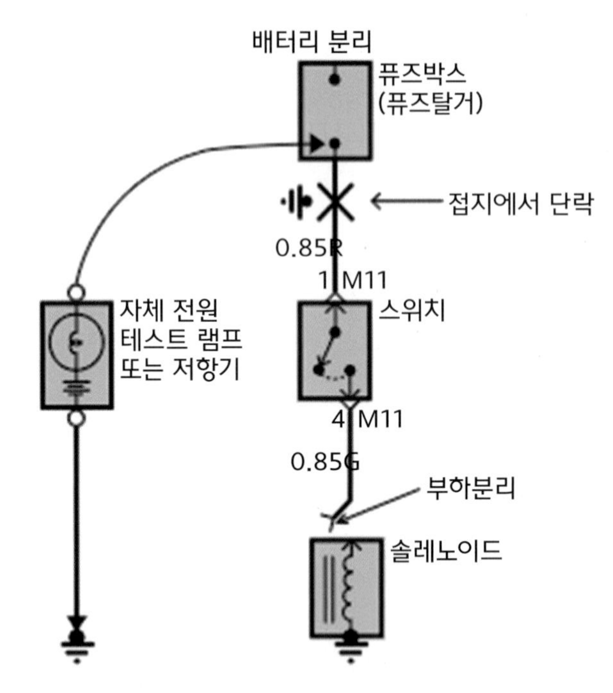

그림 1-83 **접지 단락 테스트** ▶ 출처 : 아반떼(HD), 2006년식, G 1.6 DOHC, 전장회로도

① 배터리의 (−)단자를 분리한다.

② 자체 전원 테스트 램프나 저항기의 한쪽 리드선을 구성품 한쪽의 퓨즈 단자에 연결한다.

③ 다른 한쪽 리드선을 접지시킨다.

④ 퓨즈박스에서 근접해 있는 하니스부터 순차적으로 점검해간다. 자체 전원 테스트 램프나 저항기를 약 15㎝ 간격을 두고 순차적으로 점검해간다.

⑤ 자체 전원 테스트 램프가 열화되거나 저항이 기록되면 그 위치점 주위 와이어링의 접지가 단락된 것이다.

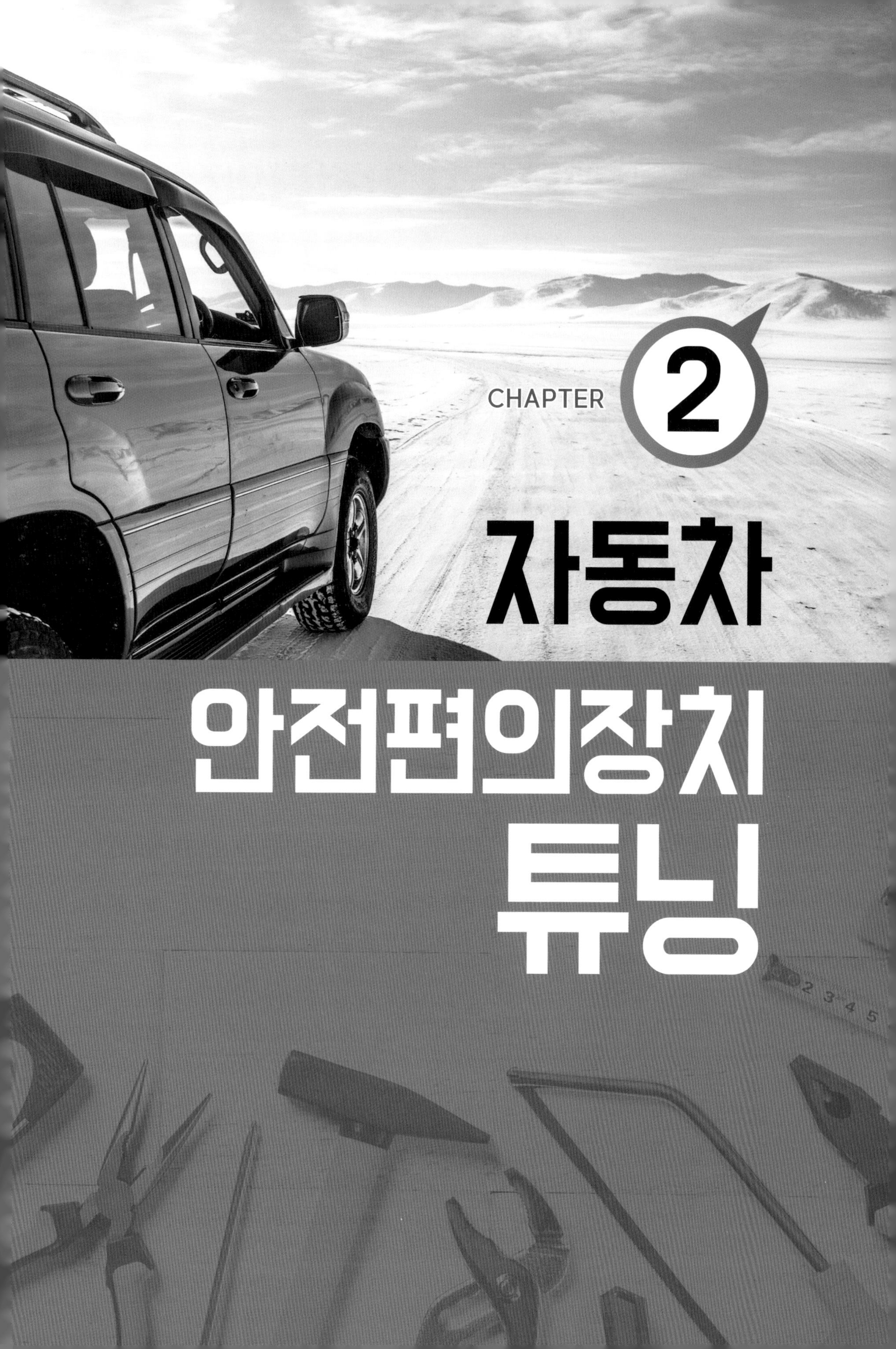

CHAPTER 2 자동차 안전편의장치 튜닝

2-1 CHAPTER

자동차 안전편의장치 튜닝 개론

01 자동차 주행 안전장치 개요

1 차선 이탈 경보 및 차선유지 보조 장치

(1) LDWS Lane Departure Warning System 개요

차선 이탈 경보 시스템인 LDWS는 운전자가 졸음 등의 이유로 방향 지시등 없이 차선을 이탈하면 계기판의 이미지와 경고음으로 운전자에게 알려 주는 경보 시스템이다. 경고음은 외장 앰프 장착 차량(AVN 장착)은 좌측으로 차선 이탈시 운전석 스피커에서 우측으로 이탈시 우측 스피커에서 경고음이 발생한다.

앰프 미 장착 차량은 계기판에서 경고음이 출력된다. LDWS는 도로 및 기후 상황 등에 따라 오작동이 발생 할 수 있다. 참고적으로 한쪽 차선만 감지하였을 때도 경보를 하며, 경보의 시작은 차선 안쪽 Edge(끝)를 밟을 경우이며 경보의 해제는 바깥쪽 차선 Edge에서 55cm 넘었을 경우이다.

(2) 주요사항 - LDWS 적용(블랙박스 적용차량)

① **작동 조건 :** 스위치 ON, 차속60km/h이상에서 방향지시등 없이 차선이탈시

② **해제 조건 :** 차속 55km/h이하 시

구 분	차선 인식 전·후	차선 이탈시
이미지	 차선이탈 경보 시스템	 차선이탈 경보 시스템
	 차선이탈 경보 시스템	 차선이탈 경보 시스템
설명	차선 인식 완료시 그림처럼 차선 이미지가 선명해짐	좌·우 차선 이탈시 차선 이미지가 흐려짐

그림 2-01 **차선 이탈 경보 시스템** ▶ 출처 : 현대 자동차 정비지침서

2 LKAS (차선유지 보조 기능)

(1) 개요

① 차선이탈 경보 기능 (LDWS Lane Departure Warning System)

차량이 차선이탈을 할 경우에만 경보를 발생하여 운전자에게 알려준다.

② 차선유지 보조 기능 (LKAS Lane Keeping Assistance System)

차량이 차선을 유지할 수 있도록 전동식 파워스티어링을 이용하여 보조 조향 토크를 제공하여 차선을 유지하도록 운전자의 조향을 보조하는 기능이다. 또한 차량이 차선에 근접할 경우, 운전자가 차선을 벗어나지 않도록 보조하고 차량이 차선 중앙부근을 주행 할 경우, 핸들을 제어하여 차선 유지를 도와주며, 자동차에 표준으로 설치되고 있다. 그러나 능동 조향 보조 장치는 차선유지 보조기능 대비 제어영역을 확장하여 핸들을 제어하고 장거리 운전 시 피로감을 줄여주기 위한 기능이다.

주요부품의 기능 중 전방 인식 카메라의 기능은 차선이탈감지, 보행자 인식, 선행차량 인식, 도로 표지판, 전방 대향 차량의 광원 등을 인식할 수 있다. 이러한 기능을

통해 추가되는 기능들이 있는데, HBA는 야간 시 전방에 선행 대항 차량의 광원을 감지하여 자동으로 상향등을 제어해 준다.

FCW는 전방 차량 및 차선을 감지하고 전방 차량이 현재 차로에 있는지를 판단하고 충돌이 예상되는 위험 상황에 대해서 경고를 통하여 운전자에게 경고를 해준다. SLIF는 차량 운행 중 전방 카메라를 통해 일반 및 전자식 교통 표지판을 인식한 후에 해당 정보를 클러스터에 표시해 줌으로써 운전자에게 주행 중인 도로의 제한 속도 정보를 제공하고 경고함으로써 과속에 의한 교통사고를 예방하는 시스템이다.

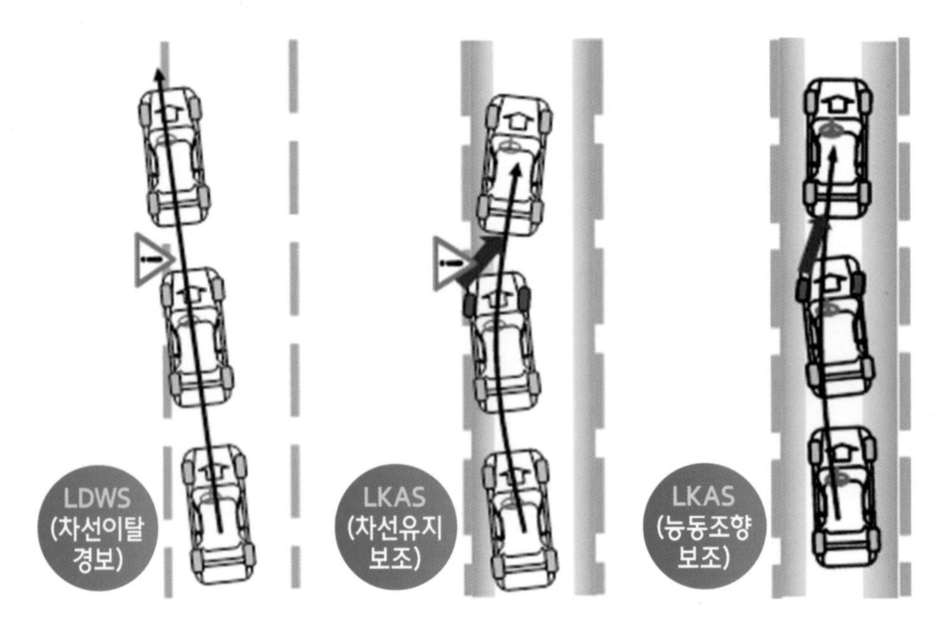

그림 2-02 **차선 유지 보조 기능** ▶ 출처 : 현대 자동차 정비지침서

(2) LDWS / LKAS 동작 조건

① 차선이탈 경보는 차량 전륜이 이탈 측차선 내측 경계에 접촉하는 순간부터 발생된다.

② 능동조향 보조는 차선유지 보조 대비 제어 시점이 차선 중앙에 가까워 LKAS 제어 개입이 일찍 일어난다.

③ 능동조향 보조는 차선유지 보조 대비 차량을 좀 더 차선 중심 부근으로 이동 시키며, 제어시간이 오래 지속된다.

④ 능동조향 보조는 LKAS 제어 개입이 자주 일어나는 만큼, 차선유지 보조 대비 LKAS 제어 이질감이 약하게 느껴지도록 설계되었다.

3 DAA Driver Attention Alert (부주의 운전경보 기능)

(1) 개요

DAA 시스템은 전방 인식 카메라와 차선 정보와 조향각, 조향토크, 가·감속 페달 등의 신호를 CAN통신을 기반으로 주행 패턴을 분석하여 운전자의 부주의 및 피로 운전 정도를 표시 하거나 경보하고, 이를 통하여 운전자가 주행 중 피로하거나 졸린 상황에 휴식을 유도하고, 부주의 상황을 저감하여 차량운행의 안전성과 편의성을 향상 시키는 시스템이다. 부주의 운전의 주요 검출 패턴은 차선 추종 불량, 차선 침범, 과대 조향, 과소 조향 패턴을 감지한다.

또한 주행 시간에 따라 반복적으로 일어나는 횟수를 기록해 부주의 레벨과 경보를 통해 운전자의 안전운전을 도와주는 기능이다.

(2) 부주의 운전 검출 조건

차선 추종 불량	비의도적 차선침범	과대 조향	과소 조향
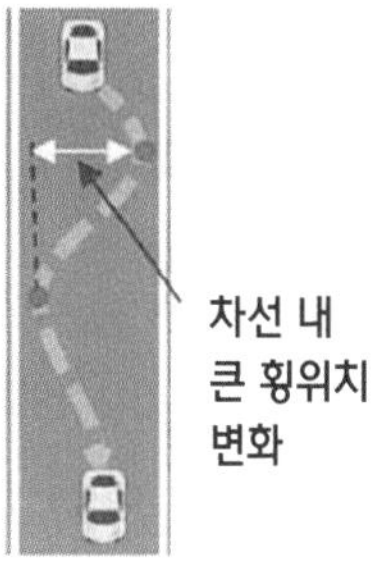 차선 내 큰 횡위치 변화	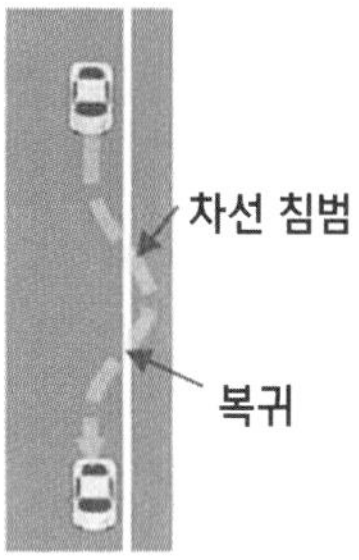 차선 침범 복귀	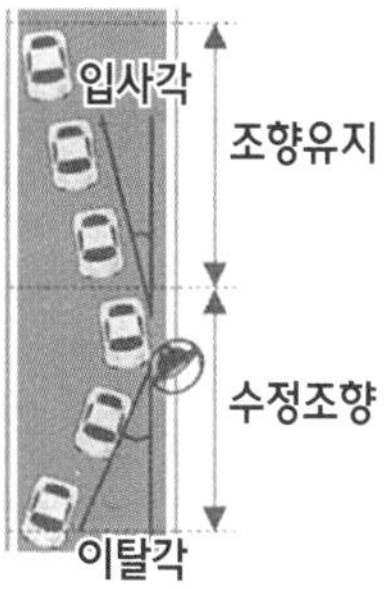 입사각 조향유지 수정조향 이탈각	 작은 조향토크 변화
차선 추종능력이 떨어져 차선내 횡위치 변화량이 커짐	부주의로 차선을 약간 넘어간 후 본 차선으로 복귀	부주의에 의한 갑작스런 큰 조향 패턴	부주의에 의한 조향휠 파지악력 감소

(3) 운전자의 차량 조작상태 (예외조건)

구분	턴 시그널 비상등 조작	감속 (브레이크 조작)	가속 (엑셀 조작)	차선 변경
주요 사양	좌/우 턴 시그널 및 비상등 On	마스터 실린더 압력 5bar이상	가속페달 기준값 이상 밟는 경우	인접차선으로 변경 한 뒤 차선유지

4 자동 긴급 제동(AEB) 시스템

(1) 개요

AEB Autonomous Emergency Braking 시스템은 운전자의 주의 산만과 같은 요인으로 제동시점이 늦어지거나 제동력이 충분히 확보되지 않아 발생할 수 있는 차량과 보행자의 추돌이 예상되는 상황에서 자동으로 경보와 브레이크를 작동하여 사고를 미리 방지하거나 그 피해를 최소화하는 목적으로 하는 기능이다.

(2) 기능

기능은 다음과 같이 3가지로 나뉘어져 있으며 유럽연합은 2021년도부터 의무화 계획을 발표하였다.

① **AEB City :** 정지 차량 대상
② **AEB Urban :** 주행차량 및 정지 중인 차량 대상
③ **AEB Pedestrian :** 횡 방향 움직이는 보행자 대상

5 후 측방(Blind Spot Detection) 경보 시스템

(1) BSD 개요

BSD 시스템은 주행 중 아웃사이드 미러 에서 발생하는 사각지대에 위치한 차량에 대해 경보하기 위한 시스템으로, 부가기능으로 차선 변경 시 후방에서 빠르게 접근 하는 차량을 감지하여 차선 변경 시 경보 하는 LCA기능과 주차 후 후진 출차 시 측면에서 접근하는 차량을 감지하고 이를 경보 하는 RCTA 기능으로 구성된다.

만일 사각지대에 상대 차량이 위치해 있거나 후방에서 빠르게 접근하여 (TTC 기반) 차선변경에 위협을 가할 수 있는 차량이 있을 경우 아웃사이드 미러 의 경보 등을 점등하여 이를 알리고, 경보등 점등 후 차선 변경을 위해 방향 지시등 스위치를 조작하면 경보등 점멸 및 오디오 시스템을 활용한 방향성 경보를 통해 위험 상황을 알려준다.

구분	BSD (Blind Spot Detection)	LCA (Lane Change Assist)	RCTA (Rear Cross Traffic Alert)	SBSD (Smart Blind Spot Detection)
이미지				편제동
	사각지대 차량경보	후방 고속접근 차량경보	후진시 측면접근 차량경보	후방차량 추돌회피지원

(2) 레이더Radar 통신 구성

레이더는 Radio Detecting And Ranging의 약어로 무선 탐지와 거리측정의 기능을 한다. 레이더에서 송신하는 초고주파 신호가 물체에 반사되어 되돌아오는 신호를 처리하여 물체와의 거리, 각도, 속도 등을 알아낸다. 또한 레이더 신호를 수신하는 제어기 내부 알고리즘을 통해 넓은 영역에서 감지되는 물체를 감지하여 제어에 필요한 영역으로 필터링 하는 기능을 가지고 있어 특정 위치의 물체를 탐지하는 용도로 활용할 수 있다. 레이더 탐지 범위는 레이더를 기준으로 140°이며, 제어에 활용하는 유효 감지 거리는 30m이다. 레이더가 광대역의 신호를 수신하면 BSD 제어기 내부 알고리즘에 의해 제어에 필요한 영역으로 필터링 한 후 제어를 수행한다.

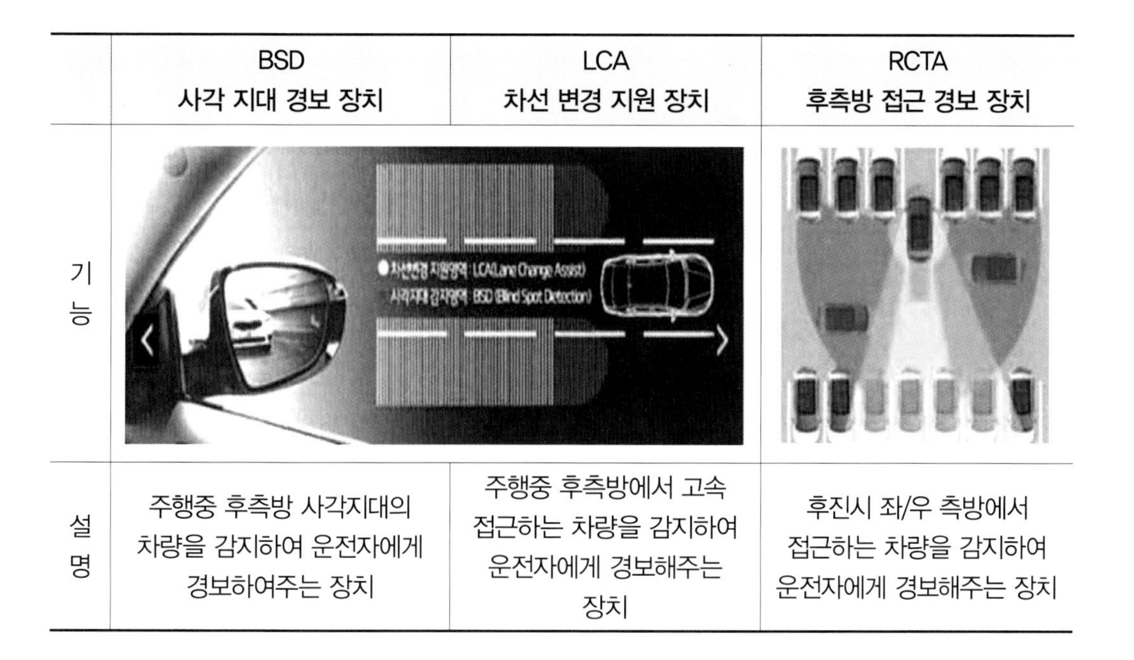

	BSD 사각 지대 경보 장치	LCA 차선 변경 지원 장치	RCTA 후측방 접근 경보 장치
기능			
설명	주행중 후측방 사각지대의 차량을 감지하여 운전자에게 경보하여주는 장치	주행중 후측방에서 고속 접근하는 차량을 감지하여 운전자에게 경보해주는 장치	후진시 좌/우 측방에서 접근하는 차량을 감지하여 운전자에게 경보해주는 장치

(3) BSD 제어기능

① 시스템 작동 및 표시

조향 핸들 우측에 적용된 BSD 스위치를 누르면 시스템 커짐/꺼짐이 반복되며 클러스터를 통해 현재 상태를 표시해준다.

② BSD / LCA 동작 다이어그램

차량 속도가 30Km/h를 넘으면 BSD 및 LCA 기능이 활성화되어 경보 제어를 시작한다. 사각지대의 범위는 아웃사이드 미러 에서 상대 차량을 확인할 수 없는 자차의 'B' 필러부터 뒤 범퍼 6.3m 범위에 해당된다. 주행 중 사각지대에 상대 차량이 위치하거나 LCA 범위(레이더 후방 30m 지점)에서 차량이 빠른 속도로 접근할 경우 아웃사이드 미러 의 경보 등을 점등하고, 이 때 차선 변경을 시도할 경우 경보등 점멸 및 경보음을 발생하여 경고한다.

<table>
<tr><th></th><th colspan="2">BSD</th><th colspan="2">LCA</th></tr>
<tr><td>차량 위치</td><td colspan="2"></td><td colspan="2"></td></tr>
<tr><td>역할</td><td colspan="2">아웃사이드 미러의 사각지대에 존재하는
차량 감지 후 경보</td><td colspan="2">차선 변경 시 후 측방에서 빠르게
접근하는 차량 감지 후 경보</td></tr>
<tr><td>경보 영역</td><td colspan="2">'B' 필러~범퍼후방 6.3m</td><td colspan="2">BSD 영역 끝 ~ 70m</td></tr>
<tr><td rowspan="2">경보 조건</td><td>1단계</td><td>- BSD 영역에 차량 존재 시
- LCA 영역에서 감지된 차량이2.5초 이내에 자차 위치로 도달할 경우</td><td></td><td>- 경고등 점등</td></tr>
<tr><td>2단계</td><td>1 단계 경보중 차선 변경 시
(방향 지시등 스위치 동작)</td><td></td><td>경고등 +
방향성경보</td></tr>
<tr><td rowspan="2">작동 조건</td><td colspan="4">차량 속도 30Km/h – 250Km/h 이하, 곡률 반경 100m 이상</td></tr>
<tr><td colspan="4">시스템 제어 중 발생하는 경보음은 클러스터의 USM 기능을 통해 on/off 할 수 있다.</td></tr>
</table>

③ RCTA 동작

RCTA는 전방 주차 후 후진으로 차량이 출차 할 때 후 측방에서 접근하여 충돌의 위험성이 있는 차량에 대하여 경보 한다. 감지 및 경보 범위는 레이더 기준 50cm-20m(후방 6m) 범위로, 출차 시 측면에서 접근하는 차량을 경보한다.

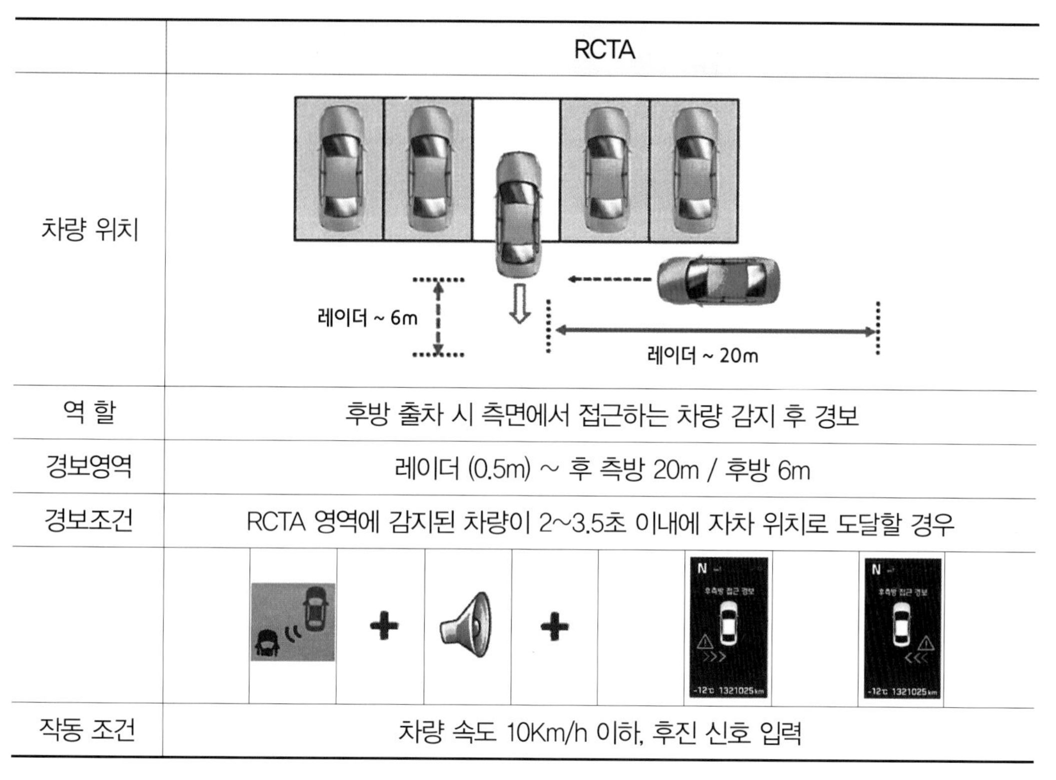

	RCTA
차량 위치	레이더 ~ 6m / 레이더 ~ 20m
역 할	후방 출차 시 측면에서 접근하는 차량 감지 후 경보
경보영역	레이더 (0.5m) ~ 후 측방 20m / 후방 6m
경보조건	RCTA 영역에 감지된 차량이 2~3.5초 이내에 자차 위치로 도달할 경우
	+ +
작동 조건	차량 속도 10Km/h 이하, 후진 신호 입력

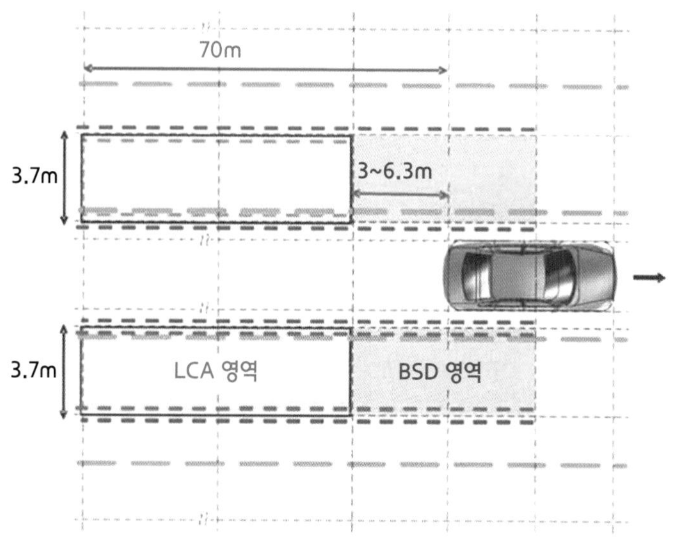

그림 2-03 **BSD/LCA 경보 영역 정리** ▶ 출처 : 현대 자동차 정비지침서

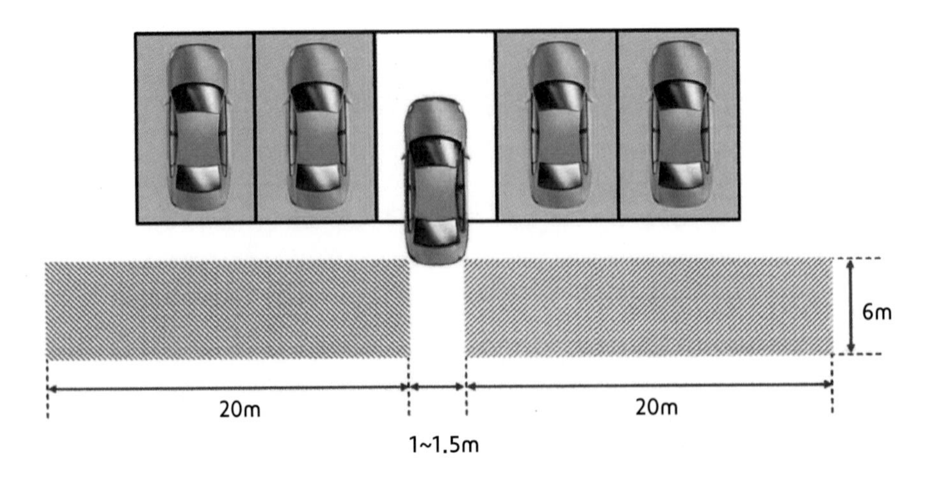

그림 2-04 **RCTA 경보 영역 정리** ▶ 출처 : 현대 자동차 정비지침서

6 SBSD Smart Blind Spot Detection 후 측방 충돌 회피 지원 시스템

(1) 개요

SBSD는 동일한 조건에서 차선 변경시 ESC와 협조제어 제동하여 후방차량과 추돌을 좀 더 적극적으로 회피 지원한다. 또한 SBSD는 후방 레이더(차량 근접)와 카메라 신호(차선 변경)를 이용하여 사고 위험 발생 시 제동을 제어하고, 후 측방 차량과의 충돌위험 감소에 의한 주행 안전성 향상을 위해 차선변경 중, 사각지역 차량과의 충돌위험 시 ESC 편 제동 기반의 횡 안전제어를 통한 충돌회피 및 피해경감을 줄이는 기능이다.

02 편의 장치 개요

1 공조 장치

(1) 개요

운전석 및 동승석 온도를 개별적으로 제어하는 듀얼 시스템을 적용하고 파워트레인 CAN을 통하여 정보를 공유한다. 사용자가 실내온도 설정 후 Auto 버튼을 누르면 DATCDual Automatics Temperature Control 모듈은 실내온도 센서 및 여러 센서 의 신호를 받아 설정온도에 근접하도록 풍량 및 풍향과 컴프레서를 제어한다.

냉방의 경우, 실내 냉방 부하 결정 후 DATC 모듈은 CAN 통신을 통해 ECUElectronic Control Unit로 컴프레서 구동을 위한 냉방부하를 요청한다. 이후 컴프레서 내부의 ECV 열림 량을 제어하여 냉방을 수행한다. 또한 토출 온도를 제어하는 템프 액추에이터, 바람의 방향을 제어하는 모드 액추에이터 등 각종 액추에이터를 구동하여 설정된 실내 온도에 도달한 후 이를 유지한다.

제어 실행 중에는 앞 창문으로도 바람이 토출되는데, 이는 습기 방지를 위해 각 모드에 따라 일정량의 바람을 토출하기 때문이다. 또한 자동제어 되는 ALL 모드(모든 방향으로 바람 토출_LCD 창에는 BI-Level로 표시) 및 냉/난방 개선 로직 (일정 조건에서 내기 20% 혼입)등을 통해 더욱 쾌적한 실내 환경을 만든다.

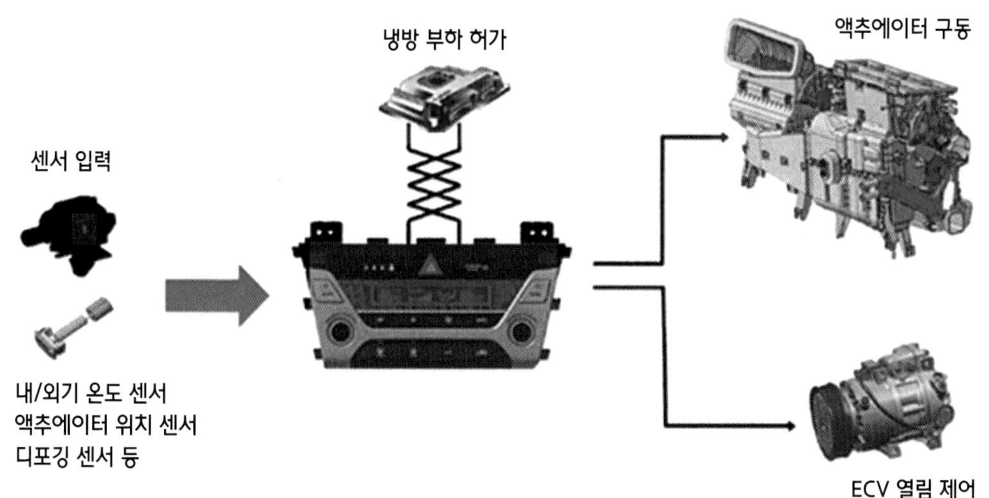

그림 2-05 공조 장치 ▶ 출처 : 현대 자동차 정비지침서

(2) 주요기능

DATC 시스템을 Off하면 내부 로직에 의해 템프Temp 액추에이터는 20초 지연 후 A/C Off 조건(핀 써모 센서에 의해 컴프레서가 Off된 시점)으로 이동하여 냉기를 조금 더 유지할 수 있도록 하며, 외기로 전환된다. 플로워 퍼지 제어는 주차 충 HVAC에 발생된 습기를 제거하기 위한 제어로, DATC On 조건에서 항상 동작된다. 측 IGN On 전원이 입력되면 다른 기능에 앞서 동작되며 바람의 방향을 8초 동안 Floor로 고정하고 3초 동안 블로워 모터를 구동하여 습기를 제거한다.

듀얼 공조 시스템의 주요기능은 다음과 같다.

① **자동온도 제어기능 :** Auto 스위치 on시 설정온도 및 센서 입력에 따라 운전석, 동승석 온도를 자동으로 제어할 수 있다.
- Sync : 동승석 온도를 운전석 온도와 동일하게 전환한다.

② **컴프레서 제어 :** 외부가변 컴프레서 적용으로 ECU와 통신을 통하여 ECV(전자제어 용량 제어 밸브) 제어를 실행한다.

③ **클러스터 이오나이저 :** 실내공기정화를 위해 클린모드를 수행한다.

④ **오토 디포깅 :** 전방 유리의 성애 발생을 자동으로 억제한다.

⑤ **주요 센서 :** 오토 디포깅 센서, 실/내외 온도센서, 핀서모센서, 일사량센서, 냉각수온센서

⑥ **주요출력 요소 :** 템프 액추에이터(운전석/동승석), 모드조절 액추에이터. 내/외기 전환 액추에이터, 디포깅 액추에이터

⑦ **통신 및 진단 :** 파워트레인 CAN통신

(3) 입 · 출력 요소

① 입·출력 요소의 역할

센서 명	역할
핀서모 센서	• 냉방 중 에바포레이터가 빙결되는 것을 방지. • 에바포레이터 삽입형으로 온도를 직접 감지한다(부특성 더미스터)
일사량 센서	• 일사량에 따른 실내용도 변화를 보정. • 운전석 및 동승석 센서 일체형
외기온도 센서	• 차량 전면에(라디에이터 앞) 장착되어 외기온도를 감지. • 외기온도 표시 및 실내온도 제어에 사용.

오토 디포깅 센서	• 룸미러 뒤에 장착 • 유리표면의 습기를 감지하여 DATC는 제습 기능을 수행한다.
실내 온도 센서	• 실내온도를 측정하여 운전자가 설정한 온도와 일치 하도록 공조 시스템을 제어하는 주 센서(DATC 모듈 상단)

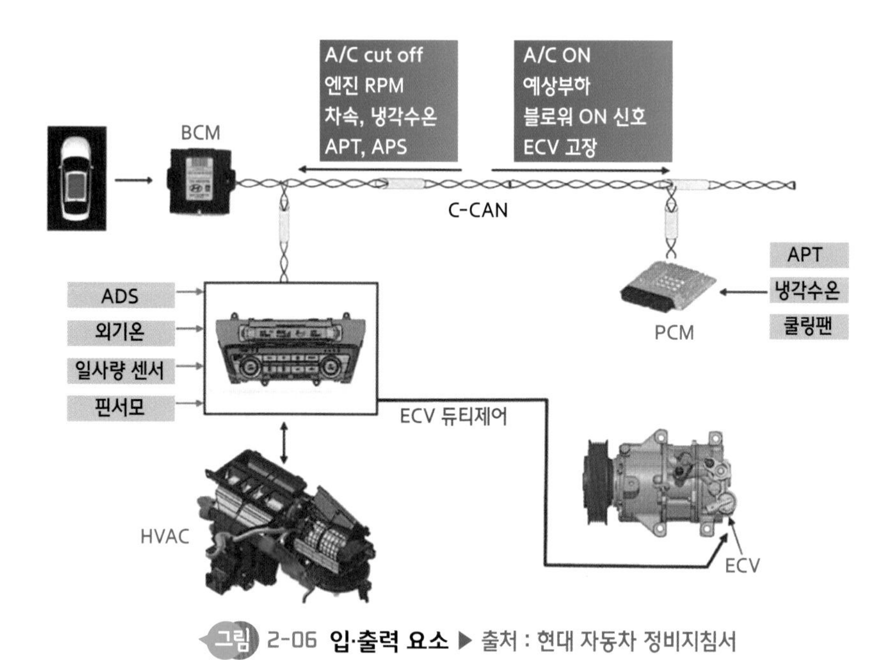

그림 2-06 **입·출력 요소** ▶ 출처 : 현대 자동차 정비지침서

② 제어회로 구성도

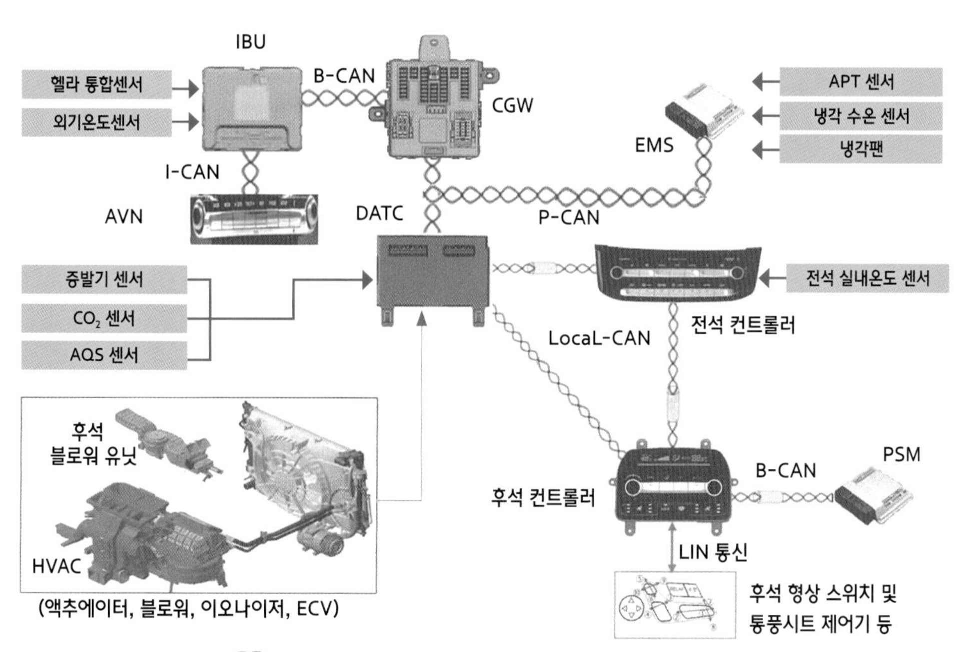

그림 2-07 **제어회로 구성** ▶ 출처 : 현대 자동차 정비지침서

③ 공조시스템 특징

위 그림은 현대자동차에 적용된 에어컨 시스템 전반의 구성도이다. 구성도를 통해 에어컨 시스템과 연관된 신호의 흐름과 통신 방법을 파악할 수 있다. DATC 메인 유닛이 각종 센서와 타 제어기로 부터 공조 관련 정보를 수집하고 판단하여 압축기, 블로워, 액추에이터 등을 구동하여 운전자가 요구하는 냉방 성능을 만족시킨다.

④ 주요기능

가) 선루프 열림(OPEN)시 외기전환으로 공기 순환 유도

이 기능은 주행 중 선루프가 열리게 되면 실내는 부압이 형성되어 외부의 배기가스가 실내로 유입 될 가능성이 많기 때문에 실내로 외부의 오염된 공기가 유입되지 않게 하기 위해 적용이 되었다.

나) 결로 방지 기능

이 기능은 겨울철에 장시간 내기 모드로 운행 시 성애 발생 빈도가 높기 때문에 자동으로 외기 모드로 전환 시켜주어 안전운전에 도움을 주기 위해 적용이 되었다.

다) 기타 제어 기능

- **디프로스터(DEF) 제어**

앞 유리의 제습을 위한 기능으로 앞 유리(DEF) 모드로 전환 및 외기 유입(내·외기 액추에이터작동) 후 컴프레서 동작 및 블로워 모터를 3단 수준(6.5V)까지 상승시킨다.

- **난방 기동 제어 기능**

겨울철 초기 난방 시 외부에서 유입되는 차가운 공기의 발쪽(Floor) 토출을 방지한다.

- **냉방 기동 제어 기능**

여름철 컴프레서 구동 직전의 열풍 토출로 인한 불쾌감 방지를 위해 작동한다.

- **액추에이터 출력 특성**

토출 온도 및 풍향을 조절하는 액추에이터 내부에는 전압 형태로 위치를 판단하는 위치센서가 내장되어 있어 정밀한 제어가 가능하게 한다.

2 와이퍼 장치 제어

(1) 레인센서

BCM은 레인센서가 감지한 빗물의 양에 따라 와이퍼 구동신호를 LIN통신으로 받아 Low / High 릴레이를 제어한다. 와이퍼 파킹동작(앞 유리 하단 복귀)용 파킹 전원에 의해 기계식으로 동작되며, 레인센서 구동 회로는 다음과 같다.

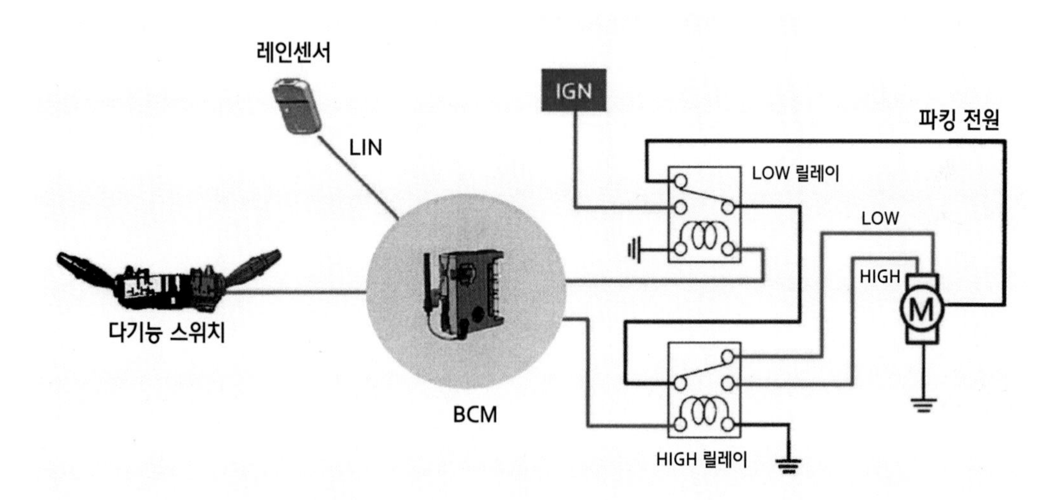

그림 2-08 **레인센서 구동 회로** ▶ 출처 : 현대 자동차 정비지침서

(2) 와이퍼 시스템

와이퍼 시스템은 기존과 유사한 제어로 구동되지만 파워 릴레이를 통해 모터 전원을 공급하는 방식에서는 차이를 보인다.

파워 릴레이 적용 목적은 다음과 같다.

① 와이퍼 구동 중 전원 Off시 파킹 위치로 복귀

② 복귀 후 즉시 모터 전원을 차단하여 와이퍼 떨림 현상 억제.

③ 블레이드 교환을 위한 서비스 포지션 이동

(IGN Off 후 Mist 스위치 3초 이상 동작 시 이동)

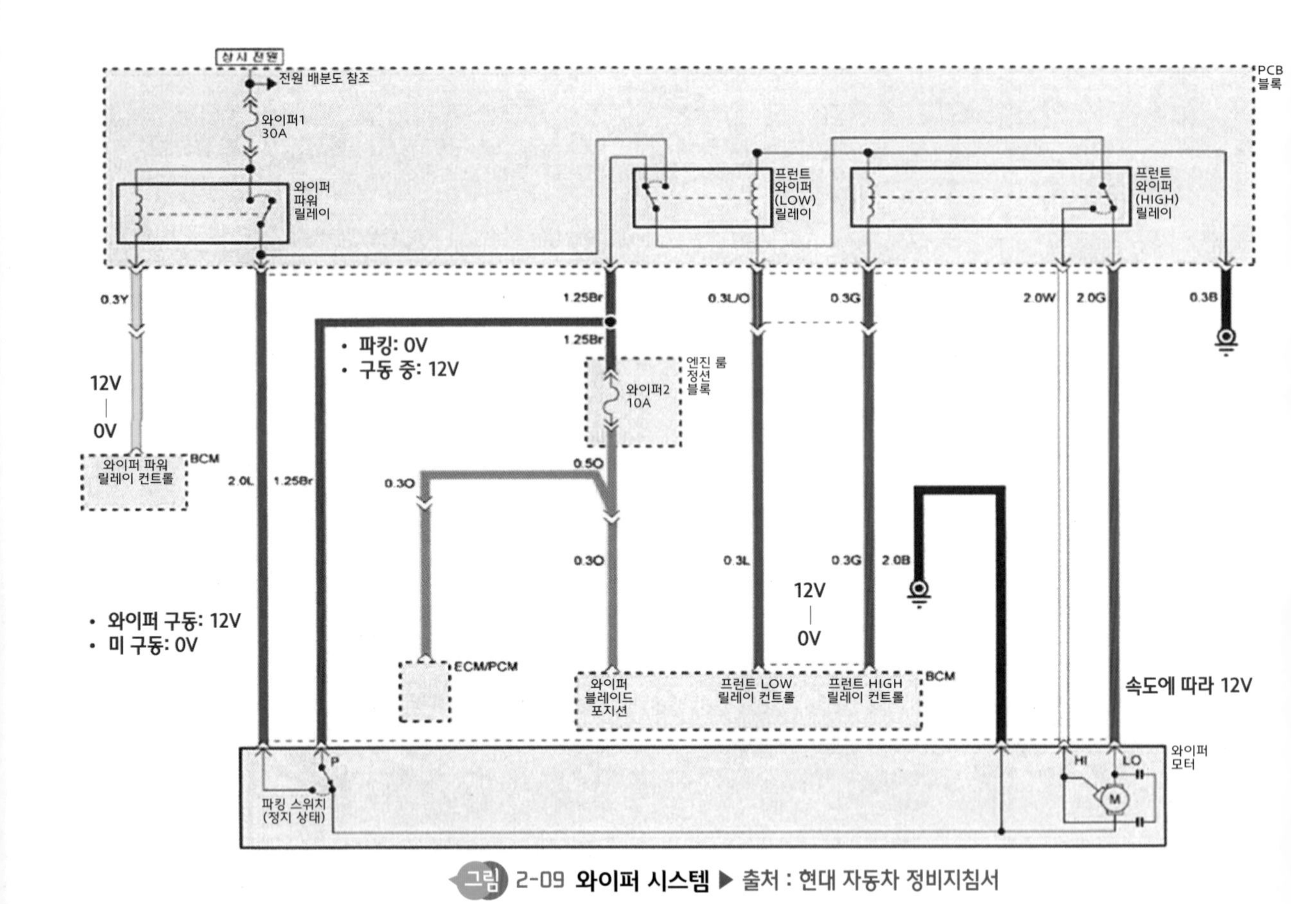

그림 2-09 **와이퍼 시스템** ▶ 출처 : 현대 자동차 정비지침서

(3) 와이퍼 동작 순서

a. 와이퍼 스위치 ON (Low예)	전압 분배형 다기능 스위치에서 각 모드에 따른 전압 값 입력
b. 파워 릴레이 구동	BCM(Body Control Module)이 파워 릴레이를 구동하여 Low(High) 릴레이 및 와이퍼 모터 파킹 스위치로 전원 공급
c. 와이퍼 Low 릴레이 구동	Low(High) 릴레이를 구동하여 모터로 구동전원 공급. (High 속도로 구동 시 Low/High 릴레이 동시 제어)
d. 와이퍼스위치 Off	모터 구동 중 스위치 또는 IGN Off시 파킹 위치로 복귀할 때까지 파워 릴레이구동
	복귀 시 모터 내부 파킹 스위치 위치에 따라(구동 중 전원으로 연결, 파킹 시 접지) Low 릴레이로 전원이 공급

3 외장램프 제어

(1) 외장 램프 제어기능

① 다기능 스위치는 내부저항에 따른 전압분배 타입이며 BCM으로 입력된다.

② 운전자에 의해 외장 램프 신호(다기능 스위치)가 입력되면, BCM은 로직 판단 후 SJB로 동작 신호를 전송한다.

③ SMK 신호에 따라 BCM은 포켓 램프, SJB는 아웃사이드 미러 폴딩/언 폴딩을 제어한다.

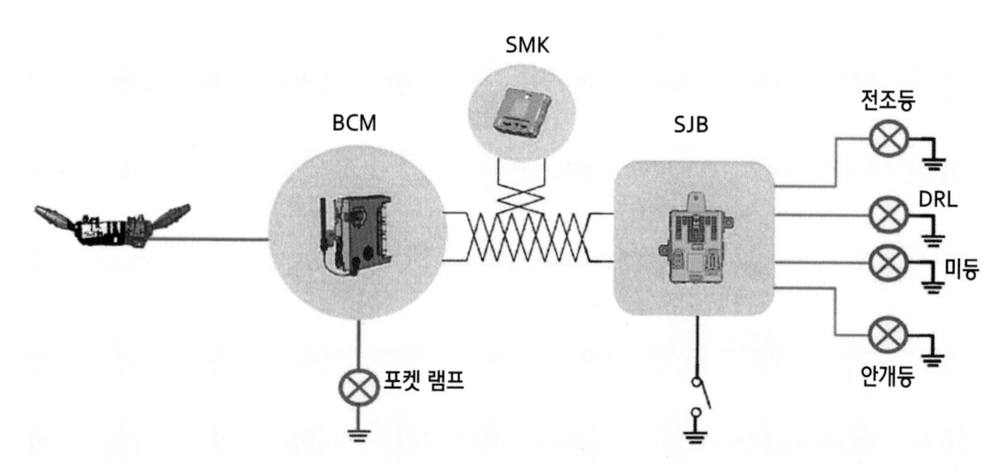

그림 2-10 **외장 램프 제어 기능** ▶ 출처 : 현대 자동차 정비지침서

4 핸들 열선 제어

(1) 핸들 열선 On/Off 제어

- IGN On전원 이상(스위치 On)
- 열선 동작온도 NTC 전압 2.18v 이하(40℃ 이하) 일 때
- 열선 차단온도 NTC 전압 2.17v 이상(41℃ 이상) 일 때

동작시간은 열선 스위치 On작동후 30분이 경과되면 자동으로 Off된다.

(2) 핸들 열선 전원 제어

12.4A 이상의 과전류가 흐를 경우와 2.5A 이하로 저 전류가 흐를 경우 스위치 내부의 표시등이 점멸한다.

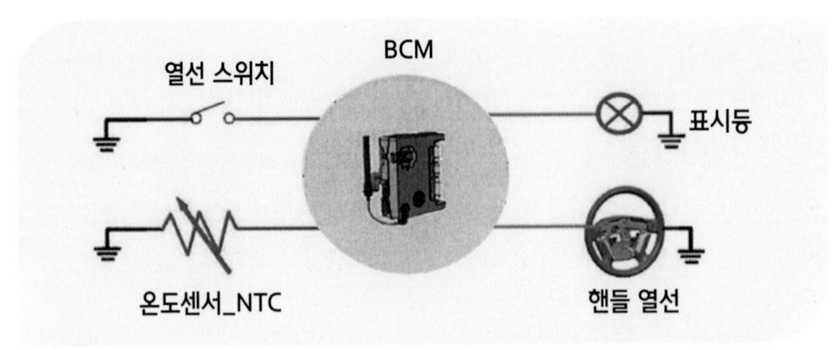

그림 2-11 핸들 열선제어 블록다이어그램 ▶ 출처 : 현대 자동차 정비지침서

뒷 유리 열선의 경우 시동 on 후(발전기신호) 뒷 유리 열선 스위치를 누를 때 동작하며 앞 유리 성애 제거용 열선의 경우 뒷 유리 열선과 함께 구동된다.

5 송풍 시트 제어

(1) 개요

운전자의 체온이 전달되는 시트 면을 쾌적하게 유지하기 위해 난방과 송풍을 위해 열선 및 송풍을 제어한다.

(2) 시트 열선제어 기능

시트 열선 스위치 신호가 입력되면 시트에 설치된 온도센서(NTC)의 입력에 따라 목표 온도까지 듀티 제어를 실행하여 시트의 온도를 제어한다.

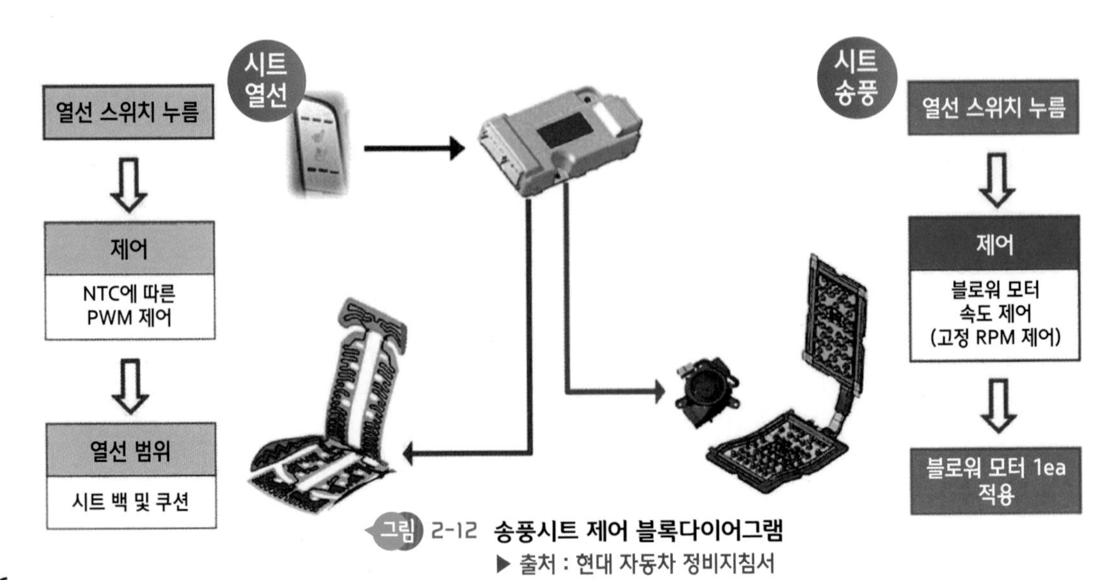

그림 2-12 송풍시트 제어 블록다이어그램 ▶ 출처 : 현대 자동차 정비지침서

(3) 시트 송풍 제어 기능

각 단의 블로워 모터(BLDC) 회전수(RPM)는 고정방식이므로 시트에 가해지는 부하에 따라 듀티 제어 값이 다르다. 또한 하나의 모터로 시트 쿠션과 등받이의 송풍을 제어한다.

단 수	목표 회전수	작동 전류	모터 형식
1 단	2300rpm	최대 1A	BLDC 타입
2 단	2750rpm		
3 단	3000rpm		

6 무선충전 Wireless Power Charger 시스템

(1) 시스템 개요

전원공급 전극의 접촉이 없이 휴대폰에 자동차의 전력을 전달하여 휴대전화의 배터리를 충전하는 시스템으로 전원충전 방식이 무선이기 때문에 고객사용의 자유도가 높아 편의성을 증대시키기 위한 편의 장치이다.

(2) 시스템 주요 기능

무선충전 시스템은 기아자동차 및 현대자동차에 최초로 적용 되었으며 자기유도방식을 이용하여 방전된 스마트폰을 패드 위에 올려놓으면 배터리를 충전시켜 주는 기능을 한다. 그 외 기능으로 핸드폰 방치 알림 및 과열방지, 이물질감지, 스마트키 간섭 방지 등의 기능을 작동하여 원활한 충전을 유지하고 타 시스템에 영향을 최소화하기 위한 기능이 적용이 되었다.

(3) 무선충전 작동 원리

전기장을 자기장 유도에 의해서 전력을 전달한다.(패러데이법칙 이용)

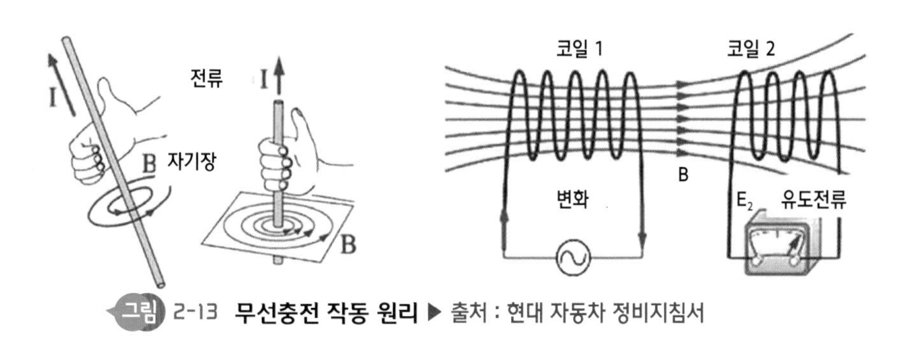

그림 2-13 무선충전 작동 원리 ▶ 출처 : 현대 자동차 정비지침서

① 무선 전력송신 원리

1차 코일에 전류가 흐르면 자계가 형성된다.

2차 코일에도 상호유도작용에 의하여 자계가 형성된다.

상호유도작용에 의한 자계에 의해 유도된 전류가 발생한다.

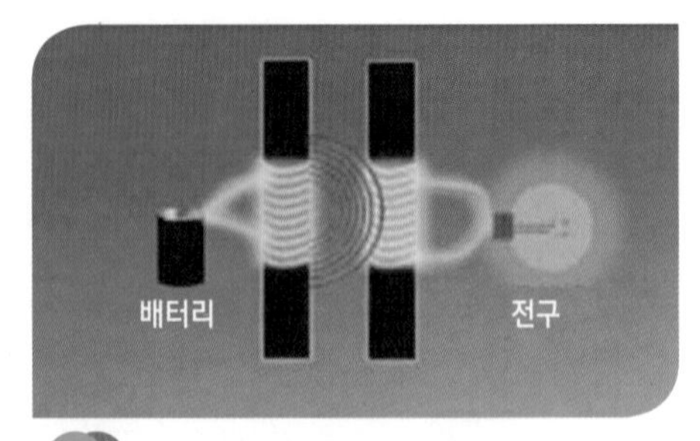

그림 2-14 무선 전력송신 원리
▶ 출처 : 현대 자동차 정비지침서

② 무선충전 흐름도

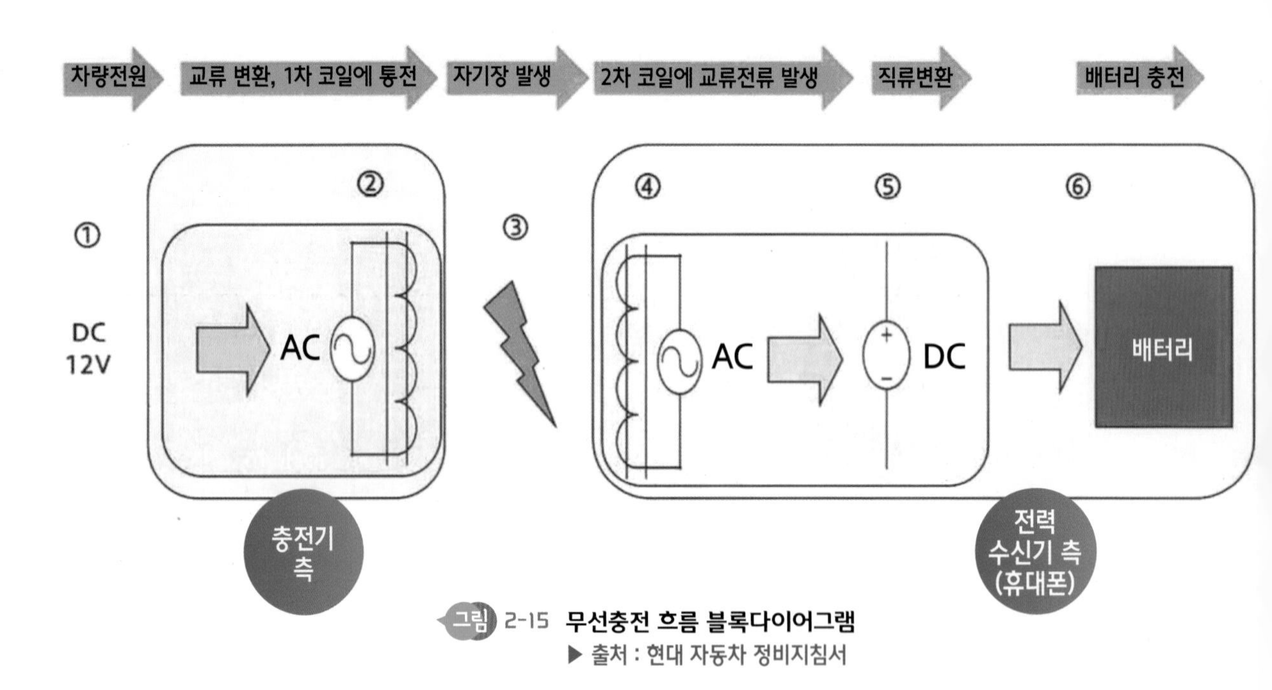

그림 2-15 무선충전 흐름 블록다이어그램
▶ 출처 : 현대 자동차 정비지침서

③ 무선충전장치 과열 방지 시스템

가) 무선 충전모듈 내부의 센서 온도가 70℃ 이상 상승하면 휴대폰 보호를 위해 충전을 중단한다.

나) 온도센서 온도가 65℃ 이하로 하강하여 충전 기능 재 작동된다.

2-2 CHAPTER

자동차 안전편의장치 튜닝 계획

01 초음파 센서 튜닝 계획

초음파Ultrasonic란 사람이 귀로 들을 수 있는 가청주파수 대역(20~20Khz)보다 높은 20Khz 이상의 주파수를 말한다. 초음파는 소리의 속도로 전파되므로 매질의 종류에 따라 다르지만 대기 중에서는 약 340m/s로 전파된다. 초음파는 단단한 물체, 즉 철, 콘크리트, 나무 등에 부딪치면 거의 100% 음파를 반사하지만 부드러운 물체, 즉 옷감, 솜 등은 음파를 흡수하므로 이를 감안하여 음파를 강하게 송신하거나 수신 감도를 높여야 물체를 감지할 수 있다.

1 초음파

초음파를 이해하기 위해서는 **음속**Sonic velocity, **파장**Wave length, **주파수**Frequency를 알아야 한다. 먼저 음속은 소리의 속도로, 매질의 종류, 온도, 습도 등에 따라 그 속도가 달라진다. 예를 들어 우주에서는 진공이므로 소리를 전달할 수 있는 매질이 없어 소리가 전달되지 못한다. 대기 중에서 소리의 속도는 일반적으로 약 340m/s로 알려져 있지만 정확한 식은 $v=331.5+0.608t$[m/s]로 나타내며, 여기에서 v는 온도에 따라 변하는 음속, t는 온도이다.

다음은 **파장**Wave length인데 파장이란 어떤 주기적인 파형에서 1주기의 길이를 말한다. 즉, 반복되는 모양의 주기적으로 보이는 파동을 관찰했을 때 마루와 마루 사이의 거리, 혹은 골과 골 사이의 거리를 파장이라 하고 일반적으로 문자는 람다(λ)로, 단위는 길이(cm, m, km)를 사용하여 표현하며 수식은 $\lambda = v/f$ 로 나타내며 여기에서 v는 (식 1)이 결과이고, f는 주파수를 나타낸다.

그리고 **주파수**Frequency 1초 동안 진동한 횟수를 나타내며 그 단위는 [Hz]이다. 초음파에서는 초당 20,000번 이상 진동하는 주파수를 말한다.

(A) 송신부와 수신부

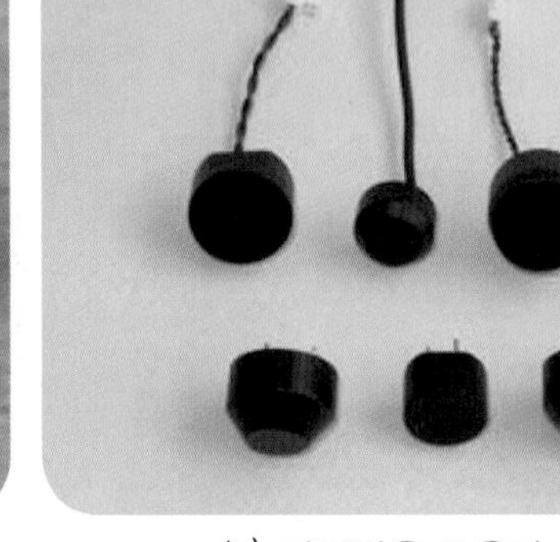

▶ 출처 : http://www.cytron.com.my/

(B) 자동차용 초음파 센서

그림 2-16 **초음파 센서**

2 초음파 센서

초음파 센서는 음파를 발생하는 송신부와 발생된 음파가 물체에 반사되어 돌아오는 수신부로 구성된다. 초음파 센서는 송신부와 수신부로 나누어져 구성된다. 초음파 센서의 송신부는 압전소자 또는 발진기를 설계하여 사용하며 자동차에서는 DC 12V를 공급전압으로 사용한다. 초음파 센서의 송신기는 일정한 시간 간격을 두고 음파를 송신하여, 물체가 반사하는 음파가 수신부에 도달할 때까지의 시간을 계산함으로써 감지거리를 계산할 수 있다. $t = 2Lv(\text{sec})$, 여기에서 t는 시간이며 L은 센서와 물체 사이의 거리이다.

예를 들어 센서와 물체와의 거리가 2(m)인 경우 음파의 속도는 340(m/s)로 했을 때 수신부에 음파가 도착하는 시간을 계산하면 11.8(m/s)가 된다.

초음파 센서는 자동차의 전후방 물체 감지뿐만 아니라 신업용으로도 널리 사용되고 있다. 즉, 물탱크 등 액체의 수위, 투명한 물체 감지, 공장 자동화에 있어 물체 감지 등 다양한 분야에서 사용되고 있다.

▶ 출처 : http://st4u.com

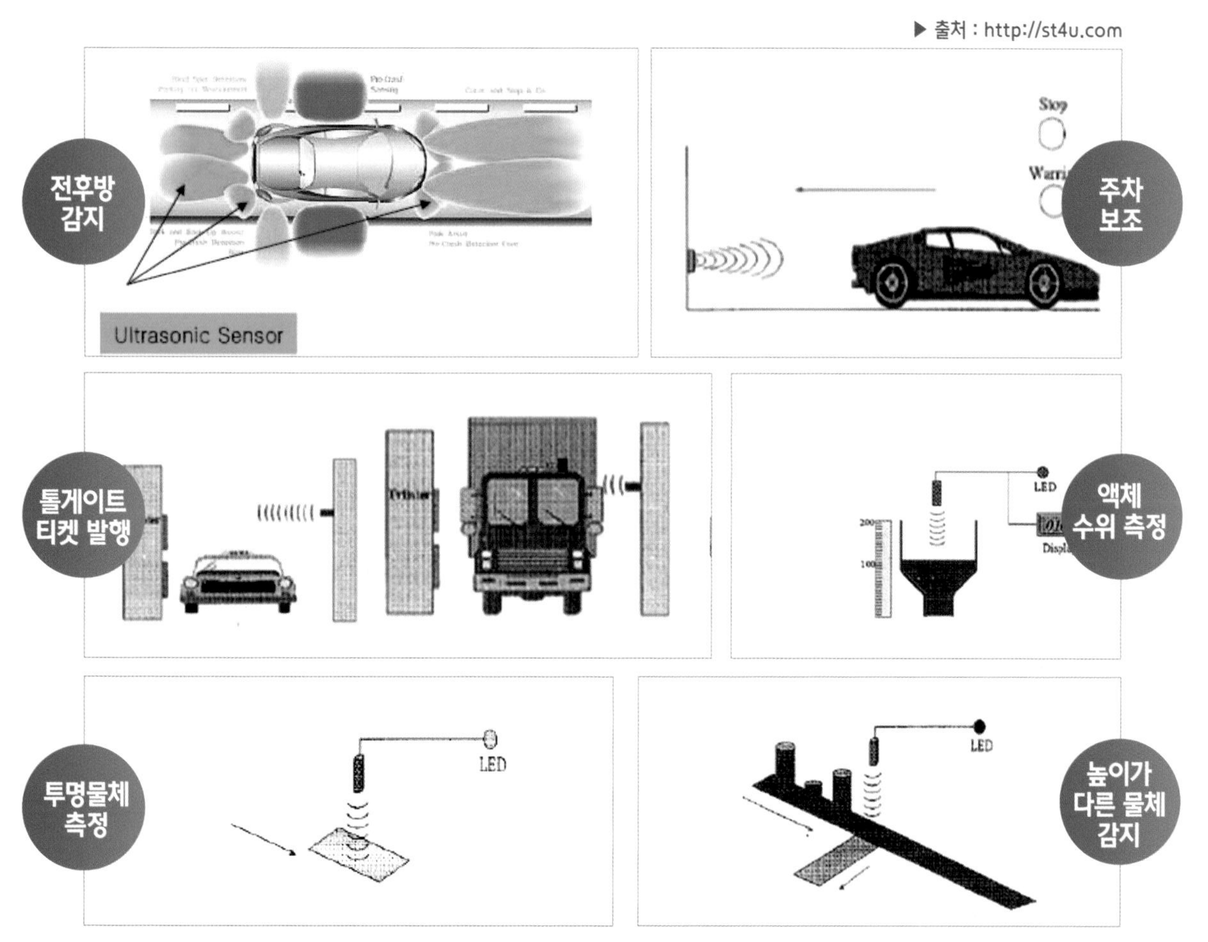

그림 2-17 초음파 센서의 응용

02 내비게이션 튜닝 계획

자동차 내비게이션은 차량 자동 항법 장치 또는 **내비게이션**Navigation으로 불리며, 자동차에 장착된 지구 위치특정 위성시스템(**GPS**Global Positioning System) 수신기로 정확한 위도와 경로를 이용하여 정밀한 지도를 제시하고, 현재의 위치에서 목적지까지 가장 효율적으로 갈 수 있는 경로를 제시해주며 교통 상황까지 반영해 주는 장치이다. 참고로 GNSS는 세계 위성항법 시스템으로 미국에서는 GPS, 유럽에서는 Galileo, 러시아에서는 GLONASS라고 부른다.

그림 2-18 매립형 차량용 내비게이션 시스템

내비게이션의 주요기능을 보면, 현재 위치 파악 및 표시 기능, 지도상에서 목적지 탐색 기능, 목적지까지의 경로 탐색 기능, 경로 표시 및 안내 기능이다.

1 내비게이션 시스템의 요소기술

먼저, 현재 위치 파악을 위한 GPS 인터페이스 기술은 1970년대 초 미국 국방부가 개발을 시작해 1990년 중반부터 기동을 시작한 것으로 인공위성을 이용한 범세계적 위치 결정 체계이다. 지구상 어디에서나 기후에 구애 받지 않고 표준 좌표계에서의 위치, 속도, 시간 측정을 가능하게 해주는 인공위성을 이용한 첨단 항법체계이다. 인공위성으로부터 수신기까지의 거리는 각 위성에서 발생시키는 부호 신호의 발생 시점과 수신 시점의 시간 차이를 측정한 다음, 빛의 속도를 곱해 거리를 계산하여 삼각측량 방법의 원리를 이용하여 위치를 결정한다.

다음은 **맵 매칭**Map Matching 기술로서 항법용으로 특수 제작된 전자수치지도인 DRMDigital Road Map은 여러 가지 이유로 인해 기본적인 오차가 발생하여 이를 보완하는 기술이 바로 '맵 매칭'이며 도로 및 경로 정보를 제공하기 위한 전자지도로 사용된다.

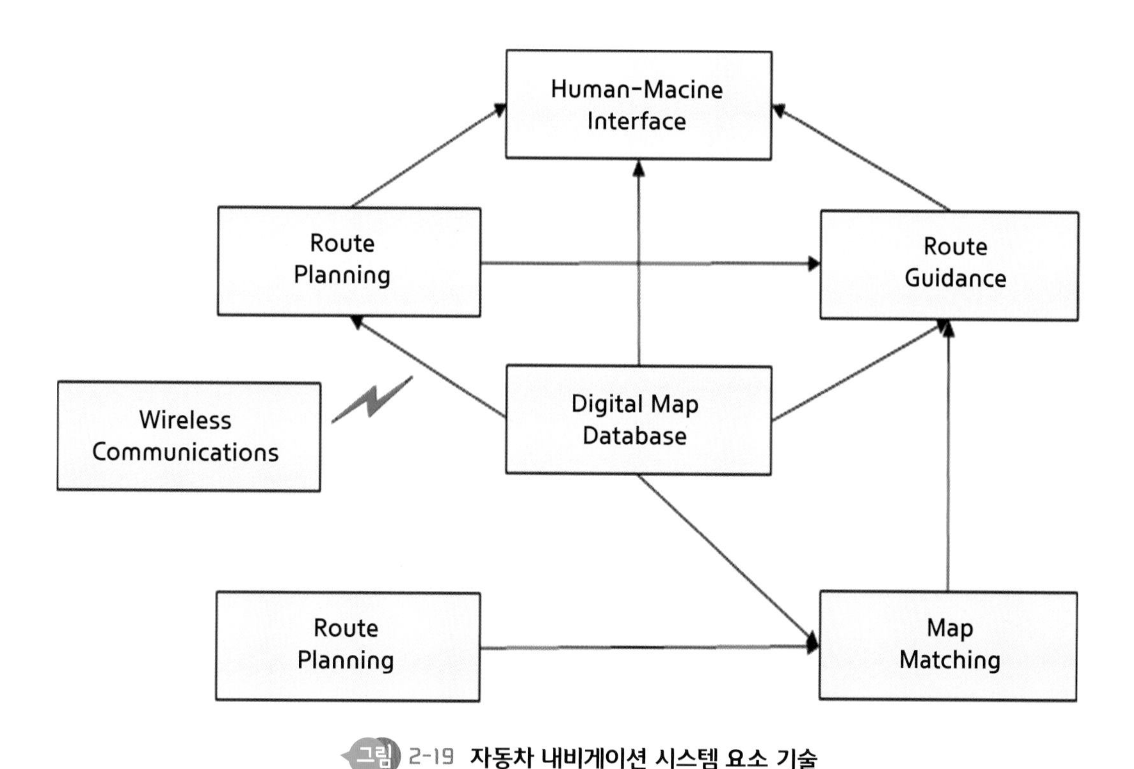

그림 2-19 자동차 내비게이션 시스템 요소 기술

다양한 시스템으로부터 획득한 차량위치를 추적하여 전자 지도상의 정확한 도로와 연결시켜주어 추측항법을 가능하게 한다. 맵 매칭은 추측항법 알고리즘의 개발뿐 아니라 전자지도 데이터베이스와 접목하여 센서 장비와의 상관관계, 헤딩업과의 연계가 가장 중요한 요소로 작용한다.

그리고 **경로탐색**Routing 기술인데, 내비게이션에는 도로 및 교통 상황을 고려하여 최적 경로를 계산하고 안내하는 경로탐색 소프트웨어기술이 필요하다. 제한된 하드웨어 성능, 전자수치지도라는 특수한 데이터베이스 환경과 밀접한 관계가 있어 단순히 수치적 알고리즘 적용은 불가능하므로 전자수치지도 데이터베이스의 위상구조 설계, 알고리즘의 적용기술 등이 선행되어야한다.

경로탐색의 기술난이도는 **최단경로**Static Routing, **다중경로**Alternative Routing, **최적경로**Dynamic Routing 순으로 결정되는데, 특히 최적경로는 실시간 교통정보를 무선망을 통해 전달받아 최적의 운전상황을 운전자에게 전달한다. 그리고 경로 정보를 화면에 보여주기 위한 정보 단말((2차원, 3차원 지도표시용 디스플레이) 및 저장장치(메모리)가 필요하다.

2 기타 내비게이션 관련 기술

자동차 내비게이션에는 동영상 재생, 음악재생, DMB, 일정관리, 메모장, 주소록 등 모바일 환경의 오피스 구현을 위해 사용자에게 다양한 기능을 제공하면서 아래와 같은 기타 기술들을 제공하고 있다.

(1) TPEG Transport Protocol Expert Group 기술

DMB 방송 주파수를 이용해 자동차 내비게이션 단말기에 실시간 교통 정보, 여행 정보 등을 보여주는 기술로써, 교통정보 수집업체들은 수만 대의 택시, 버스, 물류차량 등에 장비를 설치해 정보를 수집한다. 교차로마다 설치한 위치 발신기 혹은 GPS를 통해 수집 차량들이 지나간 시간을 계산하고 이 자료를 바탕으로 도로 상황을 판단한다.

부가적으로 한국도로공사로부터 고속도로와 국도의 정보를 받고, 교통방송으로부터 사고와 공사 정보 등을 받아 최종적으로 DMB 사업자에 전달한다. TPEG의 서비스는 크게 혼잡교통 정보 CTTCongestion and Travel Time Information, 안전운전 정보 SDISafety Driving Information, 유고정보 REIRoad Event Information, 뉴스 정보 NWSNews, 관심지점정보 POIPoint Of Interest 등을 제공하고 있다.

(2) 트립 trip 표시 기술

차량의 OBD 단자와 연동하여 내비게이션 화면에서 자동차의 평균 속도, 주행 거리, 온도 등의 다양한 정보를 확인할 수 있는 기능이다.

(3) 스마트폰 미러링 기술

내비게이션과 스마트폰을 무선으로 연결하여 화면 크기가 큰 내비게이션 화면을 통해 스마트폰의 모든 작업이 그대로 작동되는 기능이다.

(4) 내비 연동 HUD Head Up Display 기술

운전 중 내비게이션을 보기 위해 시선을 돌릴 때 발생할 수 있는 사고를 줄이기 위해 차량 주행 시 직접 내비게이션을 보지 않고 전방 유리창에 비친 주행 정보를 확인할 수 있는 기능이다.

(5) 화면 분할(PIP Picture-In-Picture) 기술

정차 시 내비게이션과 DMB 화면을 전환 없이 한 화면에 모두 띄워서 볼 수 있으며, 복잡한 갈림길에서 세부적인 도로를 확대하는 등 하나의 화면을 분할하여 사용할 수 있는 기능이다.

(6) 블랙박스 연동 기술

블랙박스와의 연동 케이블을 구비할 경우 블랙박스로 촬영되는 실시간 및 녹화 영상을 내비에서도 확인 가능하도록 한 기능이다.

(7) 지능형 운전자 보조 시스템(ADAS Advanced Driver Assistance Systems) 기술

첨단 운전자 보조 시스템으로 불리며, 운전자의 안전과 편의를 도모할 수 있도록 차선 이탈 감지, 앞차 출발 알림, 차로 변경 예보, 신호등 변경 알림 등의 편리한 기능으로 운전자를 보조한다.

먼저, 차선 이탈 감지(LDWSLane Departure Warning System)는 운전자의 부주의와 졸음으로 인한 사고 방지를 위해 개발되어 단순히 차선 이탈만 경고하는 기능이다. 앞차 출발 알림(FVSAFront Vehicle Start Alarm)은 정지 신호등이 켜진 정지 상태에서 운전자가 전방 주시를 하지 못했을 때 앞차가 출발하면 자동으로 알려주는 기능이며, 차로 변경 예보(PLCAPredict Lane Change Alarm)는 운전자의 부주의와 졸음으로 인한 사고 방지를 위해 개발되어 단순히 차선 이탈만 경고하는 기능이다. 신호등 변경 알림(TLCATraffic Light Change Alarm)은 정지 신호등이 켜진 정지 상태에서 운전자가 전방 주시를 하지 않아도 신호등이 변경되었을 때 자동으로 알려주는 기능이다.

3 AVM Around View Monitoring 시스템 기술

(1) 시스템 개요

차량의 전방, 양 측면, 후방에 각 1개씩 총4개의 초 광각 카메라로부터 입력된 영상을 합성 기술을 기반으로 차량 주변의 360도 조감도를 위에서 아래로 내려다 본 영상을 제공하는 시스템이다. AVM 시스템은 주차 및 저속 운행 시 차량 주변 영상을 운전자에게 제공하여 차량 운행의 안전성과 편의성을 향상시키는 것을 목적으로 한다.

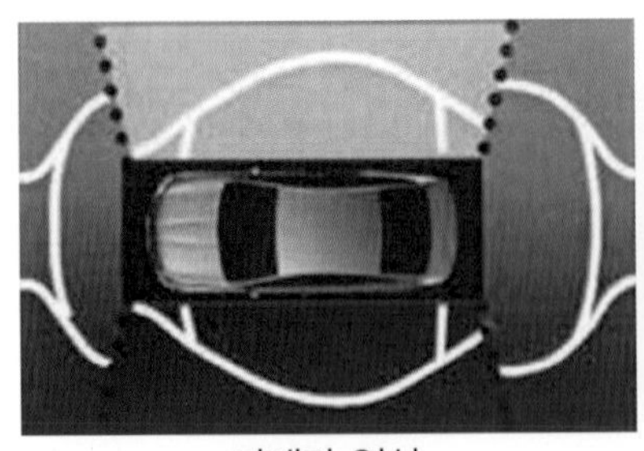
카메라 영상

어라운드 뷰 합성 영상

어라운드 뷰 및 후방표시

그림 2-20 **AVM 시스템** ▶ 출처 : 현대 자동차 정비지침서

- 차량 주변 영상 표시 기능
- 가이드라인 조향 연동 표시 기능
- 전후방 근접 경고 표시 기능
- AS 공차 보정 기능

등을 실시간으로 제공하는 주차 지원 시스템이다.

(2) 전체시스템 블록도

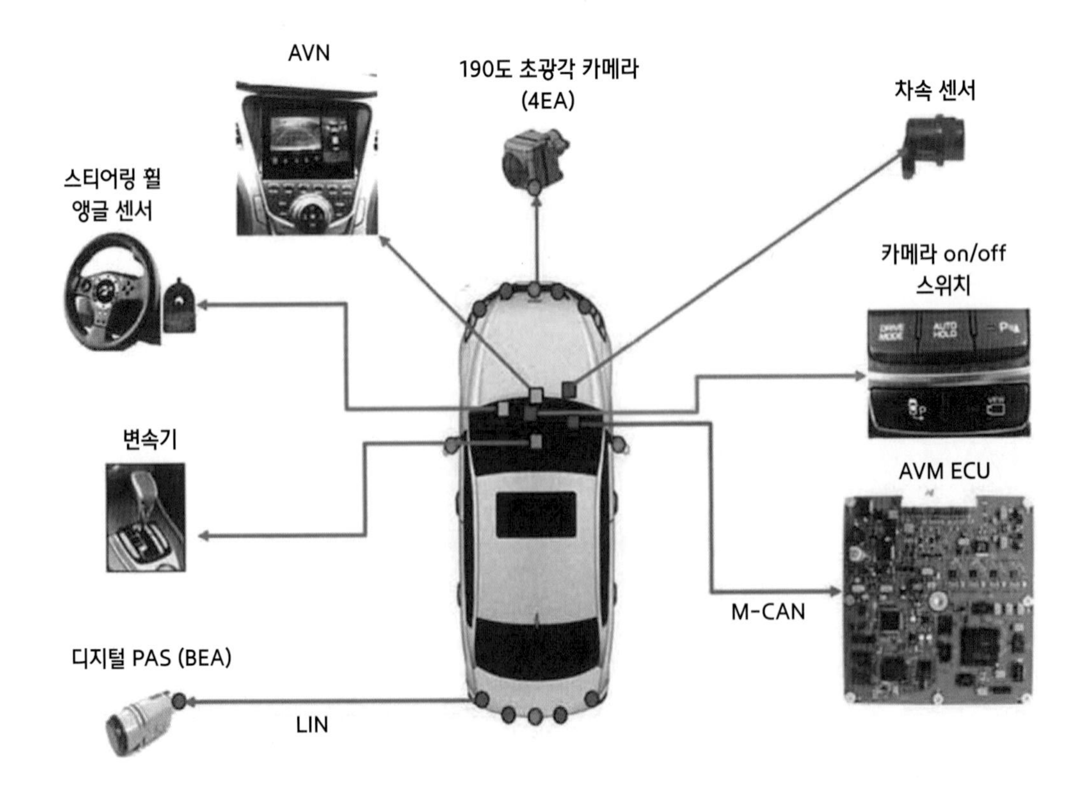

그림 2-21 **전체시스템 블록도** ▶ 출처 : 현대 자동차 정비지침서

(3) 시스템 상세 기능

NO	주요기능	상세설명	비교
1	8개 뷰 모드 제공	전방 4개 뷰 모드 / 후방 4 개 뷰 모드 제공	왜곡보정/시점 변환/영상합성
2	전방지원 모드 선택 기능	전방 모드 선택 스위치 이용한 전방 모드선택 기능	PGS blind 스위치와통일
3	후방 조향 연동 주차지원	실시간 조향 연동 주차 가이드선 제공	후방영상에 표시
4	PAS 경보 표시	후방 및 전방 PAS 경보 표시	클러 A 터 표시 로직과동일
5	사용자 기능선택 옵션	조향 연동 가이드 선 표시 여부 전후 충돌 경보(PAS) 표시 여부 전방, 후방 뷰 초기화면 설정	별도설정 화면제공
6	인라인 공차보정 기능	카메라 장착 오차 및 인라인 조립 공차에 대한 보정 자동차 생산라인 별도 공차보정 작업 필요	보정점 영상 인식 로직적용

(4) AVM 뷰 표현 로직

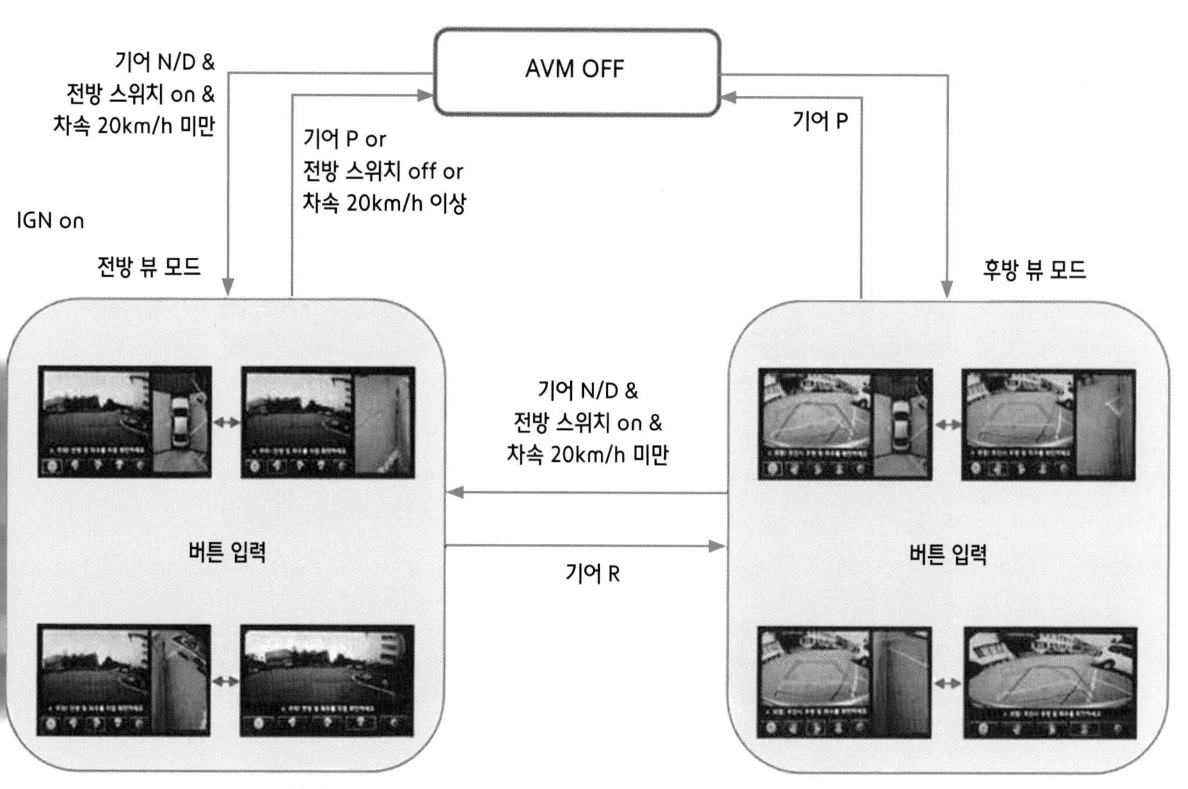

그림 2-22 AVM 뷰 표현 로직 ▶ 출처 : 현대 자동차 정비지침서

(5) AVM 뷰 모드

전방 뷰 + 어라운드 뷰

전방 뷰 + 운전석 전축장 뷰

전방 뷰 + 조수석 전축장 뷰

전방 와이드 뷰

그림 2-23 **전방 뷰 모드** ▶ 출처 : 현대 자동차 정비지침서

후방 뷰 + 어라운드 뷰

후방 뷰 + 운전석 전축장 뷰

후방 뷰 + 조수석 전축장 뷰

후방 와이드 뷰

그림 2-24 **후방 뷰 모드** ▶ 출처 : 현대 자동차 정비지침서

그림 2-25 **후방 뷰/후방 와이드 뷰 에서 조향 연동 가이드라인 및 고정 가이드라인 제공**
▶ 출처 : 현대 자동차 정비지침서

(6) 공차 보정 기능

① 보정 시기

- 생산 공장에서 차량 조립 후 조립오차 보정
- AVM 고장으로 인한 교체 및 기타 이유로 조립편차가 발생했을 경우
- 사고로 인한 전방 그릴 및 후방 범퍼, 좌, 우 사이드 미러 교환 수리 시

② 보정조건

- 4개의 카메라를 장착하는 인라인 공정에서 장착 공차로 인해 발생하는 설계 기준 영상 대비 어라운드 뷰 영상의 오차를 보정하기 위해 AVM ECU는 공차보정 프로세스를 내장하였다.
- 공차보정 프로세스에 진입하기 위해서는 아래 차량 조건이 만족하고 외부진단장비에서 공차보정 진입 명령을 수신한 경우 진입하게 된다.

③ 차량 조건

AVM 상태		진단 통신	비교
기 어	차 속	공차보정 모드 진입 명령 수신	공차보정 초기 뷰 표시 AVM 스위치 LED 1Hz 점멸유지
N	차량 정지 상태		

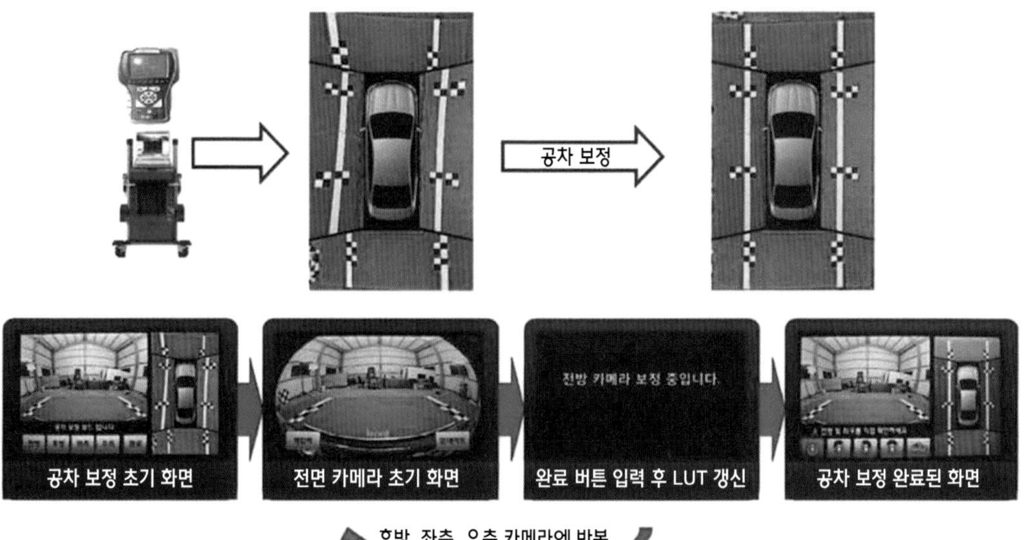

그림 2-26 **공차 보정 기능** ▶ 출처 : 현대 자동차 정비지침서

(7) 공차 보정 환경 요약

① 차량정렬 기준

가) 대상 차량은 차량 위치 공간 내 전륜 축을 1m 지점에 위치해야 함. 전륜축이 모든 차량의 정렬 기준임

나) 전후/좌우 정렬 오차는 3cm 이하로 관리(좌우 ± 3cm). 한축에 대하여 3cm가 넘어 갈 경우에 보정 시 영상과 차량의 오차를 운전자가 인지 가능

다) 정렬 시 회전 오차는 좌우 1도 이내로 관리한다. 회전 오차가 1도인 경우 차량 전면/차량후면은 3cm 이상 오차 발생

② 환경 셋업 시 주의 사항

가) 보정판 흰색 검은색 방향 주의하여 셋업

나) 보정판의 센터 위치는 매우 정밀한 설치 필요 (보정 품질에 직접적인 영향을 미침) : 기준 좌표이기 때문에 위치 정밀도가 매우 중요함 (거리/직각 등 정밀하게)

다) 좌측 그림상에 점선은 바닥에 존재하는 선이 아님

라) 바닥면/보정판/라인은 모두 무광 수성 페인트 사용

마) 바닥면은 밝은 녹색, 보정 타겟은 흰색+검은색, 보정 결과 확인용 라인은 바닥면/보정 타겟이 얼룩 등으로 오염 되지 않도록 관리 필요

바) 작업공간 내 오인식 가능한 물체 없을 것(작업시 작업 공간 내 작업자 없을 것)

사) 조명은 간접 조명 형태를 권장, 보정 공간내 전체적으로 균일한 조도를 상시 유지 할 수 있도록 셋업필요

아) 태양광 및 직접 광에 의한 영향 절대 없을 것(낮/밤/계절에 따른 국부 조도가 변하지 않도록, 차량 등의 라이트 카메라에 비치지 않도록 등 보정 공간 천막 등을 이용한 외부광 차단막 설치 필요

자) 후방 카메라의 경우 기온과 습도에 따라 머플러의 연기로 인하여 인식 대상 체가 가리는 연상으로 간헐적으로 오인될 수 있음 시동 걸지 않은 상태에서 작업 진행 권장

차) 카메라 렌즈 오염 또는 렌즈보호 필름이 있을 경우 인식 불가 함 : 카메라 렌즈 오염 되지 않도록 관리 필요

카) 흰색 라인용 보정 결과를 확인하기 위한 선으로, 별도 확인 공정 있을시 삭제가능

타) 다수 라인 설치시 라인별 공차 보정 환경 편차가 없도록 라인 셋업 필요

파) 보정용 격자판 주변에 기구장치 등으로 카메라를 가리지 않도록 셋업 요망

하) 보정공간은 반드시 평지여야 하며, 보정용 격자판은 지면과 단차(높이차)가 없어야함.

(8) 공차보정 작업 완료 확인

① AVM 초기 설정 영상(전방 뷰 화면 + 어라운드 뷰 화면)이 출력되는 지 확인 한다.

② 갱신된 화면에 의해 어라운드 뷰 영상이 출력되는 지 확인한다.

③ 어라운드 뷰 영상에서 흰색 선이 위의 그림과 같이 똑바로 표시되는 지 육안 확인한다 : 최대 8cm 의 이격 오차 발생 가능하며, 8cm 이내의 오차발생시 양품으로 판단한다.

④ 어라운드 뷰 영상의 육안 확인 결과 영상이 잘못 되어 있을 경우 재 작업이 필요하다.

⑤ 공차 보정이 정상적으로 이루어졌을 경우 차량의 전원을 OFF 상태로 전환한다.

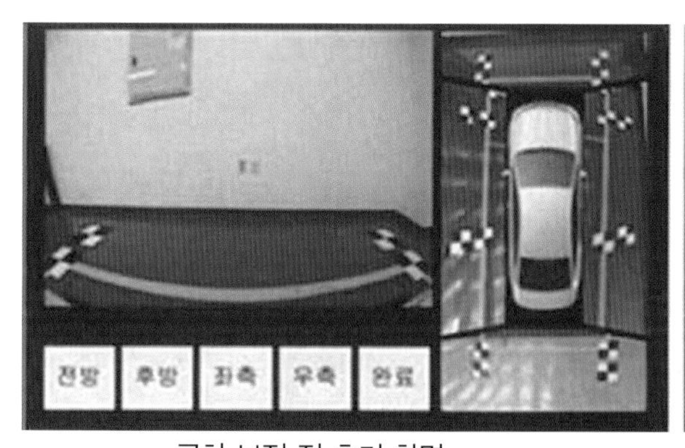

공차 보정 전 초기 화면

공차 보정 후 AVM 초기 화면

그림 2-27 **공차보정 작업 완료 확인** ▶ 출처 : 현대 자동차 정비지침서

03 블랙박스 튜닝 계획

초기의 블랙박스는 차량 내부에 장착된 마이크 및 카메라로 내·외부를 녹화하여 주행 및 주차 중 발생한 사고에 대해 중요한 증거로 활용되는 교통사고 영상 기록 장치를 뜻하는 것으로 국한되었으나, 최근에는 차량의 운행 상태를 포함하는 데이터를 기록하는 장치로 그 기능을 확대하고 있다. 그리고 블랙박스의 다양한 사양에 대해 정리하면 옆 페이지와 같은 표로 나타낼 수 있다.

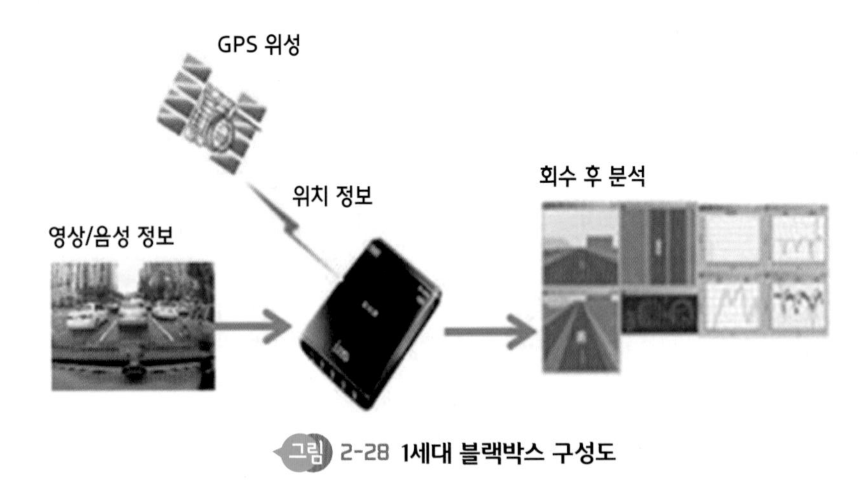

그림 2-28 1세대 블랙박스 구성도

그림 2-29 2세대 블랙박스 구성도

표 블랙박스 사양

항목	세부내용	비고
채널수	1채널, 2채널(일체형, 분리형, 패키지), 4채널	
해상도	SD급, HD급, Full-HD급	가로×세로
센서 화소수	100만 이하 ~ 500만 이상 픽셀수	
동영상 프레임	15프레임 이하 ~ 30프레임 이상	초당 프레임
모니터 크기	3인치 이하 ~ 4인치 이상	화면대각선
시야각	130도 이하 ~ 140도 이상	
GPS	내장형, 외장형, 거치대일체형	
녹화방식	상시, 충격, 동작, 수동녹화	조합
메모리 용량	8G ~ 128G	바이트
스마트 기능	영상 확인, 차량진단기능, 음성인식기능, 전용앱 지원	
고온보호	자동종료형, 내열구조형	
부가기능	렌즈회전, 배터리 방전 방지, 상시 전원 포함, 배터리 내장, 차선 이탈 경보 기능, 앞차출발 알림	

1 채널수

(1) 1채널

1개의 카메라로 차량의 전방을 녹화한다. 대부분 가해 여부를 따지는 사고는 전방사고로 전방 블랙박스 영상이 결정적인 증거 자료가 된다. 1채널 블랙박스는 기본 사양이다.

(2) 2채널

블랙박스 본체에 2개의 카메라가 모두 장착되어 있는 일체형 제품이며, 전방 상황 뿐 아니라 실내의 영상도 녹화할 수 있어, 실내에서 불미스러운 사고가 발생할 수 있는 영업용 차량(택시 등)에 사용하기 좋다.

(3) 3채널

4개 이상의 카메라로 전후좌우 4방향을 녹화하여 사각지대를 최소화 할 수 있다. 다양한 각도에서 촬영할 수 있어서 과실 여부 판별 시 용이하다는 장점은 있으나, 모든 카메라가 동일한 고해상도가 아닌 경우가 많기 때문에 동영상 해상도가 낮은 편이다. 또한 메모리 카드의 저장 공간을 빨리 소모시키고 장착이 어려워 장착 시 전문가의 도움이 필요하며, 채널수가 많아질수록 소비전력은 증가하고, 배터리 효율은 감소하는 단점도 있다.

2 해상도

(1) SD급

가로 및 세로의 픽셀 수는 보통 640×480 픽셀이며, 사고 정황 파악 정도가 가능하고, 영상 좌우측면이 굴곡지게 되는 왜곡 현상이 있으며, 16:9 와이드(HD화면) 영상에 익숙한 사용자에게는 다소 낯선 4:3비율의 영상으로 녹화된다.

(2) HD급

국제 표준 HD규격 1280×720 픽셀의 해상도로 녹화된다.

(3) Full-HD급

HD급 영상보다 화질이 선명하여 번호판 인식에 좋고, 1920×1080의 높은 해상도로 인해 PC모니터로 확대 재생해도 화질이 좋으나, 렌즈의 차이로 같은 급의 디지털카메라나 캠코더의 Full-HD 영상보다는 화질이 떨어진다.

3 센서 화소수

보통 Full-HD는 200만, HD는 90만, SD는 30만 화소이고, 블랙박스 녹화 시 기록되는 화소수는 블랙박스 센서의 총 화소수보다 적다.

표 해상도에 따른 센서 화소수

구분	Full-HD	HD	SD
해상도	1920×1080	1280×720	640×480
화소	200만	92만	30만

4 동영상 프레임 Frame per second

화면의 부드러움을 결정하는 요인으로 프레임수가 높을수록 화면이 끊이지 않고 자연스럽게 재생된다.

5 모니터의 크기

모니터가 있어 블랙박스에 녹화된 영상을 바로 확인할 수 있으며, 모니터가 있을 경우 녹화된 파일을 언제든지 재생하여 확인할 수 있어 영상 확인이 편리하다. 촬영되는 영상을 확인하여 카메라와 설정을 조절할 수 있어 유용하나, 화면이 작아 정밀한 확인은 불가능하며 모니터가 시야를 방해할 수도 있다.

모니터를 통해 블랙박스 자체 기능(해상도, 프레임 등) 설정이 가능하며 녹화 영상을 직접 확인할 수 있어 유용하다. 모니터는 대각선의 크기로 결정되는데, 3인치 이하의 모니터는 자전거 등에 사용되며 보통 4인치 이상을 사용한다.

6 시야각

블랙박스가 촬영하는 영상의 좌우 폭으로 시야각이 넓을수록 좌우가 넓게 촬영된다. 시야각이 넓을수록 좌우가 넓게 찍히지만 왜곡이 있어 자세히 알아보기 어려움이 있고, 시야각이 좁으면 좌우가 잘려서 전반적인 촬영에 어려움이 있다. 시야각 표시는 대각선 화각을 기준으로 한다.

7 GPS

(1) 내장형

GPS 수신 칩셋이 블랙박스에 장착되어 있고 영상만 촬영되는 블랙박스와 달리 속도 정보, 위치정보까지 기록되어 사고 시에 더욱 정확한 정황을 기록할 수 있다.

(2) 외장형

GPS 칩셋이 장착되어 있지 않더라고 GPS 단자가 있으면 별도로 구입하여 장착할 수 있다.

8 녹화방식

(1) 상시녹화전용

대부분의 제품들은 블랙박스가 작동하는 동안 녹화가 계속 진행된다.

(2) 충격감지

상시녹화와 별도로 사고로 인한 충격 발생 시 사고 전·후 영상이 이벤트 폴더에 별도 저장된다. 주행, 주차 중 충격 영상은 각각 별도의 폴더를 생성하여 저장된다. 충격 민감도를 설정 가능하며, 보통의 경우 이벤트 폴더의 데이터는 사용자가 직접 관리해야 한다.

(3) 동작감지

사물의 움직임이 감지(모션 감지)되면 녹화되며, 주차 중 움직임을 감지하면서부터 녹화를 시작하고 파일로 저장하고 주변의 사람이나 사물의 움직임이 없으면 촬영이 안 된다. 불필요한 영상이 녹화되지 않아 메모리 용량을 아낄 수 있으며, 전력 소비를 줄여준다.

(4) 수동녹화

촬영이 필요한 순간을 직접 선택하여 삭제되지 않는 이벤트 폴더에 저장하는 기능이다. 다른 차량의 사고 영상이나 앞 차량의 난폭운전 등을 저장할 때 유용하다.

9 메모리 용량

표 해상도와 메모리 용량에 따른 녹화 시간

구분	8G	16G	32G	64G	128G
SD	6시간	12시간	24시간	48시간	96시간
HD	3시간	6시간	12시간	24시간	48시간
Full-HD	1시간 30분	3시간	6시간	12시간	24시간

(1) 16G

일반적으로 많이 사용하는 16G 이하 메모리 카드 블랙박스 세트이며, 16G는 HD 기준 약 6~7시간, Full-HD 기준 약3~4시간 정도 녹화(30프레임 기준) 가능하며, 녹화 해상도나 프레임을 줄이면 보다 오랜 시간 녹화할 수 있다. 상시녹화용으로 사용하려면 32G 이상의 메모리 카드가 유리하다.

(2) 32G

고화질 상시녹화에 적합한 16G이상 ~ 32G 이하의 메모리카드이며, HD 기준 약 12~13시간, Full-HD 기준 약 6~7시간 녹화가 가능(30프레임 기준)하고, 녹화 해상도나 프레임을 줄이면 보다 오랜 시간 녹화 가능하다.

(3) 63G 이상

고화질 상시녹화에 적합한 64G 이상의 대용량 메모리카드를 사용하고, HD 기준 약 30시간, Full-HD 기준 약 15시간 녹화(상시녹화 시) 가능하다.

10 고온 보호 기능

여름철 고온으로 발생하는 블랙박스 고장을 방지하는 기능이다.

표 고온보호기능의 장단점

작동방식	특징	장점	단점
내열구조형	발열을 견딜 수 있는 구조	녹화가 멈추지 않음	자동 종료형보다 고장률이 높음
자동종료형	일정 온도(80~90도)가 되면 자동 종료	내열구조형보다 고장률이 적음	전원이 꺼져 있는 기간만큼 녹화 안됨

11 기타사항

(1) 렌즈회전형

카메라 렌즈의 각도를 원하는 대로 조절 가능하며, 시야각을 맞추기 용이하고 전방뿐만 아니라 실내 및 후방까지 녹화할 수 있는 장점이 있다. 반면 제품마다 조절 가능한 각도가 다르고, 충격 시 렌즈가 돌아갈 수 있는 단점도 있다.

(2) 배터리 방전 방지

블랙박스 상시 연결 시 자동차 배터리 방전을 방지하며, 블랙박스를 자동차 배터리에 상시 연결하여 발생하는 전력소모로 인해 배터리가 방전되어 자동차 시동이 걸리지 않는 경우를 대비한다. 자동차 배터리 전압이 일정 수준 이하로 떨어지면 전원을 차단하여 배터리가 방전되는 것을 미연에 방지해준다.

(3) 적외선 램프

어두운 곳에서도 촬영이 가능하며, 눈에 보이지 않는 적외선 불빛으로 야간 주행 시 도움이 되며 어두운 곳에서도 녹화할 수 있어 주차 중 녹화, 실내 촬영에 유리하다. 하지만 적용 구간이 짧고 화질이 떨어져 번호판 식별에 큰 효과는 없다.

(4) 광역 역광 보정

터널을 빠져나오거나 역광이 비춰도 선명한 녹화가 가능하다. 이에 비해 일반 블랙박스는 갑작스러운 빛의 변화에 뿌옇거나 어둡게 촬영되는 편이다.

(5) 듀얼 세이브

사고가 발생하면 SD 카드와 본체 내장 메모리에 2중으로 각각 저장하고, 본체 내장 메모리인 NAND 플래시 메모리에 동시에 저장되기 때문에 SD카드 오류 발생 시 유용하며, 사고 시 영상 손실도가 낮아 녹화된 영상에 대한 우려를 덜어준다.

12 지능형 운전자 보조 시스템 ADAS Advanced Driver Assistance Systems 기술

(1) 음성인식 기술

음성으로 간단한 기능을 실행할 수 있으며 운전 중 화면이나 버튼을 조작하지 않고 음성으로 원하는 기능을 실행할 수 있어 사고 위험을 줄일 수 있다. 또 위급 상황 발생 시 신속히 대처할 수 있다. 다만, 창문을 열고 주행하거나 소음이 심한 장소에서는 음성을 제대로 인식하지 못할 수도 있다.

(2) 차선 이탈 경보 기능

차량 운전 중에 차선 이탈을 알려주는 기능이다. 졸음운전 및 운전 부주의로 차선 이탈을 하게 될 경우 부저음을 통해 경고를 해주기 때문에 사고를 미연에 방지할 수 있다. 불빛이 없는 어두운 길이나 비가 많이 올 때는 인식률이 떨어질 수 있다.

(3) OBD 기능

블랙박스와 함께 차량의 다양한 운행정보를 제공하는 OBD 모듈을 제공하고 있으며, 운행과 연비정보를 제공하여 사용자의 운전 습관을 체크하고 경제적인 드라이빙을 하기 위한 보조 장치이다.(에코드라이빙: 급가속, 급제동시 경고 안내를 하여 운전 습관을 개선, 연료절감을 할 수 있도록 도와준다).

참고로 OBD(운행기록 자기 진단 장치): 운전석 하부에 있는 차량 진단 장치로, 스캔 장비와 연결하여 보다 정밀한 차량 상태를 파악하는 데 도움을 준다. 무선형(블루투스)보다 유선형이 끊김 없이 정보를 받아보기에 좋다. 정비소에서 사용하는 고가의 정밀 스캔 장비가 아니며, 정보의 정확성이 떨어질 수 있다.

(4) 전방추돌경보

운전 중 전방 미주시, 운전 부주의 등으로 일어 날 수 있는 전방 추돌 상황을 감지하여 사고를 예방할 수 있다. 민감도, On/Off 추돌 예상 시간을 설정할 수 있어 운전 습관에 맞춰 변경할 수 있다.

(5) 배터리내장 (커패시터)

갑작스런 사고로 전원 차단 시 녹화 중인 영상을 안전하게 저장할 수 있으며, 순간적인 전원 이상 시 약 5~10초간 비상 전원을 공급하여, 블랙박스와 녹화가 중단되지 않도록 한다.

사고 후 충격으로 인한 순간적인 전원 이상이 발생하거나 차량 시동을 끈 후 재시동 시 전원이 불안정한 경우 **커패시터**가 사용되고 있다.

2-3 CHAPTER

자동차 안전편의장치 튜닝 장착

01 초음파 장치 튜닝 장착

사용자의 요청에 따라 초음파 장치 시스템을 설계할 때, 범퍼 매입, 장치의 색상, 장치의 감지거리, 감지 각도, 센서의 설치 개수, 감지되었을 때 사용자에게 인지시켜주는 방법 등을 고려하여 초음파 장치를 선정해서 장착해야 한다.

1 범퍼 매립

초음파 장치의 범퍼에 매립 시, 사용자의 요구에 의해 색상을 선정하여야 한다. 일반적으로 범퍼와 같거나 비슷한 색상으로 선정하지만 사용자가 특별한 색상을 원할 경우 그에 맞추어 선정한다. 범퍼에 매립하기 위해서는 사용자의 요구에 의해 선정된 초음파 장치의 형상을 고려하여 범퍼에 구멍을 뚫어야한다.

▶ 출처 : http://st4u.com

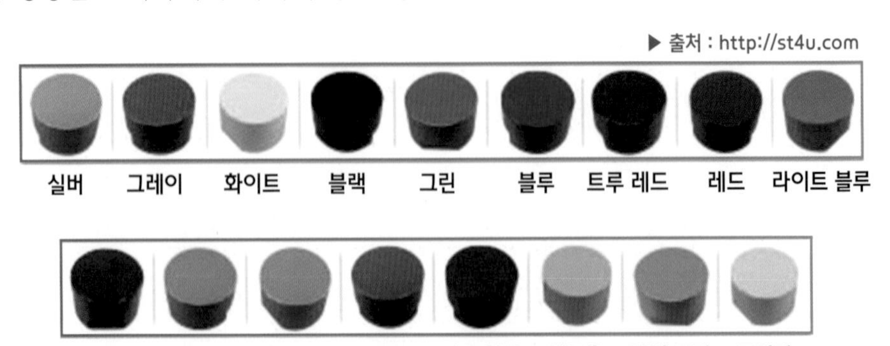

그림 2-30 초음파 센서 색상

일반적인 형상은 원통형이 많으며 원통의 지름을 고려하여 홀커터를 이용하여 범퍼에 구멍을 뚫는 설계를 한다. 홀커터의 지름은 초음파 장치의 지름보다 0.5 ~ 1mm 큰 것을 선택한다.

그림 2-31 홀 커터

2 감지거리 및 감지각도

자동차의 주차보조 및 후방 물체 충돌 방지용으로 사용되는 일반적인 초음파 센서의 감지 거리는 최대 1.5m로 설계되어 출시되고 있다. 그러나 사용자가 더 긴 감지 거리를 원하면 그에 따르는 초음파 센서를 다시 선정하여 사용자의 요구에 맞추어야 한다. 다음 [표]에서 ST-206모델은 최대 5m까지 감지 가능하다. 이보다 더 긴 감지거리를 요구받으면 초음파 센서 선정, 컨트롤러 설계 제작 등의 특별 제작이 필요하다.

표 초음파 센서 감지거리

▶ 출처 : http://st4u.com

모델명	ST-203	ST-206	ST-207	ST-208	ST-209	ST-212	ST-217	ST-219	ST-230
Frequency [kHz]	40	40	40	48	58	58	52	52	48
Sound Pressure [dB]	108min	115min	108min	103min	100min	108min	105min	105min	108min
Sensitivity [dB]	-82min	-72min	-82min	-84min	-84min	-82min	-76min	-76min	-82min
Directivity	90°	25°	H 110° V 50°	H 100° V 40°	H 80° V 40°	H 100° V 40°	H 45° V 35°	H 80° V 35°	H 65°
Operating Temperature[℃]	-30~85	-40~85	-40~85	-40~85	-30~85	-30~80	-30~85	-30~85	-30~75
Delectable Range [m]	0.3~2	0.3~5	0.3~2	0.3~2	0.3~1.5	0.3~2	0.3~4.5	0.3~4.5	0.3~2

초음파 센서의 감지 각도는 설계에 따라 여러 각도가 있다. 일반적인 자동차 범퍼 매립형은 4개 센서를 1조로 구성되고, 동작 각도는 수평방향 110°, 수직방향 50°로 설계 개발되어 있다. 다른 동작 각도로는 수평방향 100°, 120°와 수직방향 40°, 60°도 있다.

반자동 주차시스템에 사용되는 초음파 센서는 수평방향 55°, 수직방향 35°를 사용한다. 또한 사용자의 특별한 주문에 의한 백미러의 시야 사각지대를 보조하기 위한 초음파 센서는 수평방향 80°, 수직방향 40°를 사용한다.

▶ 출처 : http://st4u.com

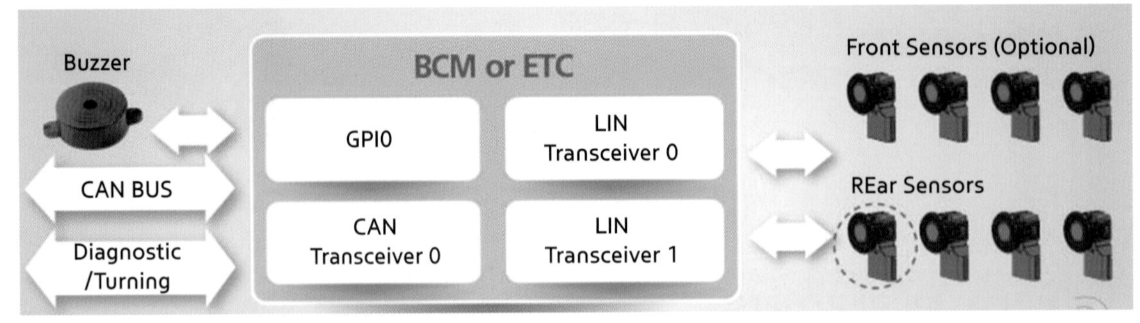

그림 2-32 초음파 장치 구성도

3 초음파 장치 전원

초음파 장치의 전원은 자동차 배터리 +12Vdc를 공급해야 한다. 후진주차 시 주차 보조의 역할로 사용할 때는 후진등(흰색등)의 전원을 사용한다. 전진할 때는 후진주차 보조장치는 동작하지 않고 후진 시에만 동작하도록 설계하기 위해서이다. 위의 그림이 그 연결도를 잘 보여준다.

4 초음파 장치 제작

사용자가 초음파 장치를 일반적인 사양이 아닌 특별한 사양으로 요구하면 초음파 장치 설계에서 설명된 자료를 활용하여 요구하는 사양의 부품을 선정하고 그 부품들을 모아 제작하여야 한다. 즉, 우선 초음파 센서를 선정하고 그와 연결되는 컨트롤러, 그리고 사용자에게 정보를 알려주는 디스플레이 패널(거리표시 및 경보음)을 선정하여야 한다.

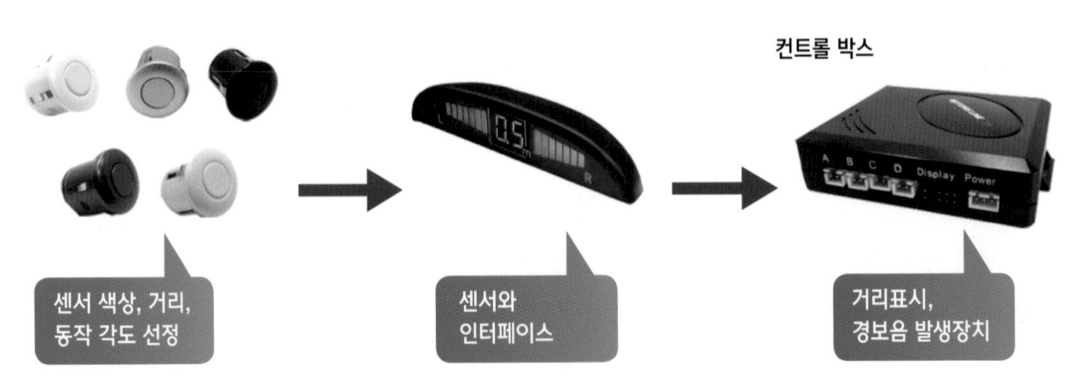

▶ 출처 : http://www.motorsline.co.kr

그림 2-33 초음파 장치 제작 과정

5 초음파 장치 튜닝 장착

초음파 장치 설치란 튜닝 제작된 초음파 장치를 차량에 부착하는 작업이다. 초음파 장치는 크게 3부분으로 구분되는데 물체를 감지하는 초음파 센서, 감지 신호를 입력 받고 제어하는 컨트롤러, 마지막으로 사용자에게 경보음 또는 물체 거리를 알려주는 디스플레이 박스이다. 초음파 센서는 주로 뒷 범퍼에 설치되고, 컨트롤러는 승용차의 경우 트렁크 등에, 디스플레이 박스는 운전석 앞 대시보드에 주로 설치된다. 초음파 센서 설치는 3단계로 이루어진다.

(1) 초음파 센서 설치 위치 설정

설치할 초음파 센서의 숫자와 차량의 뒷 범퍼의 폭을 고려하여 설계한다. 일반적으로 범퍼의 양 끝을 10cm 정도 남기고 나머지를 3으로 나누어 균등한 간격으로 초음파 센서를 설치할 위치를 설계한다.

(2) 범퍼에 구멍 뚫기

위에서 설계된 위치에 홀 커터를 활용하여 센서 구멍 4개를 뚫는다.

(3) 초음파 센서 장착

초음파 센서와 컨트롤러가 연결되는 부분부터 구멍으로 삽입하여 초음파 센서를 설치한다. 센서 케이블은 트렁크 또는 차량 실내로 배선한다.

6 컨트롤러 설치

컨트롤러 설치는 2단계로 구분된다. 컨트롤러는 초음파로부터 오는 4개의 케이블, 전원 케이블, 디스플레이 박스로 연결되는 케이블 등 3종류 6개의 케이블을 결선한다.

(1) 초음파 센서 결선

4개의 초음파 센서를 범퍼에 장착하고 트렁크 또는 실내로 유입된 케이블을 컨트롤러에 결선한다. 일반적으로 초음파 센서의 위치에 맞게 순서적으로 결선하면 된다.

(2) 컨트롤러 전원 연결

초음파 장치는 주차보조 장치로서 후진 시 동작되어야 하므로 정비지침서를 참고하여 후진등이 점등되는 전선을 찾아서 결선한다.

7 디스플레이 박스 장착

디스플레이 박스 설치하기와 케이블 연결하기 2단계로 구분된다.

(1) 디스플레이 박스 설치

디스플레이 박스는 주로 운전자 왼쪽 앞 대쉬보드에 설치한다. 컨트롤러와 결선하는 케이블은 사용자에게 보이지 않도록 매립한다.

(2) 디스플레이 박스 케이블 결선

4개의 초음파 센서로부터 수신한 신호를 처리하여 그 결과를 디스플레이 박스로 출력하여 사용자에게 소리와 거리로 알려주는 케이블은 트렁크부터 대쉬보드 까지 사용자에게 보이지 않도록 매립한다. 즉, 트렁크까지 설치된 디스플레이 박스 케이블을 컨트롤러에 결선한다.

02 내비게이션 튜닝 장착

1 전원 연결

후방카메라와 인터페이스 되는 내비게이션 시스템의 경우, 내비게이션 시스템을 ACC 전원이 인가되는 경우 동작하게 하면 되고, 후방카메라는 후진등의 신호 입력에 의해 전원 공급을 받을 수 있도록 설계해야 한다.

2 장착위치 설정과 배선

내비게이션 본체

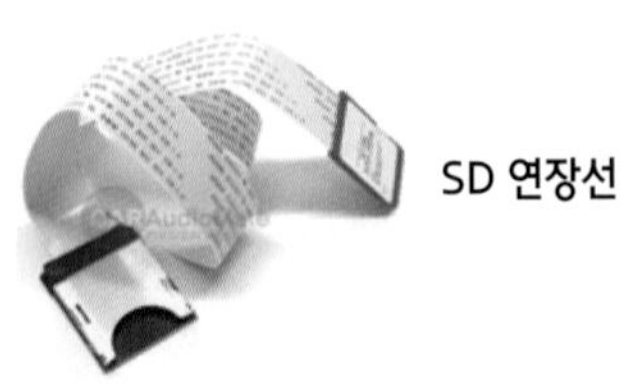

SD 연장선

그림 2-34 내비게이션 구성품

그림 2-35 내비게이션 장착 및 배선도

3 사양 및 부품 확인

내비게이션 사양을 확인한 다음, 본체, 매립 마감재, 후방카메라 본체 및 영상선(450cm)을 확인한다.

표 내비게이션 제품 사양

항목	규격
프로세서	ARM9
운영체제	Microsoft Windows CE 6.0
DRAM	RAM 128MB/Flash 128M
GPS엔진	U-blox6
내비게이션	아이나비 2D(800x480)
디스플레이	TFT 7"LCD(800x480)
동작온도	0 ~ 45
전원본체	DC 12V(DC 24V가능)
기타	TPEG탑재, 퀵 후방영상 지원, 전차종 트립컴퓨터 지원

4 공구 준비

그림 2-36 내비게이션 설치 공구

5 전용 마감재에 모듈 조립

① 준비된 전용 내비 마감재에 내비게이션 시스템 본체를 장착

② 상단에 DIC 모듈 장착

③ 중간 부분에 내비게이션 본체 장착

④ 하단에 디지털시계 모듈 장착

6 내비게이션 매립

① 인스트루먼트 패널 상단 트레이(상단 수납장) 탈거

② 기스에 유의하면서 헤라를 이용해서 좌/우측 인스트루먼트 패널과 센터 트림 패널(우드) 탈거

③ 센터페시아center fascia 탈거를 위해 스크류를 풀고, 인스트루먼트 패널 액세서리 베젤 탈거

④ 조립된 전용 마감재에 장착된 내비게이션 본체에 후방카메라, DMB안테나, 전원케이블선 연결

⑤ 조립된 전용 마감재 장착 후 탈거된 요소들 장착

7 후방카메라 장착

① 전용 마감재에 모듈 조립

② 테일 게이트 도어 트림 탈거

③ 스크류를 풀어 뒷문 안쪽 손잡이 부분 탈거

④ 리프트 게이트 어플리케 탈거

⑤ 리프트 게이트 어플리케에 카메라 장착을 위한 유니비트를 이용하여 구멍내기

⑥ 후방카메라 장착

⑦ 배선 정리 후 탈거된 장치들 장착

8 DMB 안테나 장착

필름형 DMB 안테나를 조수석 앞 유리창 상단에 장착한다.

9 배선 연결

① **DMB 안테나와 내비게이션 본체 연결 :** 필름형 DMB 안테나를 장착하고 조수석 A필러를 통과시킨 선을 조수석 옆 라인을 통해 본체로 연결한다.

② **후방카메라와 내비게이션 본체 연결 :** 리프트 게이트 어플리케에 장착된 후방카메라로부터 C필러, B필러, A필러를 통과시킨 선을 운전석 좌측 라인을 통해 본체로 연결한다.

③ **후방카메라의 후진등 신호선 연결 :** 리프트 게이트 어플리케에 장착된 후방카메라로부터 테일 램프 어셈블리를 탈거하여 후진등 신호선에 연결한다.

④ **내비게이션 본체의 전원 연결 :** 필름형 DMB 안테나를 조수석 옆 A필러를 통과시켜 센터페시아 중앙으로 보내어 오디오 배선의 ACC 선에 연결한다.

03 블랙박스 튜닝 장착

블랙박스 본체(전방녹화카메라) 설치 작업 및 배선 작업을 위하여 룸미러 전방의 중앙부분에 전방녹화카메라를 설치하고, 후방녹화 카메라로부터의 영상 신호를 전방녹화 카메라와 연결하고, 전방녹화 카메라의 전원선을 상시전원(B+)에 연결 작업한다. 또한 후방녹화 카메라 설치 작업을 위해 후방녹화 카메라를 후방을 향하도록 뒷좌석 천정 실내에 설치한다. 작업순서는 다음과 같다.

1 전원 연결

일반적으로 가장 손쉬운 방법은 블랙박스의 전원을 시거 잭에 직접 연결하는 방법이 있으나, 시거잭에 꽂는 대신 상시 전원 장치에 연결하는 것을 고려한다.

표 블랙박스 녹화 방식

녹화 방식	세부내용
주행 중	시동을 걸고(ACC 모드 포함) 전원이 연결된 순간부터 영상을 지속적으로 저장하는 가장 기본적인 녹화 방식
주차 중	시동이 꺼진 상태에서도 영상을 지속적으로 저장하는 녹화 방식으로 차량 배터리 방전 위험이 있음

2 설치 위치 선정

블랙박스를 전면 유리 상단 또는 대시 보드에도 설치할 수 있으나, 시야를 적게 가리는 룸미러 앞쪽으로 설치하는 것이 일반적이다.

표 블랙박스 부품별 설치 위치 요약

장치	위치 및 고려사항
블랙박스 본체	• 블랙박스 렌즈가 룸미러 전방 중앙에 있도록 위치. • 카메라 각도는 본닛이 1/4 정도 보일 정도로 조정. • 주요 기능 버튼이 가려지지 않는지 미리 확인.
후방카메라	• 차량 후미 실내 중앙에 위치
배선	• 후방카메라로부터 본체에 연결되는 배선 • 본체에서 퓨즈박스와 연결되는 배선

그림 2-37 블랙박스 설치 위치 및 배선 경로

3 부품 확인

▶ 출처 : TOPAZ ALL HD 사용설명서

그림 2-38 설치될 블랙박스(TOPAZ ALL HD)와 부품들

4 사양 확인

블랙박스 주요 사양은 [부록]에서 확인한다.

5 공구 준비

공구는 내비게이션의 경우와 비슷하다.

6 전방녹화카메라 장착

① **블랙박스 본체 조립 :** 블랙박스 연결부와 거치대를 홈에 맞춰 결합한다. SD카드 장착 및 전원케이블과 후방카메라 영상선을 연결한다. 필요한 경우 GPS 케이블을 연결한다.

② **전방카메라 설치 :** 설치할 위치를 확인하여 유리면을 깨끗하게 닦는다. 거치대의 양면테이프 필름을 제거한 후 시야를 방해하지 않고 촬영이 용이한 위치에 부착한다. 영상이 바르게 녹화되도록 설치각 도를 상하로 조절 후 거치대의 스크류를 고정한다.

7 후방녹화카메라 장착

설치할 위치를 확인하고 설치 위치에 이물질을 제거하여 청결을 유지한다. 설치 위치에 양면테이프로 후방카메라를 부착하고 후방카메라의 케이블을 연결한다. 영상이 바르게 녹화되도록 설치각도를 상하로 조절한다.

8 본체와 후방카메라 배선 연결

본체로부터 나온 후방녹화카메라의 연결선을 앞 유리 전창에서 A필러, B필러, C필러를 통과시켜 후방의 후방녹화카메라와 연결한다.

9 본체 전원선 연결

본체로부터 나온 전원 선을 앞 유리 천장에서 A필러를 통과시킨 후, 운전석 좌측 커버를 열고 차량 퓨즈박스로 연결하여 상시전원, ACC선, 접지선으로 연결한다.

2-4 CHAPTER

자동차 안전편의장치 튜닝 시험

01 초음파 장치 튜닝 시험

초음파 장치 시험검사는 장착된 초음파 장치가 정상적으로 동작하는지 확인하는 과정이다. 이러한 시험 과정은 설치 전 시험과 설치 후 시험으로 구분된다.

1 설치 전 시험

초음파 장치의 차량 설치 전 시험은 설계된 초음파 장치를 조립하여 정상작동 유무를 확인하는 과정이다. 이때 차량의 배터리 전원과 같은 DC 12V 전원공급기가 필요하다. 컨트롤러에 디스플레이 박스와 전원, 초음파센서 1개를 1번 포트에 결선하여 초음파 센서와 30, 60, 90, 120cm 거리를 이동하며 디스플레이 박스의 소리와 거리 표시를 확인한다.

① 전원 확인

전원이 정상적인지 육안으로 확인한다.

② 초음파 센서 동작 확인

디스플레이 박스에서 경보음과 해당 거리가 표시되면 정상이며, 경보음과 거리가 표시되지 않는다면 초음파 센서를 교환한다. 그래도 경보음과 거리가 표시되지 않는다면 초음파 센서와 결선되는 포트를 바꾸어서 시험한다. 이 때 정상이면 초음파 센서와 포트를 바꾸어 가며 시험한다.

③ 디스플레이 박스 동작 확인

전원이 인가되었을 때 정상적으로 화면에 표시되어야 하며, 만약 경보음 또는 거리 둘 중 하나만 표현된다면 디스플레이 박스를 교환한다.

④ 컨트롤러 동작 확인

전원 인가 시 정상이 아니거나 혹은 초음파센서 동작 시험결과가 항상 불량으로 판정되면 컨트롤러를 교환한다.

2 설치 후 시험

차량에 초음파 장치의 설치가 완료 된 후 운전자가 탑승한 후 시동을 건다. 핸드 브레이크를 당기고 풋 브레이크를 꽉 밟은 상태에서 기어를 후진으로 위치한다. 차량의 왼쪽 뒷 범퍼와 30cm 떨어진 곳에서 오른 쪽에서 왼쪽으로 걸어간다. 이 때 운전자는 디스플레이 박스의 경보음과 표시 거리를 확인하여 정상인지 확인한다. 이러한 과정을 60cm, 90cm, 120cm 순으로 거리를 이동하며 반복한다.

02 내비게이션 튜닝 시험

1 사전 시험

내비게이션 본체에 지도 데이터가 있는 SD 카드를 삽입하고 시거 잭 전원을 직접 연결하여 시험한다.

2 설치 중 시험

(1) ACC선 시험

오디오 시스템 전장회로도를 참고하여 ACC 선의 위치를 파악하고 배선 테스터기를 통해 위치를 확인하여 Key On 여부에 따른 동작을 시험한다.

(2) 후진등 제어 신호선 시험

오디오 시스템 전장회로도를 참고하여 ACC 선의 위치를 파악하고 배선 테스터기를 통해 위치를 확인하여 Key On 여부에 따른 신호를 확인한다.

(3) 예비 설치 후 전원 시험

내비게이션 본체를 전용 마감재에 장착하여 패널 우드 등을 설치하기 전에 Key On에 의한 내비게이션 시스템이 정상 동작하는지를 확인한다.

(4) 예비 설치 후 후진 시험

내비게이션 본체를 전용 마감재에 장착하여 패널 우드 등을 설치하기 전에 Key On 후 후진 기어를 동작시켜 후진 카메라 영상이 표시되는지를 확인한다.

3 설치 후 시험

(1) 전원 시험

내비게이션 본체를 최종 장착 후 Key On 시 내비게이션 동작을 확인한다.

(2) 후진 시험

내비게이션 본체를 최종 장착 후 Key On을 한 다음, 후진 기어 동작에 따른 후진 영상 표시를 확인한다.

(3) 도로 주행 시험

내비게이션 본체를 최종 장착 후 Key On한 다음, 목적지를 설정하여 정상적인 경로를 따라 안내하는지 확인한다.

03 블랙박스 튜닝 시험

1 사전 시험

설치를 시작하기 전에 블랙박스 메모리를 꽂고 시거 잭 전원을 연결한 후 자동차 Key를 꽂고 한 칸 돌려 Key-On 상태로 전환한 다음 블랙박스가 정상 작동하는지 확인한다.

2 설치 중 시험

주차 중일 경우도 녹화를 하고자 한다면 상시전원(B+)과 ACC선 및 접지선에 동시에 연결하므로 회로도를 통해 위치를 찾아 퓨즈 블록의 출력 단을 배선 테스터기로 확인한다.

3 설치 후 시험

(1) 전원인가 시험

정상적으로 장착이 되어 전원이 인가되면, "주행녹화를 시작합니다."라는 음성과 함께 전방 및 후방 녹화 영상이 표시되는지 확인한다.

(2) 주차녹화 시험

차량의 시동을 끄게 될 경우 주정차 모드로 진입하는지 확인한다.

(3) 도로 주행 시험 · 검사

먼저 녹화화면전환을 시험하며 녹화 영상이 전방화면 → 후방화면 → PIPPicture-In-Picture → 시계화면 순으로 변경되며 적절히 화면이 표시되는지를 확인한다. 이어서 주행 중 녹화 시험을 하는데 주행 중 상시녹화, 충격(이벤트)녹화, 수동녹화가 정상적으로 동작하는지 확인한다.

(4) 배터리 레벨에 따른 시험 · 검사

차량 배터리 전압이 주차전압 설정 화면에서 설정한 설정 전압보다 낮아질 경우 자동으로 녹화가 중단되고 전원이 중단되는지 확인한다.

CHAPTER 3

자동차 내외장 튜닝

카 케어Car Care

3-1 CHAPTER

내외장 튜닝
자동차 광택

광택의 사전적인 의미는 빛의 반사에 의해 물체의 표면이 빛이 반사할 수 있는 윤을 말한다. 사람의 시각은 매우 중요하다. 이러한 시각적인 판단으로 모든 물체를 보게 되는데 모든 물체는 빛의 반사 비율에 따라 표면이 다르게 보인다. 결국 빛 반사가 적으면 지저분해 보이고, 반대로 빛 반사가 많으면 깨끗하게 보인다. 빛 반사율이 가장 중요한 기능을 하게 되는데 자동차에서는 자동차 표면의 페인트가 스크래치와 이물질 등에 의해 빛의 반사가 왜곡 되거나 빛을 흡수하여 자동차의 표면이 지저분하게 보인다. 말하자면 빛의 간섭이 일어나 제대로 빛 반사가 이루어지지 않는 상태를 **난반사**라고 하며, 난반사가 자동차 도장 면에 나타나면 세차 또는 코팅제, 왁스 등을 사용하여도 좋아지지 않는다.

광택 작업은 이와 같은 문제점의 근원을 찾아서 광택기, 패드, 약재를 사용하여 자동차의 표면을 정리해 주는 기술을 말하며 이물질과 스크래치를 제거하고 자동차 도장 면의 광도를 높여 빛의 반사율을 높여 **정반사**를 만드는 시공기술이다. 여기서 광도란 빛의 정반사율이 100% 기준할 때 피도면 에서 반사되는 정반사율을 측정하여 나타내는 것이다.

자동차 광택을 하는 목적은 크게 두 가지로 분류한다.

- 첫째, 자동차 도장 면의 스크래치를 정리하여 외관의 광도를 높이는 것이며,
- 둘째, 보수도장 후 나타나는 오렌지필, 흐름현상, 블랜딩 부위의 정리, 보수도장 주위 패널의 광택작업이다.

다시 말하자면 도장 면을 정리하여 외관을 향상시키는 작업이라고 할 수 있다.

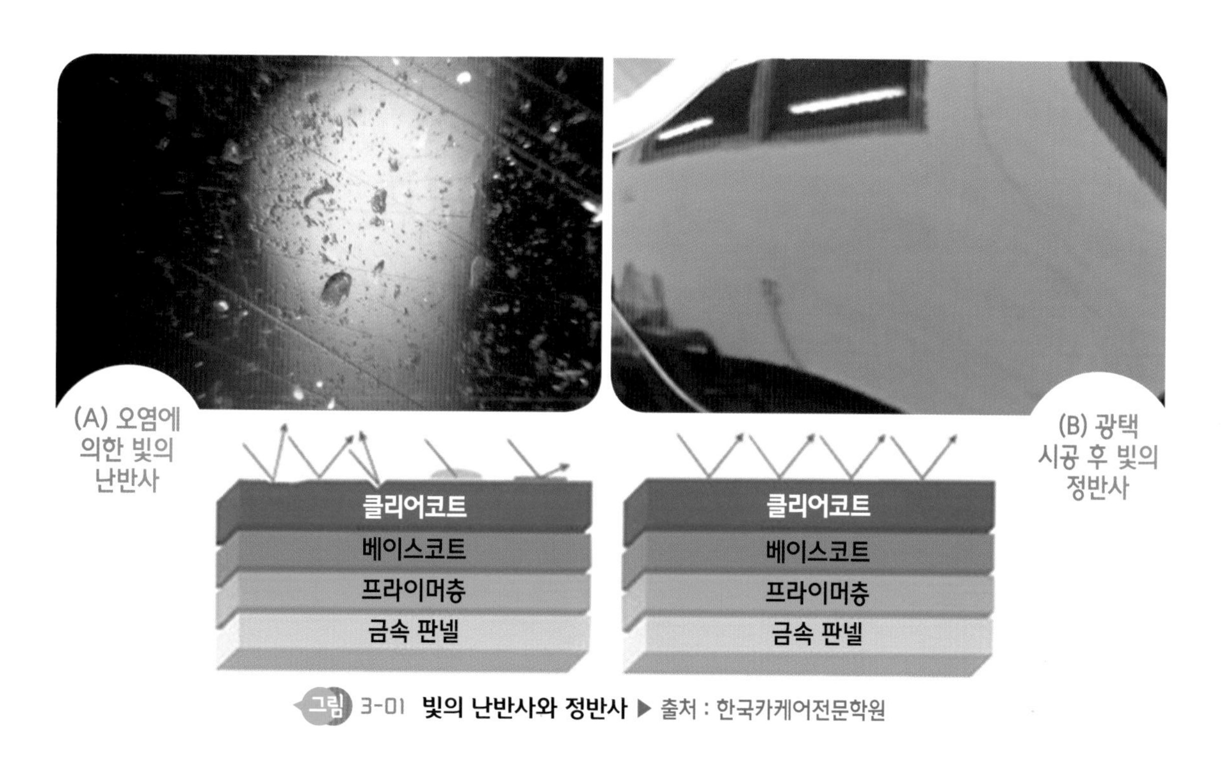

그림 3-01 **빛의 난반사와 정반사** ▶ 출처 : 한국카케어전문학원

01 자동차 도장면의 구조

제조사 출고시 대부분의 자동차의 도장 면의 구조는 보통 2코트 도장으로 **소재**(철판, 플라스틱 등), **프라이머층** 색을 정하는 **베이스층**, **클리어 층**으로 나누어진다.

자동차 대부분의 차량은 도장 면 구조가 다음과 같은 형식으로 되어있다. 소재, 프라이머층, 베이스층, 클리어 층의 구조로 나누어진다.

① **소재 :** 철판 PP 재질의 원 강판

② **프라이머/서페이스층 :** 소재와 페인트의 접착력을 증대시키면서 방음방청의 기능으로 자동차를 보호하기 위해서 사용된다.

③ **베이스 :** 차량의 색상을 나타내는 도장층이다.

④ **클리어층 :** 자동차의 외관을 수려하게 하면서 보호해주는 역할을 한다.

클리어 층 (Clear coat) 30~50 ㎛
베이스 층 (Base Coat) 20~35 ㎛
프라이머층 (Primer) 8~10 ㎛
소재 (철판, 플라스틱)

그림 3-02 **일반적인 도장 면의 구조 층 이미지**
▶ 출처 : 한국카케어전문학원

도장 면을 대각으로 각을 주어 절단했을 때 사진과 같이 보이게 된다.
자동차의 강판 프라이머(회색) 베이스(검정색) 클리어 층의 구조로 되어 있다.

그림 3-03 **자동차 실제도장 면의 확대 이미지**
▶ 출처 : 한국카케어전문학원

참고자료

● **신차의 광도**

신차 출고 시 광도는 국산차는 약 85도 수입차는 89도 정도 된다.
출고 후 약 1년이 경과하면 60도 이하로 낮아지고 3년 후 40도 정도의 광도가 된다. (광택이 거의 사라졌다고 판단) – 깨끗함을 느끼는 광도는 60도 정도.
※ 코트 자동차의 도장 면을 도색하는 방법 중의 하나로서 도료에 따라서 여러 가지의 방법이 있다. 대표적인 도장 방식은 2코트 도장이다.

– 1코트 도장
▶솔리드(solid) 도장 방식
소재에 서페이스/프라이머, 베이스와 투명 층을 동시에 도포하는 방식

– 2코트 도장
▶메탈릭(metallic), 펄(pearl) 도장 방식
가장 많이 사용되는 방법으로 소재, 서페이스/프라이머, 베이스, 투명층을 따로따로 도포하는 방식

– 3코트 도장
3coat pearl 자동차

02 자동차 도장 면을 손상시키는 원인

자동차는 일상생활의 필수품으로 많은 곳을 이동하게 된다. 차량의 도장 면을 손상시키는 원인은 대부분 도장 면 위의 오염물질과 도장 면 아래까지 흡수된 결함으로 분류된다. 최근엔 황사나 대기 오염물질과 강한 산성비가 내리고 도장 면 위의 새 분비물, 먼지, 나무수액, 산업낙진, 타르, 날린 페인트, 철가루, 도장 면의 부식, 스크래치, 산화, 얼룩 등에 의해 도장 면의 손상이 심각해지는 상황이다. 도장 면을 오염시키는 것에는 다음과 같은 여러 가지 원인이 있다.

(A) 도장 면 위의 오염물질

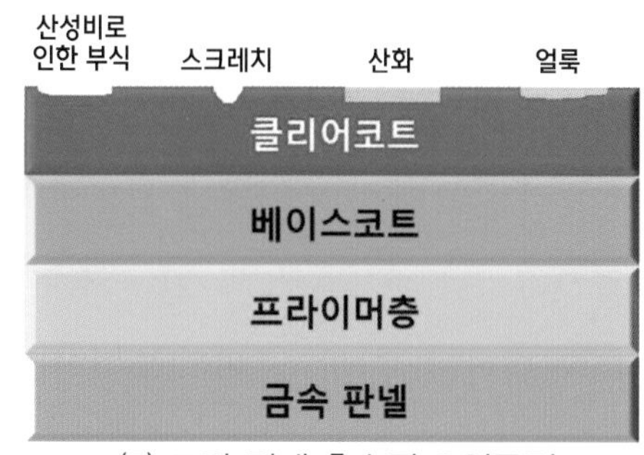

(B) 도장 면에 흡수된 오염물질

그림 3-04 도장 면 상태

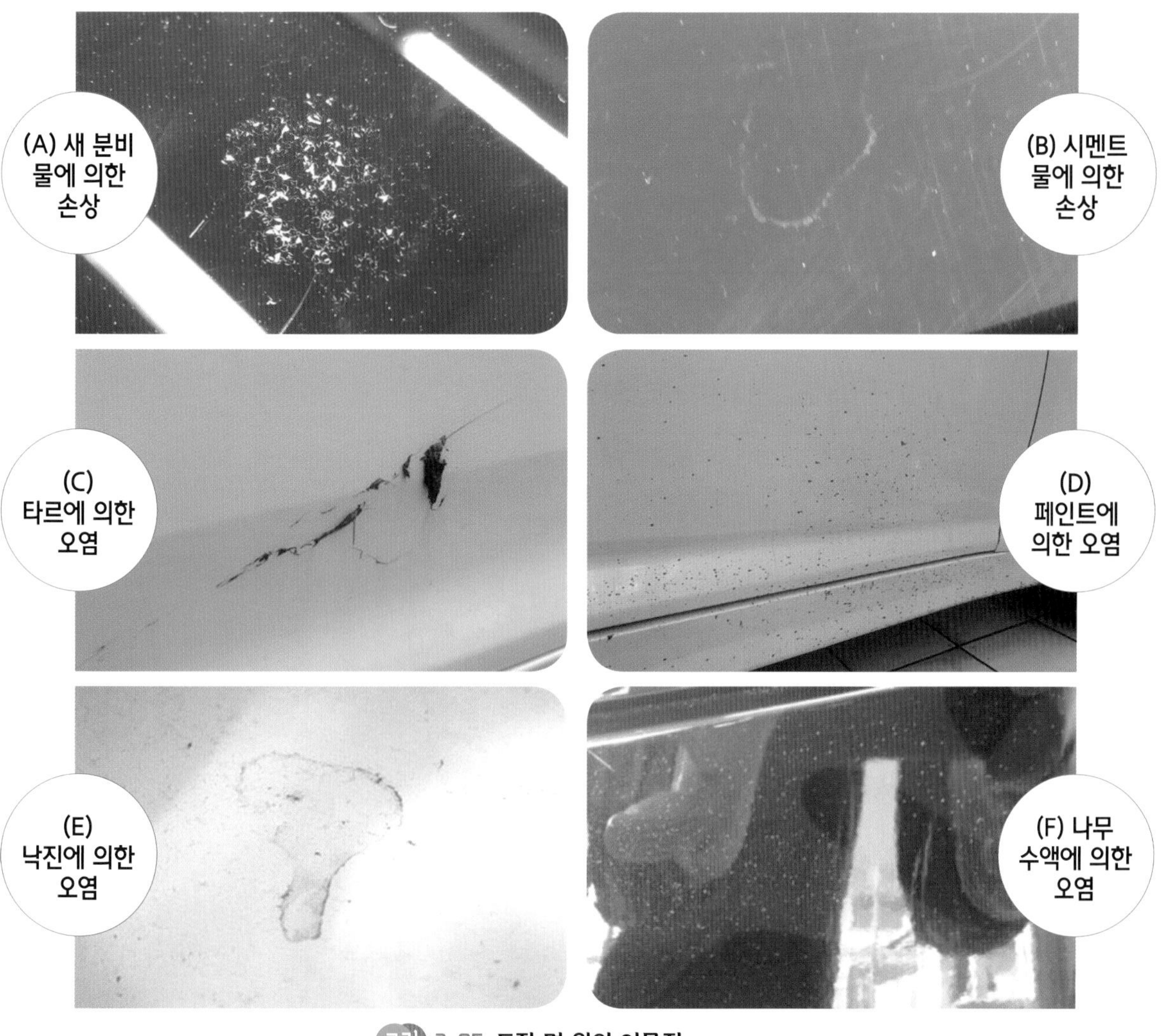

그림 3-05 도장 면 위의 이물질
▶ 출처 : 한국카케어전문학원

03 광택작업이 이루어지는 한계

광택작업으로 모든 스크래치 이물질이 제거되지 않는다. 좌측 그림의 클리어층 내에 오염물질과 스크래치는 복원 가능하지만, 우측 그림은 클리어층 손상이 되고, 베이스 또는 프라이머 소재까지 오염이 되거나 스크래치가 발생되어 복원이 불가능한 경우이다.

그림 3-06 복원 가능한 경우

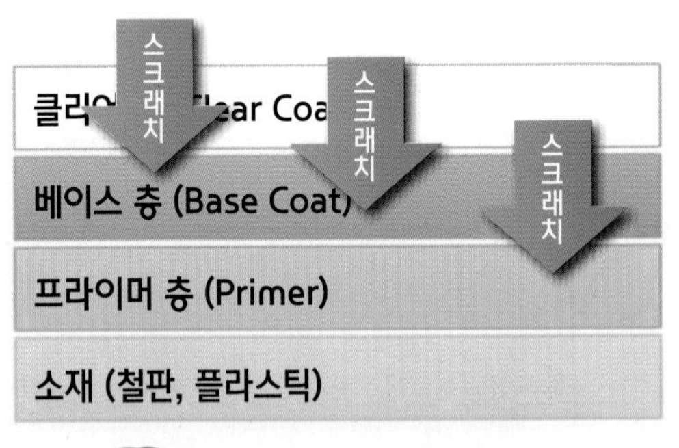

그림 3-07 복원 불가능한 경우

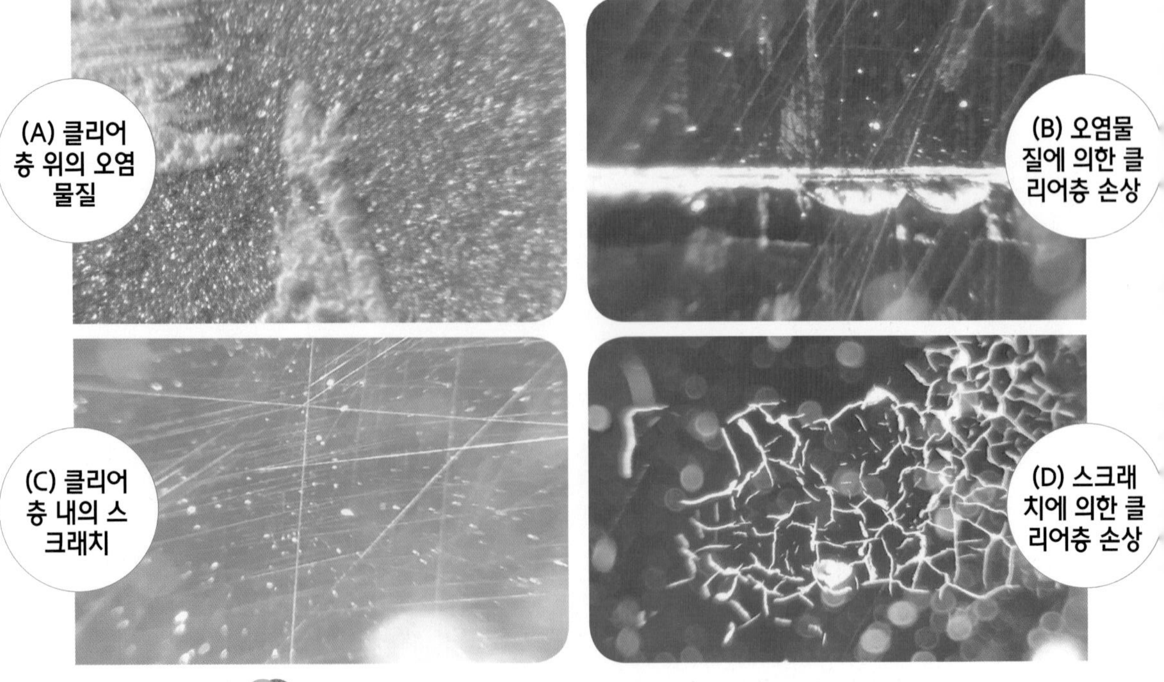

그림 3-08 복원가능 (좌), 복원 불가능(우)한 경우의 클리어층 확대 사진
▶ 출처 : 한국카케어전문학원

04 보수도장 시 광택작업을 해야 하는 경우

① 오버 스프레이로 인해 표면이 거칠 때

부분도장 작업에서 도료 더스트로 인해 표면이 거칠 때

② 차체 표면에 찌든 때가 끼어 있을 때 (조색작업 시)

화이트 계열의 밝은 색일수록 찌든 때로 인한 변색이 현저하게 발생한다. 이런 패널의 찌든 때를 제거하고 컬러매칭을 할 경우에는 정확한 색상 차이를 확인할 수 있다.

③ 블록도장 시 인접 패널의 찌든 때를 벗겨 컬러 매칭을 시키기 위해

블록도장을 하고 옆 패널의 찌든 때를 벗겨내면 도장한 패널 과의 컬러매칭을 더욱 가까이 접근 할 수 있다.

④ 보수도장 후 도막의 흐름 또는 오렌지 필이 심한 경우

도막이 흐르거나 오렌지 필 현상이 심할 경우에는 광택작업을 통해 제거하거나 완화시킬 수 있다. 위와 같이 보수도장 작업의 경우에 차량의 상태를 개선 또는 완화 등의 목적으로 광택작업을 한다.

05 광택장비 및 재료

1 광택기Polisher란?

마찰에 의해서 윤이나 광택을 내는 기계이며, 그라인더로 통칭하는 회전 공구로 에어식과 전동식이 있다. 모든 회전하는 공구를 활용하여 광택작업이 가능하다. 회전방식에 따라 싱글과 듀얼로 분류한다.

현재 가장 많이 사용되고 있는 광택기는 속도 조절이 가능하고 작업이 용이하게 제작된 것을 사용하고 있다. 광택기는 타인과 상관없이 광택기의 운영방식이 자신에게 가장 맞는 것을 선택하여 사용하는 것이 좋다.

2 광택기의 구성도

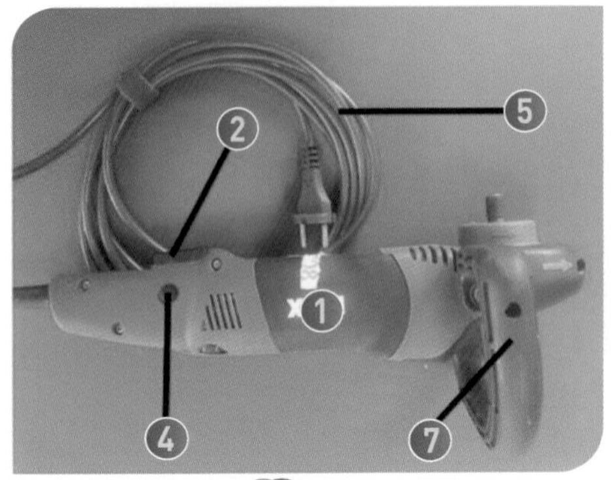

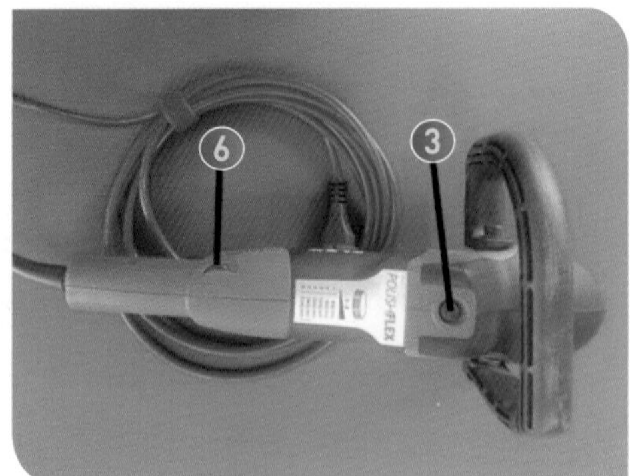

그림 3-09 **광택기의 구성** ▶ 출처 : 한국카케어전문학원

① **그라인더 :** 광택기의 본체를 지칭하는 것으로 광택기의 모터가 존재하는 부분

② **파워스위치 :** 폴리셔의 전원을 ON/OFF 시키는 스위치

③ **휠 잠금장치:** 백업패드를 제거하거나 교환시 회전을 막아주는 역할

④ **카본브러쉬 :** 회전하는 모터에 전력을 공급하는 장치로 소모품

⑤ **파워 코드 :** 전원을 연결해주는 전기 배선

⑥ **속도조절 스위치 :** 폴리셔를 구동할 때 회전수를 바꿀 수 있는 조절 스위치

⑦ **보조 핸들 :** 광택기를 구동할 때 편리한 사용을 위한 보조 핸들

3 광택기의 종류

① 싱글광택기

- 가장 많이 사용하는 장비이다.
- 로터리방식으로 중앙의 구동축을 중심으로 회전한다.

그림 3-10 **싱글광택기** ▶ 출처 : 한국카케어전문학원

- 연마력이 강하고 작업속도가 빠르나, 페인트의 손상을 줄 수 있다.
- 작업성이 좋으나, 작업자의 능력에 따라 마무리의 차이가 심하다.

② 듀얼광택기

- 오비탈 방식으로 헤드가 한 방향으로 회전하며 무작위로 진동하는 방식이다.
- 연마 시 위험성이 적으나, 로터리방식에 비해 시간이 많이 걸린다.
- 작업성은 조금 떨어지나 마무리가 깔끔하다.

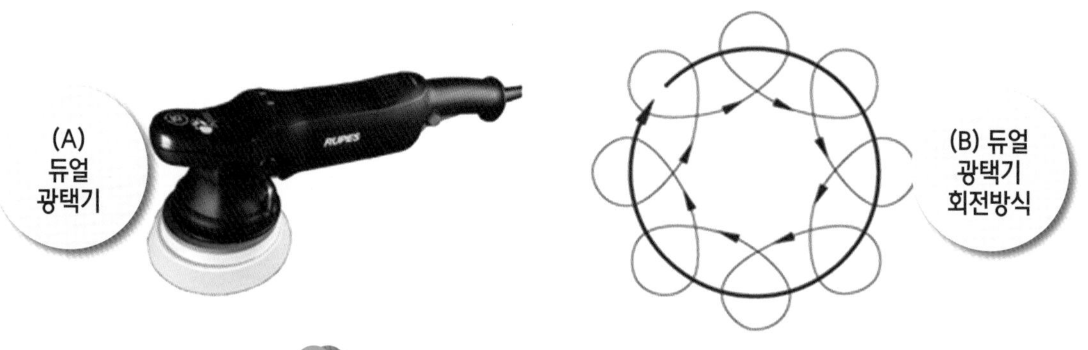

그림 3-11 **듀얼광택기** ▶ 출처 : 한국카케어전문학원

4 광택패드의 종류

① 백업패드

백업패드는 한쪽에는 폴리셔와 경합할 수 있는 나사의 홈이 있고 반대편에는 벨크로 유형으로 되어 있어서 초벌, 중벌, 마무리의 패드를 광택기기와 연결시켜주는 패드이다.

그림 3-12 **백업패드** ▶ 출처 : 한국카케어전문학원

② 다용도 중간 패드

양면이 탈부착패드로 되어 있어 패드의 다양한 사용을 가능하게 하고 얇은 패드의 경우에는 연마력이 강하기 때문에 쿠션을 주어 연마력을 감소하는 작용을 하거나 광택시공시의 기계 떨림을 잡아주는 역할을 한다.

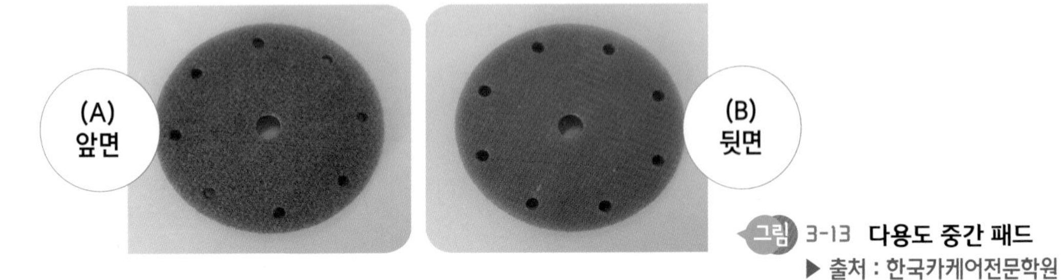

그림 3-13 **다용도 중간 패드**
▶ 출처 : 한국카케어전문학원

③ 초벌패드

초벌패드는 크게 폼패드와 양털패드로 나누어진다. 초벌 약재를 가장 효과적으로 잡기 위한 강도와 홈이 파여 있어서 광택약재가 각각의 홈에 안착되어 자동차 표면의 이물질과 스크래치를 가장 효과적으로 제거할 수 있는 패드이다. 그 중 가장 널리 사용되어지는 양털패드는 거의 모든 광택약재와 호환이 가능하며 서로 털이 엉김으로써 컴파운드의 가루를 가장 효과적으로 잡아주는 역할을 한다. 컴파운드의 가루는 사용하면 할수록 잘게 부서지는 성질이 있으므로 일반 폼 패드에서는 잡아주지 못하고 낭비만 하게 되는데 양털패드는 각각의 양털 엉김으로 어떠한 크기의 약재도 효과적으로 잡아준다. 하지만 연마력이 강하여 초벌 기계자국 (스웰마크)을 남긴다.

현재까지는 초벌만으로 광택을 완성 시킬 수 있는 효과적인 약재가 개발되어지지는 않았으나 광택기술에 따라서 스웰마크를 최소화 할 수가 있다. 양털패드는 단모, 중모, 장모, 초장모 등의 여러 종류가 있다.

그림 3-14 **양털패드** ▶ 출처 : 한국카케어전문학원

④ 중벌패드

중벌패드의 주된 기능은 초벌에 남긴 미세한 스크래치를 제거하는 역할을 한다. 초벌의 폼 패드보다 부드럽고 중벌 약재를 잘 움켜질 수 있는 홈의 크기이다.

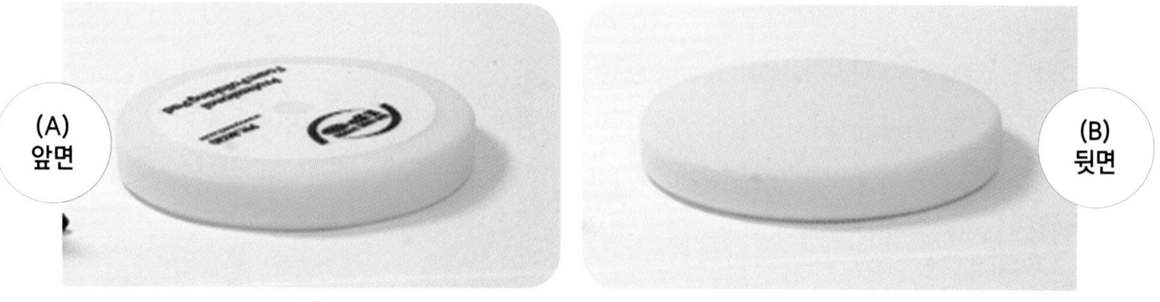

그림 3-15 **중벌패드** ▶ 출처 : 한국카케어전문학원

⑤ 마무리패드

마무리패드는 가장 부드러운 패드로서 중벌의 미세 스크래치를 제거하는 역할이 크다. 마무리 약재를 잘 움켜질 수 있는 홈의 크기이다.

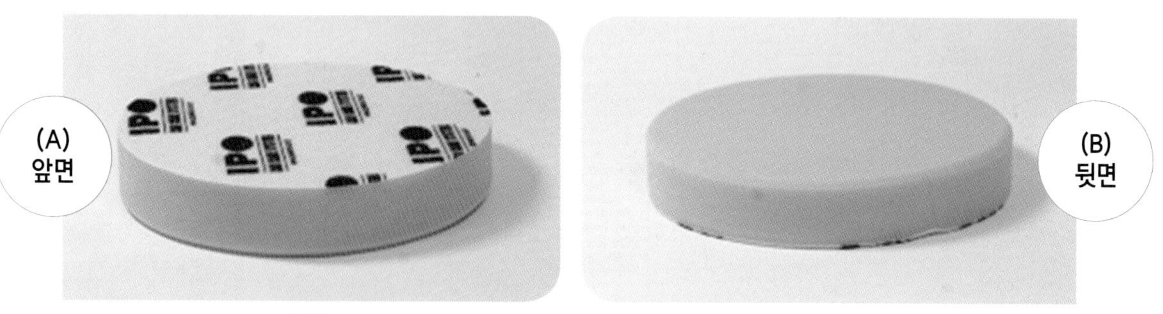

그림 3-16 **마무리패드** ▶ 출처 : 한국카케어전문학원

5 광택패드의 보관방법

모든 패드는 둥글게 회전한다. 광택기에 장착되어 있거나 불안전하게 서 있을 경우에는 기후나 온도 습도에 반응하여 조금씩 휘어지는 현상이 발생하게 된다. 패드가 찌그러짐이 발생하였을 때 떨림 현상이 발생하고 광택기의 수명이 단축되면서 올바른 광택 기술을 발휘하기가 힘들어 진다. 패드는 항상 평평한 곳에 밀착되게 보관을 해야 한다. 또한 양털패드는 가죽으로 되어 있기 때문에 그늘진 곳에 보관해야 된다. 햇빛에 건조할 경우 가죽은 특유 울음현상이 발생하여 사용하지 못한다. 모든 패드는 사용 후 반드시 세척해야 한다.

6 광택제의 종류

광택제는 유성과 수성으로 나뉘며, 유성광택제는 실리콘 성분이 포함되어 있는 약재로써 기름성분이 많아 스크래치나 이물질 등을 가려서 보이지 않게 하는 성질이 있다. 카 샴푸를 이용하여 세차할 경우 기름성분이 씻겨나가면서 스크래치나 이물질이 다시 보이게 된다. 스크래치가 드러나므로 광택시공을 다시 해야 되는 경우가 많이 발생된다. 수성 광택제는 기름성분이 거의 포함되어있지 않고 물에 잘 녹는 미네랄 오일로 구성되어 있기 때문에 작업이 편하고 현재 가장 널리 사용되고 있는 광택제다.

다음은 광택 약재의 종류이다.

① 초벌약재 (컴파운딩)

스크래치등이나 이물질을 제거하기 위한 약재로 거친 약재를 주로 사용 한다. 평균적으로 #1,000~#2,500 정도로 사용한다.

② 중벌약재 (폴리싱)

초벌의 패드 스크래치를 잡고 광도를 높이기 위한 약재다. 평균적으로 #3,000 ~ #4,000 정도로 사용한다.

③ 마무리약재 (피니싱)

중벌패드의 스크래치를 잡고 광도를 높이기 위한 약재다. 평균적으로 #5,000 이상으로 사용한다.

그림 3-17 **광택 약재** ▶ 출처 : 한국카케어전문학원

참고자료

● **'방'(#)의 의미**

'방'이란 일반적으로 사용되어지는 사포의 '방'와 같이 구별되어진다. 일정한 면적당 들어있는 입자의 알갱이 수라고 생각하면 된다. 가령 #1000 이라면 일정한 면적에 천개의 입자가 들어있다고 보면 되고, #2000 이라면 동일한 면적에 2000개의 입자가 들어 있다고 생각 하면 된다. 방의 숫자가 낮을수록 면적을 가득 메꾸기 위해서 입자가 커지고 방의 숫자가 높을수록 동일면적을 메구기 위해서는 입자가 작아진다. 결국 숫자가 낮을수록 입자가 커져서 거칠고 숫자가 높을수록 입자가 작아져서 곱다.

7 광택 시공에 필요한 부자재

그림 3-18 **광택시공에 필요한 부자재** ▶ 출처 : 한국카케어전문학원

8 광택 조명

자동차 광택 시공 시 가장 빛 반사가 잘 일어나는 곳은 직사광선 아래이다. 그러나 직사광선 아래에서 시공은 여러 가지 제약이 따르기 때문에 직사광선이 닫지 않는 그늘진 곳에서 세차 및 광택 시공이 이루어진다. 광택 시공 시 조명의 중요성은 광택 시공의 완성도와 직결되어 있다. 광택 시공은 차체의 표면의 빛 반사를 눈으로 보면서 시공 기술을 발휘 하는데 각 패널 부분에 조명이 없다면 작업자의 눈에 스크래치와 이물질이 보이지 않기 때문에 완성도가 떨어지는 작업을 하게 된다. 또한 광택 시공 시 고객 만족도를 높이기 위해서 자동차 표면에 반사된 조명을 많이 배치한다. 적절한 조명 배치는 홍보효과와 고객의 호응을 유발할 수 있기 때문에 중요한 부분이다.

① 광택 조명의 종류

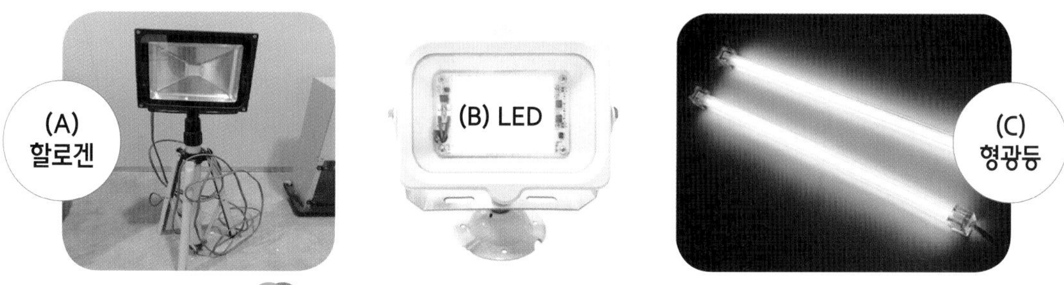

그림 3-19 **광택 조명의 종류** ▶ 출처 : 한국카케어전문학원

② 조명기구의 특성

각각의 조명은 특유에 주파수가 있다. 사람이 볼 수 있는 가시광선, 자외선, 적외선 조명에서도 직사광선에 보이지 않는 스크래치가 야간에 특수조명과 주파수가 맞으면 스크래치가 보이는 경우도 있다.

③ 스웰마크

스웰마크 기계자국으로 초벌 작업 시 보이는 초벌 흠집이다. 초벌흠집는 광택기의 방식과 약재 패드의 3박자가 잘 이루질 때 적게 발생하지만 운영을 잘 못 했을 때는 중벌시공이 힘들어 진다. 싱글광택기의 운영기술이 그만큼 중요하다.

④ 홀로그램

홀로그램은 특조명이나 직사광선아래에서 자동차 도장 면의 스크래치나 이물질이 없어도 발생하는 입체 빛 반사 자국이다. 홀로그램이 나타나는 경우 광택기의 잘못된 운영방식으로 인한 도장 면의 미세한 부분에 굴절현상이 발생된다. 홀로그램은 광택기를 어떻게 운영하는지 여부에 따라 나타나지 않는다.

06 광택 작업 방법

1 작업순서와 방법의 준비

① 준비공정이 끝난 후 연마작업 공정 순서를 준비한다.
② 작업에 필요한 공구 및 기계, 약품 등을 준비한다.
③ 귀마개 등 작업에 필요한 보호구를 착용한다.
④ 안전에 필요한 조치를 취한다.

2 광택 작업 특성

① 적절한 패드 및 연마제를 선택 후 광택기를 작동한다.
② 광택기와 자동차 도장 면은 항상 평형을 유지하여 자동차 도장 면의 손상을 방지한다.

③ 연마공정으로서 광택기 구동은 대략 2,000~2,500RPM이 적당하나 연마제 및 패드성능에 따라 달리할 수 있다.

④ 원활한 광택작업을 위하여 광택기는 우측에서 좌측으로 반복 운동을 원칙으로 하며 이때 패드면의 2/3가 겹치도록 한다.

⑤ 자동차 표면에 집중적인 요소가 필요한 곳은 2~3회 반복 작업을 실시하며 작업 중 발생하는 고온으로 인하여 표면이 손상될 위험이 있으므로 제각각 약간의 시간차를 두고 작업한다.

⑥ 스웰마크 및 홀로그램 제거는 광택작업을 할 때 작업숙련도에 따라 시간 및 완성도에 많은 차이가 있다. 스웰마크 및 홀로그램은 대부분 거친 연마제나 거친 패드를 사용함으로 인해 생기는 하나의 결함이므로 작업자의 올바른 작업 순서 및 방법의 선택이 중요하다. 특히 이러한 현상은 실리콘오일이 많이 함유되어 있는 제품일수록 심하게 나타난다. 고운 패드 및 실리콘오일의 함유가 적은 고운 연마제를 약 1500~1750RPM으로 연마공정과 동일하게 작업을 한다. 특히 이때 수시로 패드를 세척함으로써 패드면의 불순물 및 이물질 등이 흡착되지 않도록 한다.

3 작업 후 마무리 공정

① 광택 작업의 마지막 단계로서 이미 탈착된 각종 부착물을 부착하며 이때 자동차 표면에 손상이 가지 않도록 조심스럽게 하여야 한다.

② 커버링 테이프, 마스킹 테이프 등 고무 및 몰딩류의 보호를 위해 부착한 보호제를 제거한다.

③ 아웃사이드 핸들, 몰딩사이 등 연결부위의 이물질을 제거한다.

④ 자동차 실내로 들어간 광택가루 등을 제거한다.

4 광택 작업 시 주의사항

① 안전 장비 착용

② 직사광선에서 작업금지

③ 광택 전 이물질 완전제거

④ 광택 작업 외 부위는 마스킹, 커버링으로 보호

⑤ 작업 전 광택 약재는 충분히 흔들어준다

⑥ 작업부위 적정크기는 가로세로 50~60cm로 작업

⑦ 지속적으로 깨끗이 패드세척

⑧ 자동차표면 온도 상시 체크

⑨ 광택약재는 상온에서 보관

⑩ 패드보관 시 그늘진 곳에 보관

⑪ 타올은 각 용도별로 보관

⑫ 광택기 사용 후 청결하게 정리정돈

5 광택 작업 공정

1단계 차량상태 확인

차량 입고 시 자동차 표면의 이물질과 스크래치가 제거되는지 제거되지 않는지 상태를 판단하여 고객관리카드 또는 시공 확인서를 작성한다. 고객관리카드 및 시공확인서에 차량의 상태를 꼼꼼하게 체크하여 고객에게 미리 공지 하여야 한다.

2단계 세차

광택 전 세차는 도장 면의 이물질과 오염물질을 확인하고 제거하기 위함이다.

이물질 제거

세차 후 지워지지 않는 각종 이물질을 제거하기 위한 시공으로 타르제거, 철분 제거, 벌레 제거, 스티커 제거 등의 이물질과 오염 물질을 적절한 약재를 사용하여 제거한다.

4 단계 마스킹과 커버링

차량의 플라스틱 부분과 고무재질 부위는 광택 작업 시 광택약재로 인해 손상을 입거나 변형이 이루어진다. 이러한 부분을 마스킹과 커버링으로 보호하여 자동차의 손상을 만들지 말아야 된다. 차량의 마스킹과 커버링 부분의 우선순위는 광택 시공을 할 때 회전하는 광택기에 손상을 입는 플라스틱, 고무몰딩, 선루프의 이음세, 안테나, 와이퍼, 도어 손잡이, 도장이 없는 플라스틱 범퍼 부분, 와이퍼 등의 시공을 하지 않는 부분은 보호해 주어야 한다. 광택시공을 할 때 광택약품이 들어가거나 끼이는 부분으로 뒤처리가 곤란한 앞문과 앞 휀더 사이의 문 앞 유리창의 공기 환풍구, 라디에이터, 그릴, 엠블럼 등에 마스킹과 커버링을 해야 한다.

5 단계 초벌 (컴파운딩 : Compound)

초벌 시공은 자동차 표면의 이물질제거와 스크래치를 제거하는 작업이다. 초벌은 보통 폼 패드나 양털패드를 사용하여 초벌약재의 배합으로 시공하고, 클리어층 표면을 깎아 내는 작업으로 이물질 및 스크래치를 제거하는 역할을 한다.

6단계 중벌 (폴리싱 : Polish)

초벌의 데미지와 스웰마크를 최대한 완화시켜 주는 작업이다. 패드 전체가 도장 면에 밀착 되서 회전하도록 시공해야 한다.

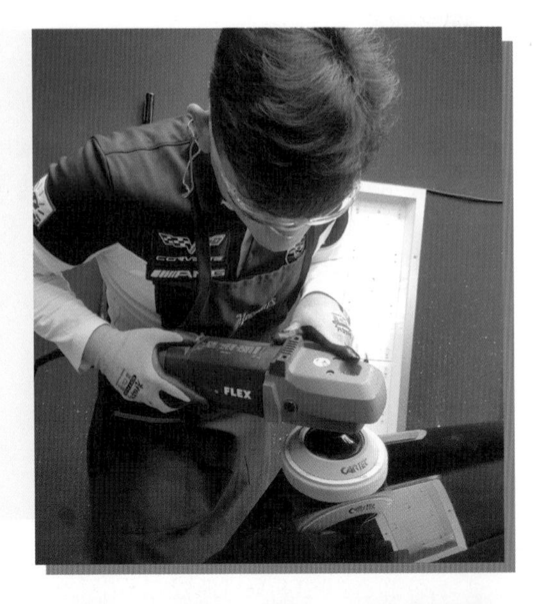

7단계 마무리 (피니싱 : Finish)

중벌 패드의 흔적 제거와 홀로그램을 제거하는 작업이다. 중벌단계와 동일하게 패드 전체가 도장면에 밀착 돼서 회전하도록 시공한다.

8단계 마무리 세차

광택작업 후 잔여물을 정리(약재가루, 마스킹/커버링 접착제)하는 작업이다.

9단계 코팅 작업

광택 후 광도를 더욱 높여주는 역할을 하며 도장 면을 보호하는 작업이다.

10단계 최종 점검

고객에게 차량인도 전 최종적으로 전체를 점검하여 코팅 후 남은 잔사나 여러 결함을 확인하여 보수 한다.

참고자료

● 컬러샌딩

컬러샌딩 공정은 보수도장을 한 도막 면을 연마하여 평활한 표면을 확보하기 위한 작업을 말한다. 컬러샌딩의 궁극적인 목적은 도막에 묻은 티, 작은 스크래치, 이물질을 제거하고 오렌지 필 상태를 완화하여 일정한 도막 면을 확보하여 출고되었을 때의 도막과 같은 상태를 회복하는 것이다.

컬러 샌딩은 오렌지 필이 옆 패널과 비교하였을 때, 심하게 차이가 나는 경우 또는 광택작업으로 제거하기 어려운 스크래치 등을 미리 컬러샌딩 하여 광택작업의 원활한 진행을 위한 공정이다. 컬러 샌딩은 일반 광택보다 약재의 소모가 심하며, 또한 꼼꼼하고 치밀하게 도막을 판별하고 작업하여야만 자칫 실수로 놓치는 부위를 만들지 않을 수 있다. 그러므로 한 번에 초벌작업을 끝내는 것 보다는 시간의 여유를 가지고 여러 차례로 나누어서 작업하기를 권장한다.

07 마스킹 및 커버링

광택 작업에서 세차 못지않게 중요한 부분은 마스킹과 커버링이다. 마스킹은 잘 찢어지는 종이테이프형식으로 자동차 도장 면 이외의 손상이 입지 않도록 보호를 해주는 것이다. 처음 마스킹을 시도하다 보면 의외로 쉽지 않은 작업임을 알 수 있는데, 방법 및 순서를 숙지하고 있지 않으면 시간 및 자재의 낭비로 연결되고 이는 광택작업의 원활한 진행에도 방해가 된다. 작업 전 작업 순서 및 방법 등을 정리한 다음 차분하게 진행하면 실수를 최대한 줄이면서 작업의 완성도를 높일 수 있다.

1 마스킹의 목적

① **작업하는 차량의 오염방지 :** 작업부위 이외의 오염을 방지한다.

② **먼지, 이물질 방지 :** 광택기 회전으로 인한 에어의 발생으로 패널과 패널 틈새 등으로부터 발생되는 먼지나 이물질을 방지한다.

③ **광택작업으로 인한 손상 방지 :** 유리, 플라스틱 부분, 몰딩, 전조등 등 광택기의 구동에 의해 손상될 수 있는 모든 부분들을 보호하기 위해서이다.

2 마스킹 테이프의 선택기준

① **안정된 접착력과 접착성이 우수할 것 :** 광택작업 전 마스킹하는 곳의 소재에 붙이기 쉽고 확실하게 붙으며 안정된 접착력의 테이프가 요구된다.

② **커트하기 쉬울 것 :** 손끝으로 쉽게 끊어져야 한다. 너비가 18mm이상이 되면 테이프 커트의 양부가 작업시간에 영향을 준다.

③ 세로로 찢어지거나 비스듬히 찢어지지 않고 원하는 상태로 찢어질 것.

④ 내용제성 및 내열성이 있을 것.

⑤ 부착이 쉬울 것.

⑥ 떼어내기 쉽고 마스킹 했던 부위에 이물질이 남아있지 않을 것.

⑦ 유연성이 있을 것.

3 마스킹에 어려움을 느끼는 이유

① 마스킹은 쉽게 접근했다가 낭패를 보는 작업이다. 의외로 시간 및 숙련이 필요로 하므로 아래의 사항을 숙지하기 바란다.

② **마스킹 방법을 모른다 :** 어디를 어떻게 작업해야 할지 모른다.

③ **마스킹 순서를 모른다 :** 어디서부터 작업해야 하는지 구체적인 순서를 모른다.

④ **마스킹 시간이 길다 :** 마스킹 작업이 숙련되지 못하고 미숙하다.

⑤ **미관이 좋지 않다 :** 작업이 조잡하고 어지러워 시각적으로 불편하다.

⑥ **낭비가 많다 :** 작업미숙으로 인하여 자재, 시간의 낭비가 많다.

4 마스킹 테이프

종류는 12mm, 15mm, 20mm, 24mm, 48mm 등이 있다.

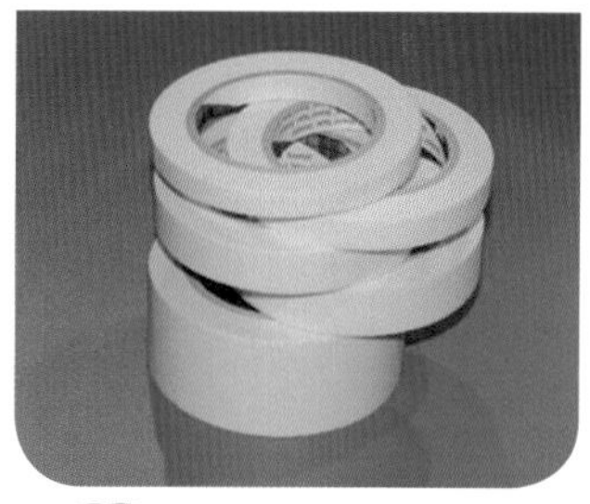

그림 3-20 마스킹 테이프

5 커버링 테이프

커버링 테이프의 종류는 450mm, 650mm, 900mm, 1500mm 등이 있다.

그림 3-21 커버링 테이프

▶ 출처 : 한국카케어전문학원

3-2 CHAPTER

내외장 튜닝 도장 코팅

코팅Coating의 사전적 의미를 보면 바탕이 되는 재료(모재)의 표면에 엷은 막을 덮어 씌워 표면의 질을 향상시키는 것이다. 자동차에서 코팅은 광택에 의해 개선된 차체 표면의 상태를 유지, 관리하기 위함이다. 코팅에서 가장 중요한 것은 적정한 양을 사용하는 것이다. 적정한 양을 사용하여야만 최대한의 효과를 얻을 수 있다. 또한 자동차 도장 면은 스크래치와 오염물질에 의해 손상이 이루질 수 있다. 자동차의 도장 면을 보호하고 자동차 외관의 수려함과 동시에 표면의 산화를 사전에 방지하기 위한 것이 코팅의 목적이다.

01 코팅의 종류

고체왁스, 액체왁스, 유리막코팅제, 티타늄코팅제, 크리스탈 코팅제 등이 있다.

1 고체왁스

- 왁스가 묻지 않은 전용 어플리케이터 부분으로 도장 면을 문지르게 되면 스크래치가 있기 때문에 전용 어플리케이터의 전면에 왁스를 묻혀야 한다.
- 건조되기 쉬우므로 사용 후에는 반드시 캔의 뚜껑을 확실하게 밀폐시켜 두어야 한다. 건조되어 굳어지면 사용할 수 없으므로 폐기한다.
- 전용 어플리케이터에 대량의 왁스를 한번에 묻히지 않도록 한다.
- 직사광선에 왁스가 노출되지 않도록 한다.

그림 3-22 고체왁스

2 액체왁스

① **장점 :** 넓은 면적을 쉽게 작업할 수 있다.

② **단점 :** 필요 이외의 부분에 왁스가 뿌려질 가능성이 높다. 스프레이 왁스는 사용 전에 잘 흔들어서 속의 성분을 균일화 시킨다. 도장 면의 1개소에 집중적으로 분사하는 게 아니라 전면에 걸쳐 균일하게 도포한다. 일정한 거리(약 20~30cm)를 두고 분무해야 한곳에 집중적으로 분무되는 것을 예방할 수 있다. 도장 면에 분사하면 왁스가 마르지 않도록 깨끗한 걸레로 가볍게 문질러 주면서 전체에 왁스가 퍼지도록 작업한다. 스프레이식의 경우 용기를 거꾸로 하면 왁스의 분사가 나쁘게 되거나 나오지 않으므로 가능한 세워서 사용한다. 미세한 부분이나 윈도우의 주변, 용기를 거꾸로 해야 할 곳에 왁스를 칠할 때는 일단 걸레에 왁스를 스프레이 한 다음 도장 면에 칠한다. 글라스 등의 부위에는 좋지 않은 영향을 미칠 수 있으므로 매뉴얼에 따라 사용한다.

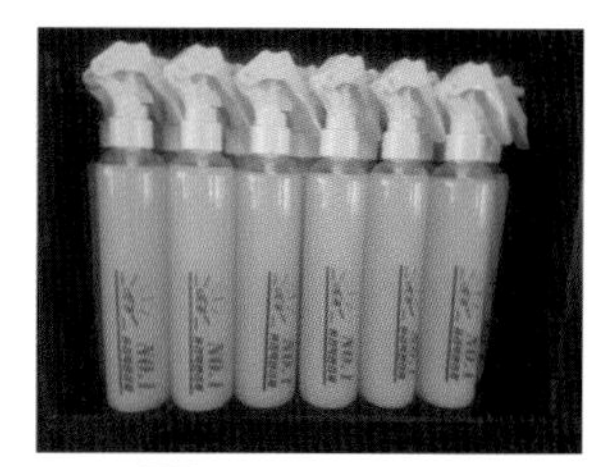

그림 3-23 액체왁스

3 유리막 코팅제

코팅제는 내부의 성분이 분리되거나 또는 침전되므로 사용 전에 잘 흔들어 준다. 고체왁스처럼 스펀지나 융에 코팅제가 스며들도록 하고 코팅제가 묻지 않은 부분으로 직접 보디를 문지르지 않도록 한다. 작업 중에 뚜껑을 여는 것만으로 건조되는 경우는 없으나 보관 시에는 뚜껑을 확실하게 닫아둔다. 또 뚜껑을 닫기 전에 뚜껑의 주위나 뚜껑 안쪽의 왁스를 닦아두면 다음에 열기 쉽다. 그리고 코팅제는 경화되는 시간이 필요하므로 코팅 후 24시간 이내에는 세차를 하지 않는 것이 좋다.

그림 3-24 유리막 코팅제

용기 내의 성분이 분리되거나 침전되어 있는 경우가 있으므로 사용 전에 잘 흔들어서 사용한다. 코팅제는 스펀지면 전체가 젖을 정도로 스며들게 한다. 다량으로 지나치게 칠하지 않도록 한다. 클리너 성분이 많은 코팅제의 경우 그대로 두면 그 부분만 변색될 수 있으므로 용기에서 직접 도장 면에 흐르게 해서는 안 된다. 일정시간 경화되는 시간이 필요하므로 매뉴얼에 따라 작업한다.

4 코팅제 선택 시 유의사항

① 휘광이 뛰어나야 한다.

② 지속력이 오래가야 한다.

③ 코팅력이 우수하여야 한다.

④ 작업이 쉬어야 한다.

⑤ 세차가 간단해야 한다.

⑥ 방어력이 뛰어나야 한다.

⑦ 수작업이 가능해야 한다.

⑧ 유지 및 관리가 편해야 한다.

02 자동차 헤드라이트 복원 및 코팅

1 헤드라이트 복원을 하는 이유

헤드라이트의 유리재질로 인한 상해 비중이 높아져 자동차 관리법 시행규칙을 바꾸어 1997년 이후 출시되는 차량의 헤드라이트는 전차종이 플라스틱 재질로 변경되었다. 자동차의 헤드라이트는 PC(폴리카보네이트)라는 재질로 변질이 된다. 변질이유로는 자외선, 산성비, 주행 시 돌 및 벌레로 인한 스톤 칩 발생, 헤드라이트 내부의 고열로 인한 백태현상 등이 있다. 이런 증상이 나타나게 되면 외관상으로 보기가 좋지 않고, 헤드라이트의 불빛이 멀리 나가지 못해 야간 운행 시 불빛이 약하게 느껴지고 비가 오는 날이나 밤에는 사고의 위험성이 높아지게 된다.

참고자료

● **폴리카보네이트 (Polycarbonate)**

열가소성 플라스틱으로 내열성 내충격성 에 강한 고기능성 플라스틱이다. 하지만 내구성과 내충격성에 뛰어난 기능을 자랑하지만 스크래치에는 약하다.

2 헤드라이트 복원의 종류

① 광택기를 이용한 헤드라이트 복원

헤드라이트 복원의 초기 작업방법으로 P800, P1,000 짜리 사포를 이용하여 변색된 부분을 제거한 다음 P2,000 사포로 1차 연마작업, P3,000 사포로 2차 광택작업을 한다. UV막을 벗겨내고 광택작업을 한 것이기 때문에 수명이 짧다.

② 유리막 코팅을 이용한 헤드라이트 복원

광택을 통한 헤드라이트 복원의 수명이 짧은 이유를 보안하기 위해 나온 방법으로 마지막 과정에서 유리막 코팅을 하여 보완작업을 한 것이다.

③ UV코팅제를 이용한 헤드라이트 복원

P800 사포를 이용하여 변색된 부분을 완전히 제거한 후 P1000, P1500으로 연마작업을 한 후 스프레이방식으로 뿌려준다.

UV코팅은 UV도료가 UV조사기를 통해 발산되는 강한 UV를 흡수하여 중합작용이라는 화학작용을 일으켜 수지에 안착되는 방식이다. UV코팅은 자연경화가 되지 않기 때문에 항상 UV조사기가 필요하다.

④ 라이트복원 전용제를 이용한 헤드라이트 복원

UV코팅 복원방식은 많은 비용이 발생된다. 일반적인 외형복원 업체에서는 이렇게 발생되는 비용을 저렴하면서도 효과적으로 복원하는 방식을 선호하게 되어 생겨난 방법이 라이트 복원제를 사용하는 시공방법이다. 라이트 복원제를 이용하는 복원방식은 현재 가장 많이 사용된다.

3 헤드라이트 복원방법

1단계 마스킹 작업

사포 작업 시 주변 표면의 손상을 방지 한다.

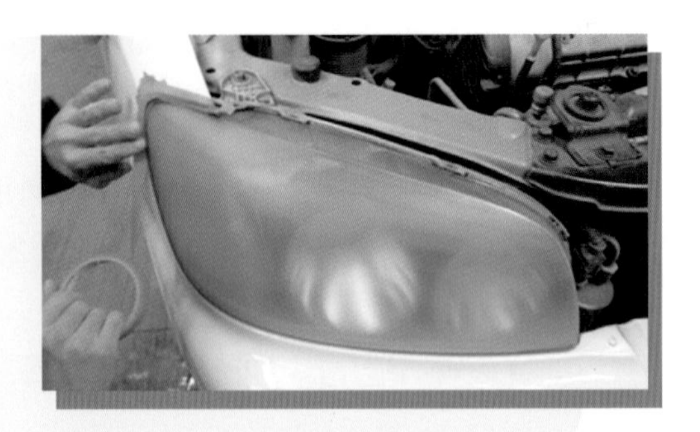

2단계 1차 샌딩

기존의 코팅을 제거한다.

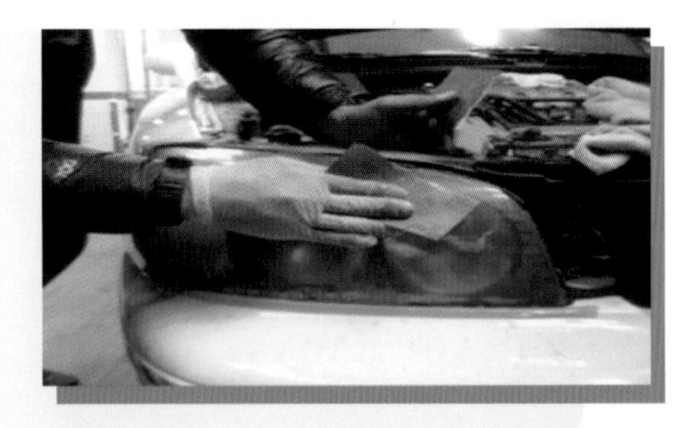

3단계 2차 샌딩

코팅제가 안착할 수 있도록 홈을 만든다.

4단계 커버링

헤드라이트를 제외한 주변 부위에 라이트복원제가 도포되는 것을 방지한다.

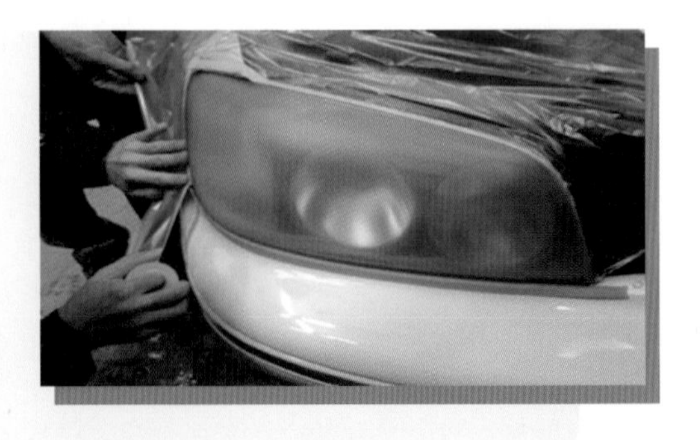

탈지 작업

라이트 복원제가 잘 부착될 수 있도록 탈지 작업을 한다.

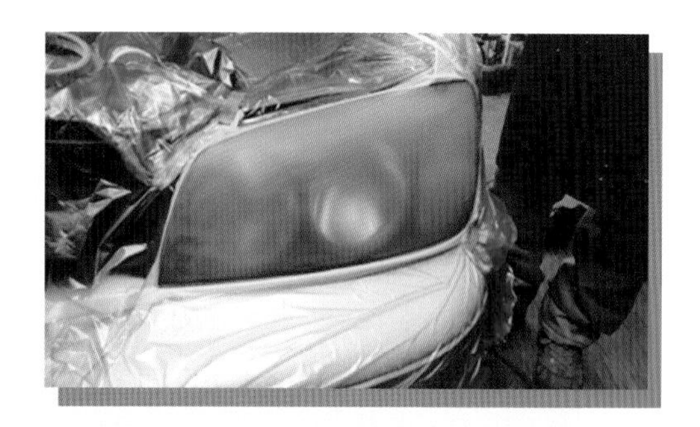

라이트복원제 도포

스프레이 방식으로 라이트 복원제를 도포한다.

커버링 제거

라이트복원제의 건조가 끝나면 커버링을 제거한다.

 3-25 **라이트 복원 방법**
▶ 출처 : 한국카케어전문학원

3-3 CHAPTER

내외장 튜닝
덴트 복원

덴트란 사전적 의미로는 찌그러진 모양을 말한다. 엄밀하게 구분한다면 자동차 외형의 변형을 복원할 때 덴트라고 하는 것은 보수도장의 과정 없이 원형의 차체 형태로 되돌리는 일련의 행위인 덴트 리페어로 이해해야 한다. 명칭은 PDRPaintless Dent Repair으로, 페인트의 손상없이 펴냄을 뜻한다.

자동차의 외형은 강판을 굴곡, 굴절하여 형태를 결정하며, 도료를 덧입혀 놓음으로써 완성된다. 자동차 외관의 기본소재인 강판 재료와 도막은 외부의 물리적 충격에 의해 함께 같은 형태로 변형되는데, 불과 수년 전만 해도 자동차 외관에 변형이 발생하면 도장 면의 손상 여부와는 상관없이 연마, 연삭, 굴절의 과정과 퍼티를 도포하여 페인트를 분사함으로써 외형을 복원하였다.

그에 비해 덴트 리페어는 차량 외형 패널에 페인트 손상 없이 발생된 변형을 일련의 도장과정 없이 특정한 공구와 장비를 이용하여 원래대로 복원하여 자동차의 내구성 향상, 수려한 외관, 상품의 가치를 높이는 행위라고 할 수 있다.

덴트 리페어는 특정한 장비와 공구를 사용하여 차량 외부의 페인트의 손상이 없는 변형을 작업하는 행위이다. 따라서 보수도장으로 인하여 생길 수 있는 차량 가치의 하락을 막고, 옆 패널과의 이색현상이 없으며, 도료분사로 인한 환경오염을 방지하는 장점이 있다. 또한 덴트 리페어는 변형이 초래된 자동차 외형을 도장의 작업과정 없이 복원하여 작업의 효율성을 높이고 합리적으로 해결하여 차량 소유자의 만족도를 높이는 것은 물론, 낭비되는 자원을 절약할 수 있다. 도장 면의 손상 없는 외관의 변형은 상황과 여건에 따라 덴트 리페어 기법을 활용하는 것이 여러모로 편리할 것이다.

01 자동차의 기본 구조

자동차의 외관구조는 크게 아래의 사진과 같이 나뉜다. 덴트 복원은 라디에이터 그릴과 앞 범퍼, 뒷 범퍼를 제외하고 덴트 복원이 가능하다.

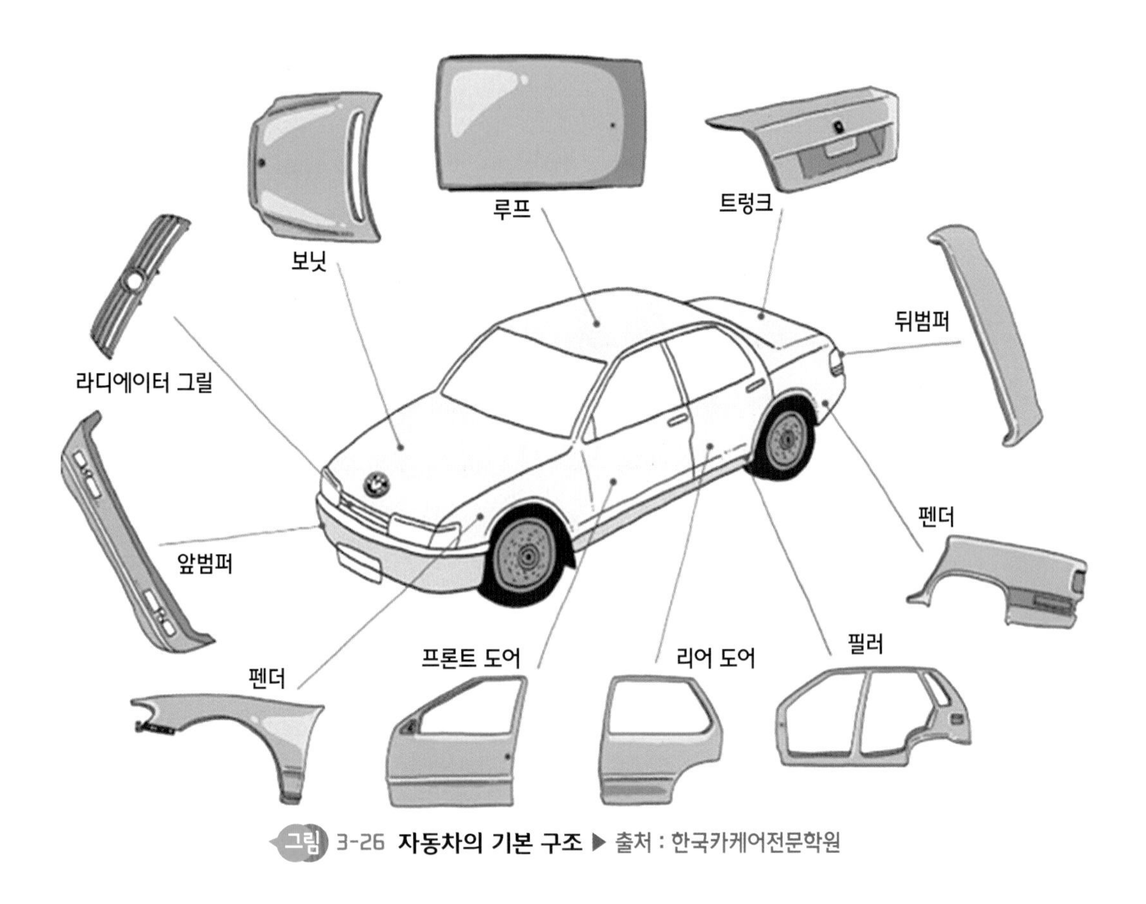

그림 3-26 자동차의 기본 구조 ▶ 출처 : 한국카케어전문학원

02 덴트 리페어 숙련을 위한 3요소

1 집중력

덴트 리페어 작업은 매우 큰 집중력이 필요하며, 연습을 할 때나 실제 작업을 할 때에도 덴트 부위에 시선을 집중시키고 로드를 잡은 손에 모든 감각을 집중해야 하는데, 집중력은 덴트 리페어 작업의 대부분을 차지한다.

2 손과 눈의 조화

작업 시 편안한 자세로 손과 눈이 조화를 이루어야 실수가 없고,, 또한 작업 부위에 시선을 집중하고 시선 부위에 로드 끝이 위치하여야 하므로 손과 눈이 조화를 이룰 때 최상의 작업결과를 얻을 수 있다.

3 연습

덴트 리페어의 기술을 연마하기 위해서는 많은 시간의 연습이 필요하고, 또한 단순히 연습만을 하는 것이 아니라 올바르게 해야 한다. 그래야만 작업하는 것에 대하여 자신감을 가질 수 있으며, 전문가가 되기 위해서는 서두르지 않고, 천천히 완벽하게 전체 반복적인 연습이 필요하다.

연습에는 포인트 찾기, 하이 제거하기가 상당히 중요하므로 반복적으로 연습해야한다. 또한, 처음 덴트를 연습하거나 입문하는 경우 연습방법을 살펴보면 전문가의 작업방법을 흉내 내는 경우가 많다. 전문가들은 빠른 푸쉬와 펀치를 하면서도 스코프 전체면의 변화와 음영기 라인의 순간적인 변화를 찾아내어 올바른 덴트 복원을 하는 능력이 있다.

반면, 처음 입문하는 입문자나 체계적인 덴트 복원력이 부족한 기능인은 그 찰나의 순간에 음영기 라인이 변하는 것을 쉽게 찾을 수 없고, 덴트 면을 넓게 보는 시야가 좁다. 패널의 로우나 하이를 상황에 따라 찾아내지 못하고 하이를 발생시키거나 완성도가 떨어지는 복원 작업결과를 초래할 수 있다.

가장 중요한 것은 덴트의 정확한 확인, 적절한 힘 조절력, 작업 점과 로드 포인트의 정밀한 일치를 바탕으로 끊임없는 연습과 정확하게 복원하는 것을 목표로 하여 숙련화 하는 것이 올바른 연습방법이다.

03 덴트 복원 장비

1 덴트스코프

덴트 스코프는 덴트의 형태를 확인하고 판독하는 기본 장비로 특정한 형태의 줄무늬를 그려 넣어서 줄무늬의 변형에 따라 덴트 형태를 확인하는 방식과 형광등 불빛을 이용한 방식으로 크게 2가지 종류로 나눌 수 있다.

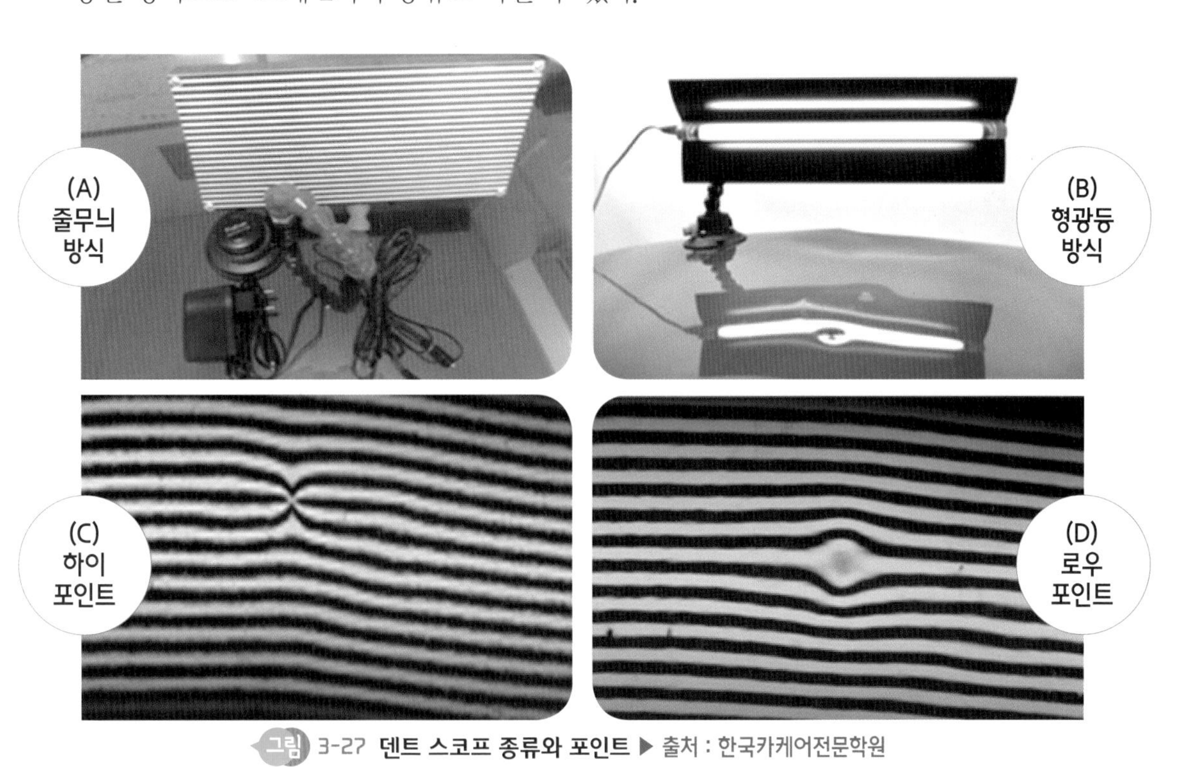

그림 3-27 덴트 스코프 종류와 포인트 ▶ 출처 : 한국카케어전문학원

2 덴트로드

덴트를 복원하는데 있어서 기본이 되는 장비로 볼 타입, 펜슬타입, 나이프타입, 웨일테일타입, 손도구 타입 등으로 나뉜다.

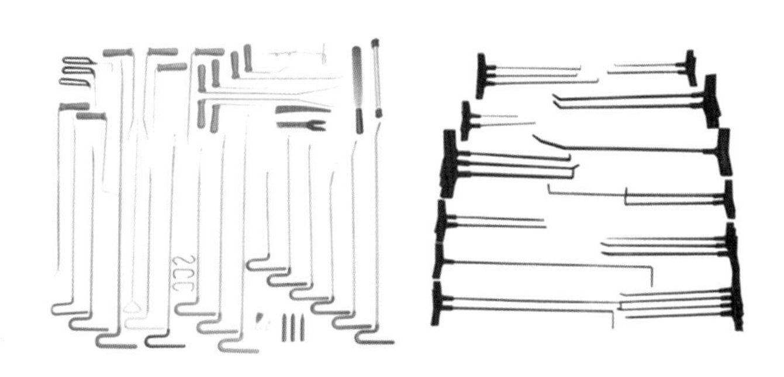

그림 3-28 자동차의 덴트로드 종류
▶ 출처 : 한국카케어전문학원

① 볼 타입

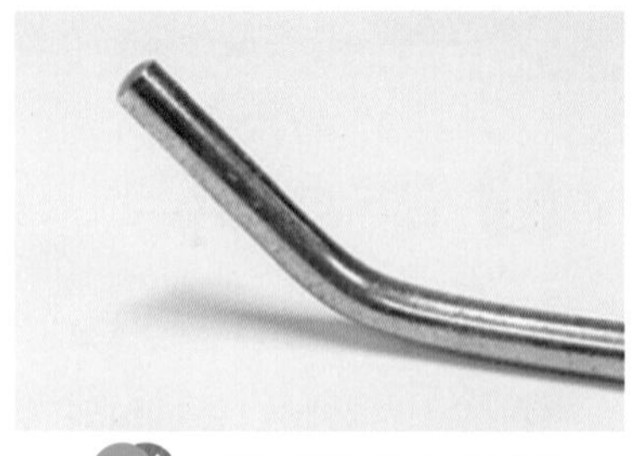
그림 3-29 덴트로드 볼타입

덴트 리페어를 하는데 있어서 가장 많이 사용하는 공구로 주로 단위 면적이 넓은 덴트를 작업할 때 사용된다. 로드 굵기는 덴트의 크기에 따라 사용할 수 있도록 4mm, 8mm, 10mm, 12mm 형태로 제작되며, 길이도 덴트의 위치에 따라 사용할 수 있도록 다양하다. 메탈릭 입자 패널, 각 부위에 발생된 형태에 따라 로드 포인트 완충을 위하여 Taping을 하여 사용하기도 한다. 부드러운 작업이 가능하며, 대체적으로 덴트 리페어 작업을 시작할 때 사용하는 공구이다.

가) 장점 : 초보자의 경우 공구에 대한 접근이 쉽다.

나) 단점 : 정확한 작업 포인트를 찾지 못해 무리한 힘을 가하면 후속작업이 어렵다.

② 펜슬 타입

덴트 리페어를 하는데 필요한 가장 기초공구로 주로 단위면적이 좁은 로우 덴트를 복원할 때와 세밀한 작업이 요구되는 최종 마무리 단계에서 많이 사용한다. 로드 굵기는 덴트의 크기와 깊이에 따라 사용할 수 있도록 4mm, 8mm, 10mm, 12mm 형태로 제작되며, 길이도 덴트의 위치에 따라 사용할 수 있도록 다양하다. 꼬깔 모양으로 끝부분은 뾰족한 원형이며, 형태상 마이크로 로우를 작업할 수 있도록 제작되었다.

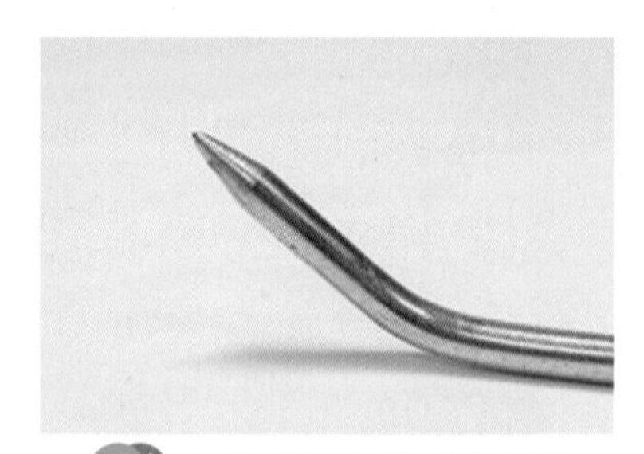
그림 3-30 덴트로드 펜슬타입

가) 장점 : 고정이 잘되며, 마무리 작업에 적합하다.

나) 단점 : 숙련된 작업자가 아닌 경우 마이크로 하이의 생성이 쉬워 고난도의 작업 숙련도가 필요하다.

③ 나이프 타입

주로 2중 패널이나 빔 사이에 발생된 덴트를 작업할 때 사용된다. 4mm, 8mm, 10mm, 12mm 형태로 제작되며 덴트 로드 중 가장 많은 다양한 형태로 제작되고 활용도 또한 다양하다. 사용 방법에 따라 웨일테일형 로드와 비슷한 점이 많다. 양쪽에

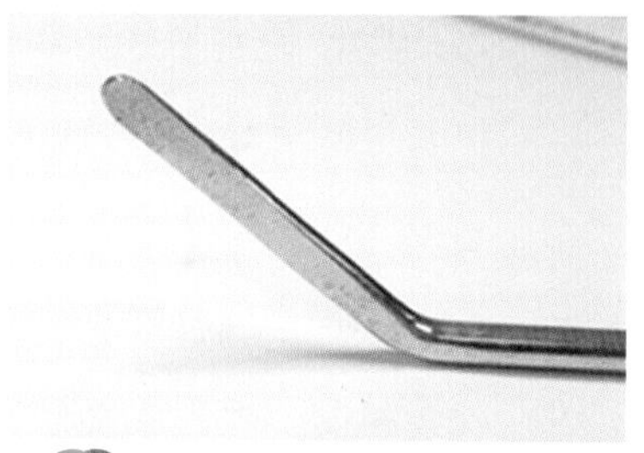

그림 3-31 덴트로드 나이프타입

편평한 면과 끝부분은 둥근 모양을 하고 있어 편평한 부위로는 마이크로 로우를 작업하기 쉽고, 둥근 부위는 볼타입과 유사한 작업을 할 수 있다.

가) 장점 : 끝 부위의 둥근 모양을 사용 시 고정이 용이하다.

나) 단점 : 둥근 부위 사용 시 고정도가 약하며, 정확한 작업부위를 찾지 못해 무리한 힘을 가할 경우 수정이 불리하다.

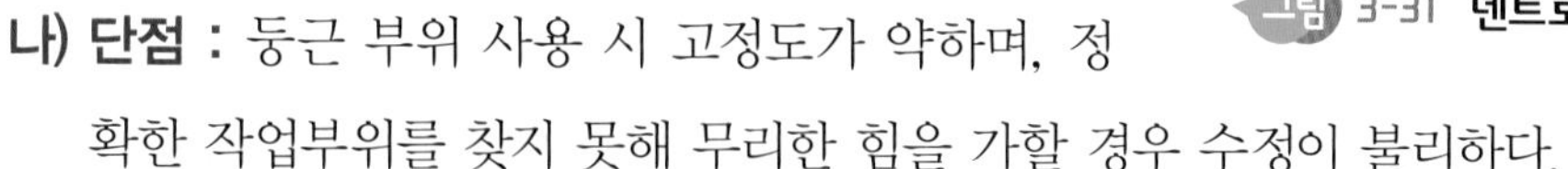

④ 웨일테일

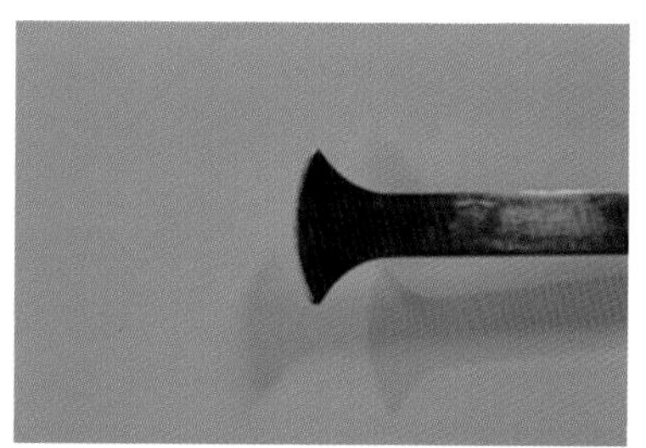

그림 3-32 덴트로드 웨일테일

고래 꼬리 모양으로 생긴 도구로 틈새작업을 위한 공구이며, 필요에 따라 한쪽부분을 절단하여 사용한다.

가) 장점 : 틈새로 진입하여 작업하기 양호하다. 덴트작업 시 양쪽 끝 부분을 모두 사용할 수 있다.

나) 단점 : 힘 조절이 힘들어 숙련된 작업이 필요하며, 집중하지 않으면 하이를 발생시키기 쉽다.

⑤ 손도구

형태별 기본 사이즈의 공구를 축소시킨 공구이며, 기본 사이즈 공구 사용이 불편한 상황에서 사용한다.

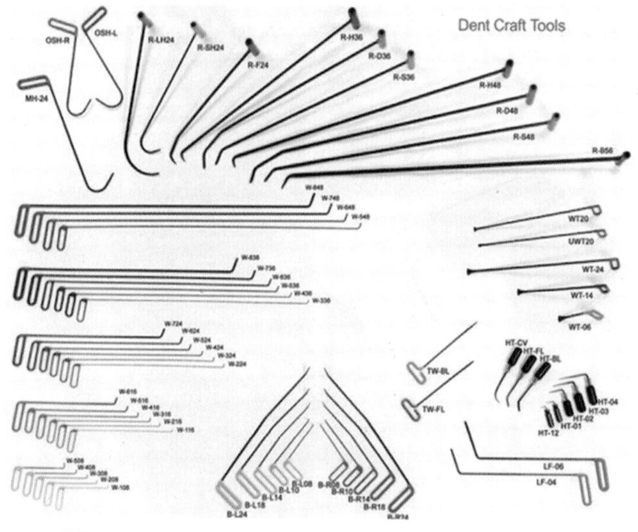

그림 3-33 형태별 손도구 ▶ 출처 : 한국카케어전문학원

⑥ 망치, 펀치

자동차 패널이 외부의 충격을 받으면 처음 형태에서 변화가 생기는데 원래의 면보다 높게 찌그러진 면 또는 덴트작업 시 발생하는 하이포인트를 수정작업 할 때 사용한다.

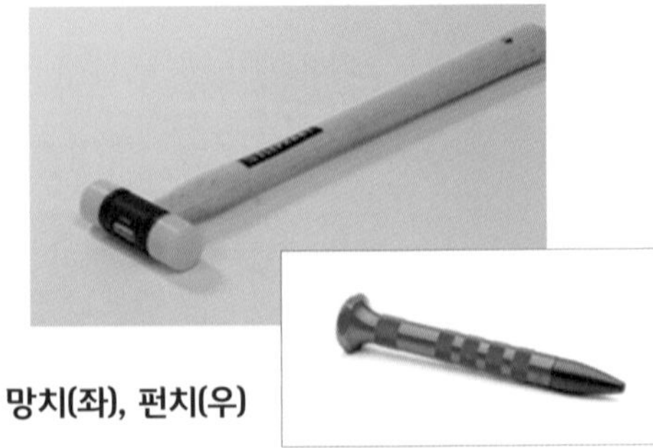

그림 3-34 우레탄 망치(좌), 펀치(우)

참고자료

- **하이포인트 제거 연습하기**
  - 덴트 망치와 덴트 펀치의 사용방법을 알아야한다.
  - 스코프를 조금 더 멀리 뒤로하며 입사각과 반사각이 넓게 한다.
  - 이때 왼손과 오른손의 팔꿈치는 패널에 닿게 한다.
  - 하이포인트 위치에 정확히 펀치의 끝을 수직으로 일치시킨다.
  - 덴트 망치 사용 시 펀치의 끝부분만 주시한다.
  - 덴트 망치를 이용하여 힘의 강약을 조절하여 결정한다.
  - 덴트 망치의 사용 시 떨어트리듯이 자연스럽게 내리쳐야 한다.

- **주의사항 – 망치질, 더블 타격 금지**

망치질 하듯이 내리치는 것이 아니라 덴트 망치를 떨어트리는 기분으로 내리친다. 한 번에 복원하는 것보다는 여러 번 걸쳐 복원하는 실력을 키워야 한다.

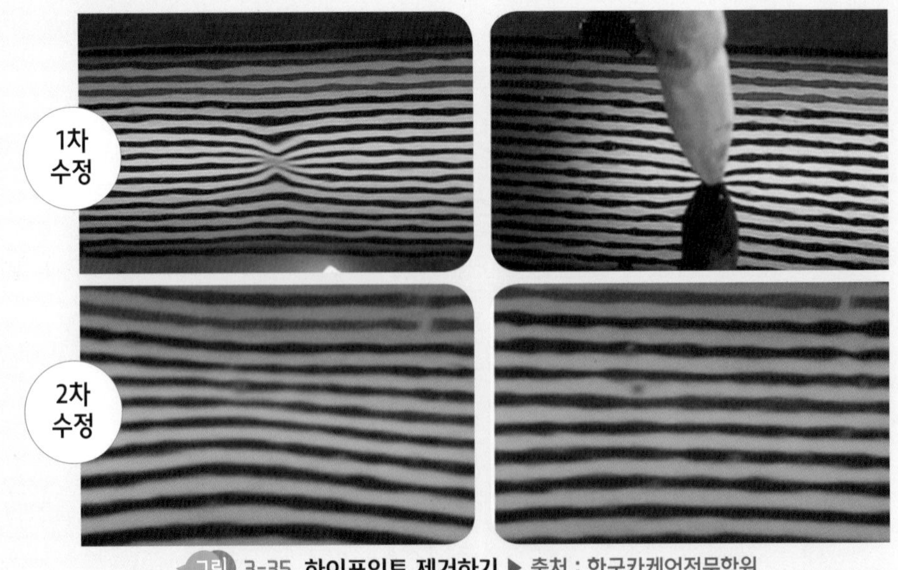

그림 3-35 하이포인트 제거하기 ▶ 출처 : 한국카케어전문학원

⑦ 도어 고정기(도어 잼머)

덴트 작업 시 자동차 트렁크와 본넷, 도어를 고정하기 위해 사용한다.

그림 3-36 도어고정기

⑧ S자 고리

덴트 작업 시 로드의 지렛대 역할을 해준다.

그림 3-37 S자 고리

⑨ 유리보호가드 / 쐐기

(A) 유리보호가드

(B) 에어쐐기

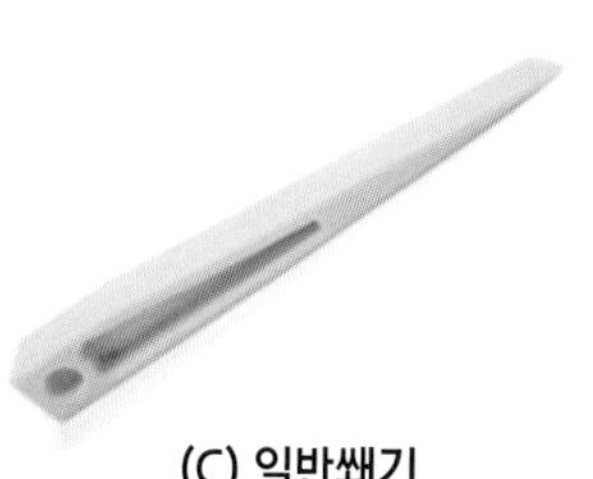

(C) 일반쐐기

그림 3-38 유리보호가드와 쐐기 ▶ 출처 : 한국카케어전문학원

04 덴트 복원 용어

1 로드 포인트

덴트 로드가 패널에 닿아서 덴트 스코프의 라인이 모여지거나 좁아진 곳의 정점으로 덴트 복원을 하기 위해서는 작은 힘이 패널에 작용할 때 로드 포인트를 정확하게 빨리 찾아내는 것이 중요하다.

2 작업 포인트

덴트가 발생될 때 최초로 강판의 소성이 변화된 지점으로 덴트를 복원할 때 공구를 이용하여 밀어내는 정확한 지점을 말한다. 작업점은 덴트 형태에 따라 한 곳 이나 두 곳 또는 여러 곳이 될 수 있다.

3 복원력

로드 포인트를 작업 포인트와 정확히 일치 시킨 다음 패널을 복원하는 힘을 말하며, 복원에 필요한 힘의 분배는 패널에 하이가 발생되지 않을 정도로 여러 번 나누어 복원하는 방법이 좋다. 특히 펜슬타입이나 이중패널, 빔 사이를 작업할 때는 덴트와 상관없는 지역에 날카로운 하이가 발생할 수 있으므로 천천히 정확한 작업점을 찾아서 작은 힘으로 여러 번 나누어서 복원하는 능력을 키워야 한다.

4 탄성 범위

덴트 리페어에서 탄성의 범위는 자동차 패널이 강판이나 기타 합금이 섞여진 형태의 금속판으로 제작되는데 각각 제조 과정에 따라 그 소성이 다르고, 재료역학적 탄성과는 개념의 차이가 있다. 덴트 리페어에서 탄성의 범위는 간단하게 표현해 패널에 덴트가 발생하여 함몰이나 하이가 발생되었어도 변화된 일정 부분을 복원함으로써 주변의 변화가 저절로 복원 되는 부분을 탄성의 범위라고 한다. 쇠를 변형하기 위해 외부에서 물리력을 가하였을 때 변형이 되는데, 변형이 발생된 부분이 작업점이라면 그 물리력이 해소되면 일정부분이 원래 형태로 돌아오는 거리가 탄성 범위이다.

탄성의 범위를 넘어서는 외부적 충격이 있을 때 덴트가 발생된다. 덴트 형태와 위치에 따라 탄성의 범위는 여러 형태로 존재하며 이를 잘 파악하여 패널의 처음 스트레스만 복원하면 쉽게 전체 패널이 복원된다.

5 피로 범위

탄성 범위와 반대되는 개념으로 덴트 발생 시 피로의 범위는 두 종류의 형태로 나타난다. 쉽게 말해 탄성의 범위는 복원 작업을 하지 않아도 복원되는 부분이라면 피로범위는 복원작업을 해야만 복원되는 부분이다.

외부의 물리력에 의해 쇠는 변형이 되는데 이때 쇠의 성질이 변화한 최초의 지점은 소성을 잃어버려 함몰이 되면서 덴트가 발생한다. 탄성의 범위를 벗어난 주변에 솟음이나 밀림현상으로 힘이 응집되어있는 부분들도 발생한다. 이렇게 발생된 덴트나 하이, 힘의 응집점들을 피로범위라 하며, 덴트 리페어의 작업점이기도 하다. 패널의 점, 면, 선 등 덴트 발생 원인행위와 밀접한 관계가 있다.

6 펀칭

덴트 리페어 작업 시 발생된 하이나 덴트 발생 시 생긴 하이를 수정하는 행위를 말한다.

7 로우, 하이

차체 패널이 외부의 충격을 받으면 처음 형태에서 변화가 발생되는데 오목하게 함몰이 발생된 곳을 로우라 하며, 외부의 물리력이 전체에 전달되지 못하고 패널 내부의 버팀판이나 보강 작업된 곳이 원래 면보다 튀어 나온 경우를 하이라 한다. 무리한 복원작업으로도 패널에 하이가 발생될 수 있다. 흔히 덴트라고 하면 로우 형태가 대부분이다. 육안으로는 구별이 되지만 로드복원이나 펀치복원이 잘 되지 않는 로우나 하이를 마이크로로우, 마이크로하이라고 한다.

8 접힘(꺾임)

차체 패널 내부에는 자동차 제작 시 여러 형태의 보강판이나, 버팀봉, 방음재료 등의 작업이 되어 있는데, 덴트 발생 시 외부에서 받는 힘은 일정하지만, 내부 구조상 차체 판에 전달되는 힘의 세기가 다르므로 발생되는 덴트 형태는 함몰과 솟음은 물론, 밀림 현상이 강할 땐 밀림이 끝난 지점에 작은 접힘과 주름 현상이 발생된 덴트의 형태를 말한다.

9 요요현상

요요현상이 발생하는 덴트는 두 가지 경우가 있다. 덴트 발생 시 강한 힘이 작용하여 원래 형태로 복원할 수 없을 정도로 패널의 변형이 심한 덴트를 복원하는 도중 무리한 힘을 사용하여 하이를 자주 만들거나, 과도한 펀치 수정으로 패널의 소성을 완전히 잃어버린 것이다. 이런 경우 덴트 복원은 포기해야한다.

10 기타 용어

① **크리스 :** 패널에 주름이 발생한 덴트

② **오렌지 필 :** 차체 표면의 페인트 굴곡을 말한다.

③ **페퍼레드 :** 보통 우박으로 생긴 요철들을 말한다.

④ **플랫 :** 넓게 발생된 덴트를 복원하는 과정에서 중앙부분 솟음

05 글루 덴트

1 글루 덴트 복원

글루 덴트 복원은 짧은 시간에 간단히 작업하는 덴트 리페어로 로드 덴트 리페어보다 작업의 완성도는 떨어질 수 있으나 덴트 리페어를 처음 접하는 초보자는 흥미를 가지고 접근할 수 있는 장점이 있다. 또한 배움에 있어 상당히 편리한 면이 있으나 재보수 도장면은 작업이 어렵다는 단점이 있고, 필러 같은 부위나 로드 덴트 공구 진입이 어려운 경우에 주로 사용한다.

2 글루 덴트 기본 장비

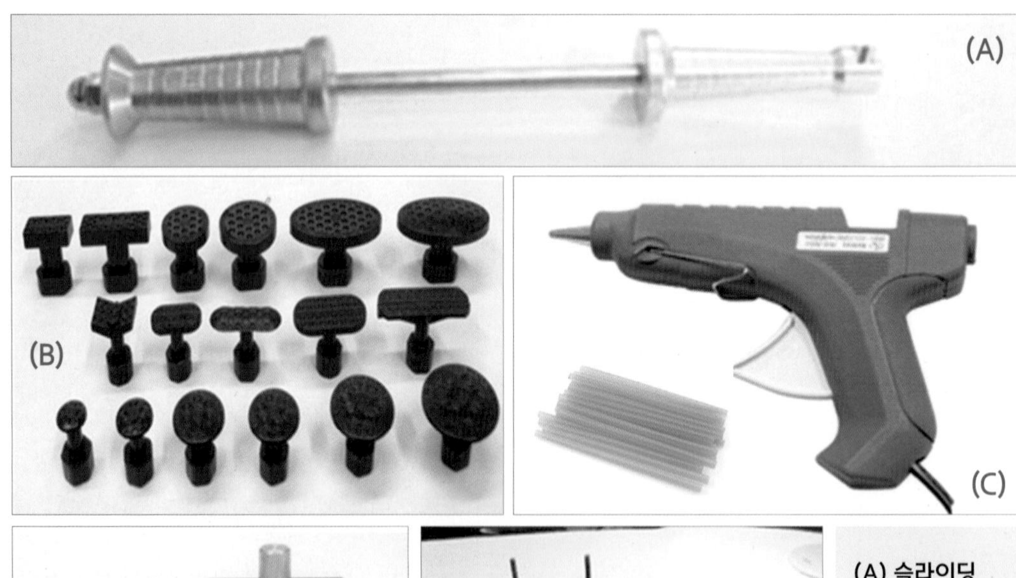

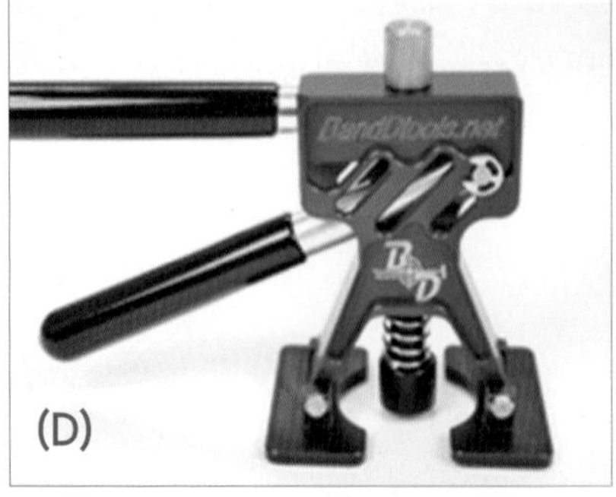

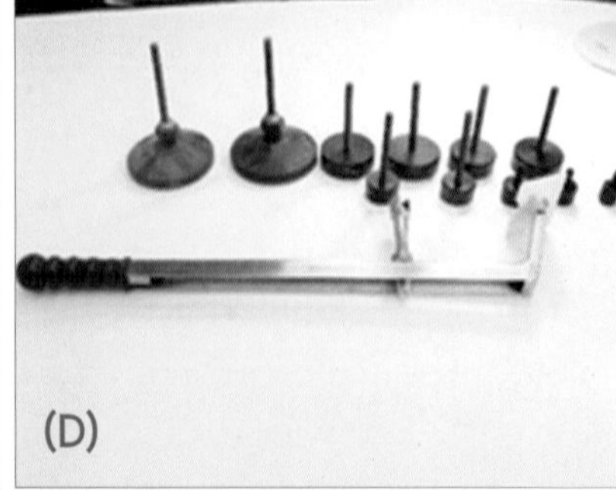

(A) 슬라이딩 해머
(B) 글루 탭
(C) 글루건과 글루스틱
(D) 기타장비

탭의 종류

- 오목 탭 : 기본 작업 범위에 사용
- 평 탭 : 덴트 부위가 깊은 곳에 사용
- 일자 탭 : 일자성 덴트에 사용, 글루는 가운데만 일자로 묻혀 사용
- 각진 탭 : 각진 부위에 사용

3 글루 덴트 작업순서

① **클리닝 :** 작업부위를 알코올이나 탈지제로 탈지한다.

② **센터작업 :** 센터를 확인하고 중앙지점을 표시한다.

③ **글루 도포 :** 덴트 크기에 맞는 글루 탭을 선택한 후 글루건을 적당량 도포

④ **탭 부착 :** 작업부분에 정확히 표면과 수직이 되도록 글루 탭을 부착한다.

⑤ **헤머링 :** 슬라이딩 헤머로 강약조절을 하며 잡아당겨준다.

⑥ **탭제거 :** 원하는 만큼의 작업이 끝나면 글루탭 부분에 알코올을 뿌린 서서히 탭을 제거한다.

⑦ **펀칭 :** 헤머링으로 올라온 부분을 펀칭하여 스코프의 선을 맞춰준다.

1단계 클리닝 및 센터작업 준비

탭의 부착률을 높이기 위해 도장 면을 깨끗이 알코올로 세척한다. 자 등을 이용 정확한 자리에 표기를 하여 위치를 잡는다.

2단계 센터작업

수성 사인펜으로 열십(十)자로 표기한다. 탭 부분은 수성 싸인펜의 잉크가 묻지 않게 표기한다.

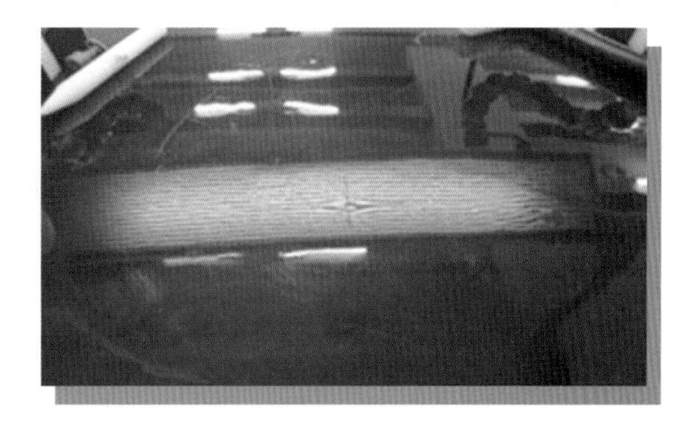

3단계 글루 도포

전용 글루스틱을 사용하여 탭 가운데 부분에 도포를 한다. 이때 장갑을 착용하여 화상을 예방한다.

4단계 탭 부착

표기된 부분에 열십자 방향을 정확히 맞추어서 면과 수직이 되도록 부착한다.

5단계 헤머링 준비

슬라이딩 해머 사용 시 도장 면에 닿지 않게 손으로 지지하면서 보호를 해주면서 홈에 알맞게 끼워준다.

6단계 헤머링 1

슬라이딩 작업 시에는 도장 면과 수직이 되도록 잡아주면서 위로 적당량의 힘으로 올려쳐 준다.

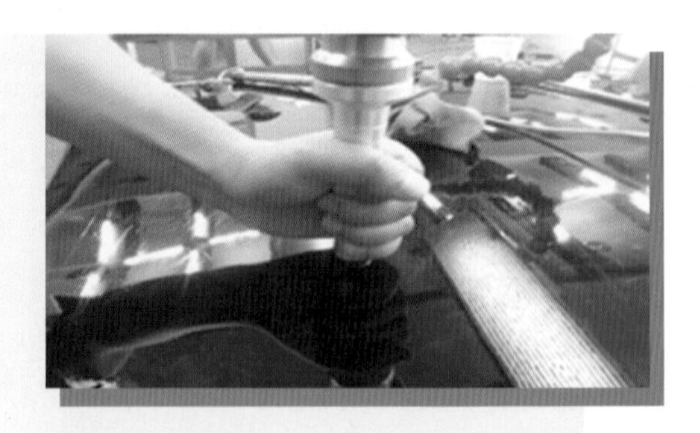

7단계 헤머링 2

지지 손의 탭부분을 손으로 감싸서 충격에 도장 면의 손상이 발생하지 않도록 한다.

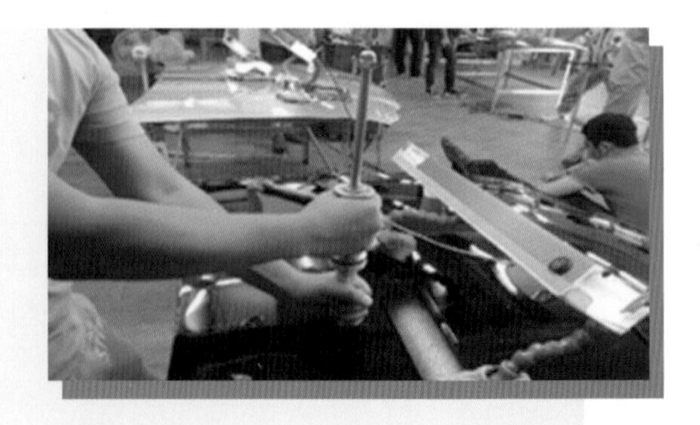

8단계 탭 제거

도장 면에 남겨진 글루스틱 이물질은 알코올을 이용하여 깨끗하게 제거를 해주어야 하며, 강한 힘으로 제거 시 도장 면이 손상될 수 있으므로 유의한다.

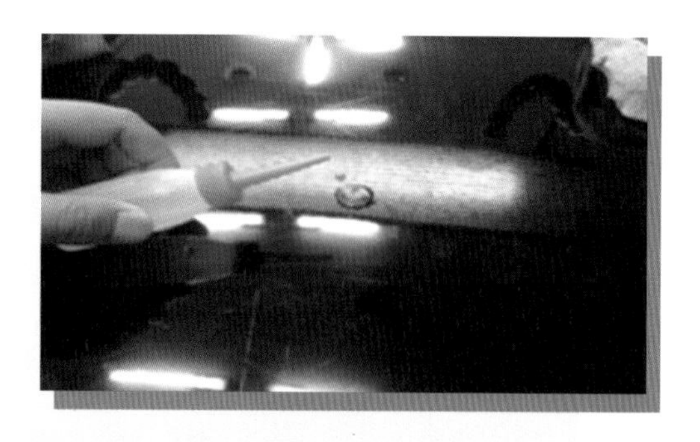

그림 3-39 글루 덴트 작업순서 ▶ 출처 : 한국카케어전문학원

4 글루 덴트 주의사항

① 탭은 덴트 부위보다 작은 탭을 사용하여야 한다.

② 글루심은 여름철은 늦게 굳고 겨울철은 빨리 굳으므로 유의하여야 한다.

③ 겨울철에는 작업 면이 쉽게 차가워지므로 탭이 떨어지거나 도장에 2차 피해를 줄 수도 있다. 작업 시에는 작업 면을 항상 적정량의 온도로 유지시켜주어야 한다.

④ 알코올은 작업성이 좋을수록 강해지고 얼룩을 남기므로 유의하여야 한다.

⑤ 작업 부위가 작은 것은 가운데서부터 작업하고, 큰 부분은 옆에서부터 작업한다.

⑥ 작업부위가 클 때는 작은 탭을 여러 개 붙여서 작업한다.

⑦ 보수도장 부위는 가급적 작업을 삼가고 부득이한 경우에는 작은 힘을 사용하며 반복 작업은 하지 않는다.

⑧ 글루건의 열기에 화상을 입지 않도록 조심한다.

⑨ 보이지 않던 내부의 갈라진 페인트가 점점 커지는 경우가 있으므로 헤머링 중에도 매번 확인하며 작업한다.

06 덴트 스코프 설치, 이동방법

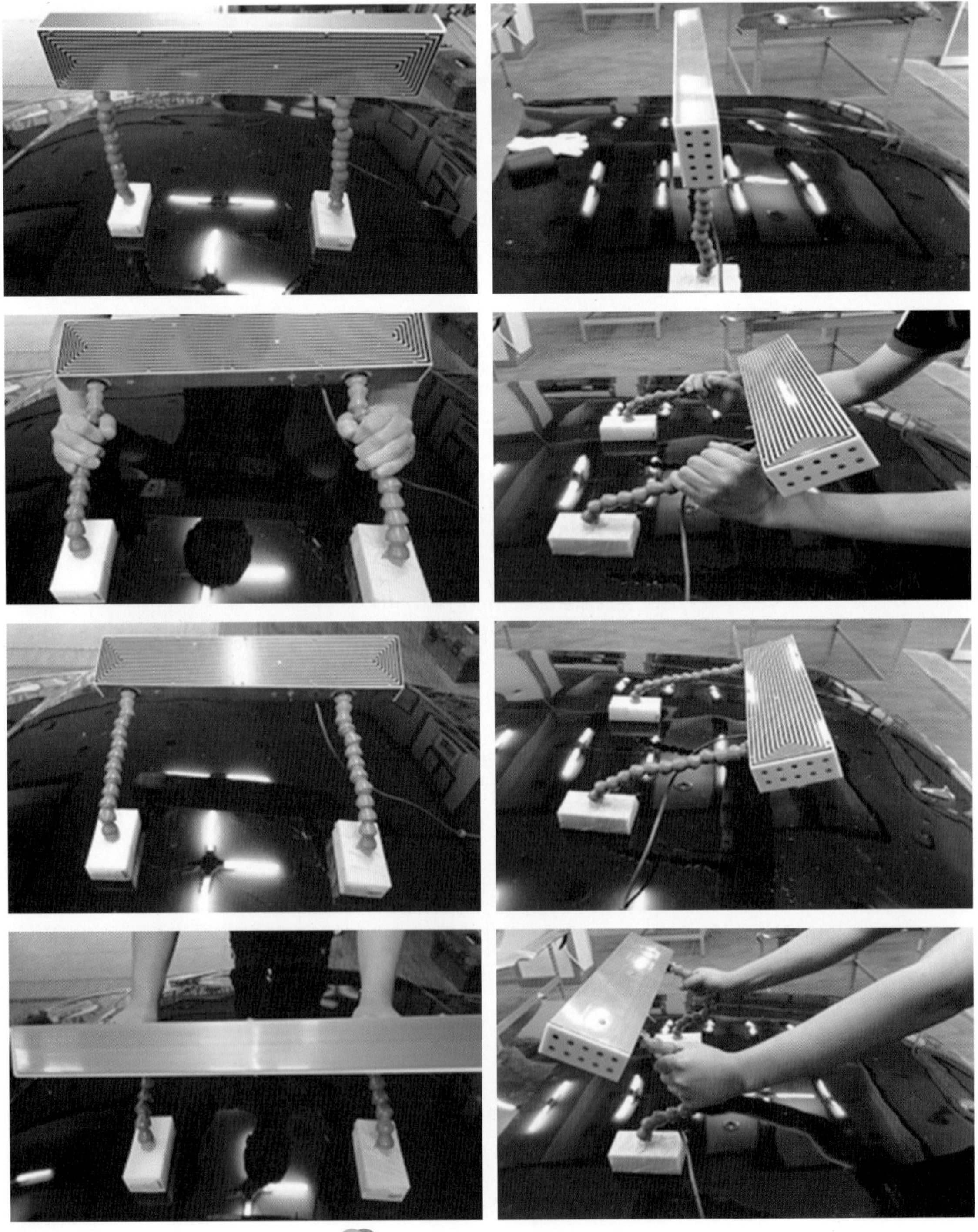

그림 3-40 덴트 스코프 설치

1 덴트 스코프 설치

① 덴트 스코프는 엔진 후드에 바로 세운다(바닥이 강한 자석으로 되어있으므로 도장면의 손상이 될 수 있으니 주의를 기울여야 한다.

② 뒤로 기울인다.

③ 덴트 스코프의 윗부분을 손으로 잡는다.

④ 윗부분을 앞쪽으로 45°가 되도록 꺾는다.

2 덴트 스코프 이동

덴트 스코프의 이동은 받침대 부분을 손으로 움켜주고 기울이면 쉽게 떨어지므로 원하는 곳으로 이동시켜주면 된다. 이동시 미끄러지는 경우에는 차량 도장면에 스크래치가 발생하므로 이동시 바닥에 붙여서 이동하지 않도록 주의한다.

바닥을 미는 행위

바닥을 잡아당기는 행위

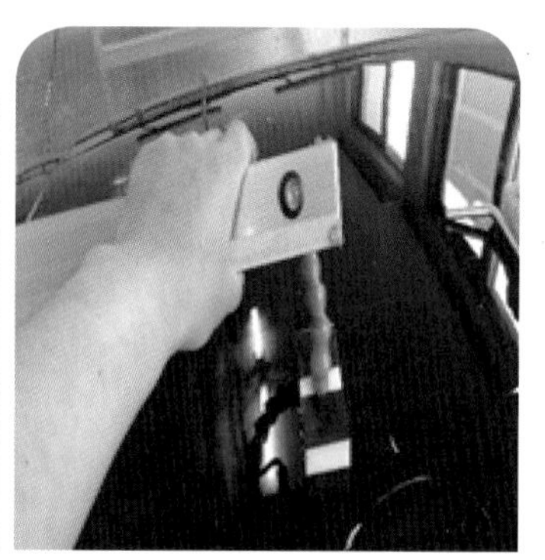

잡아당기는 행위

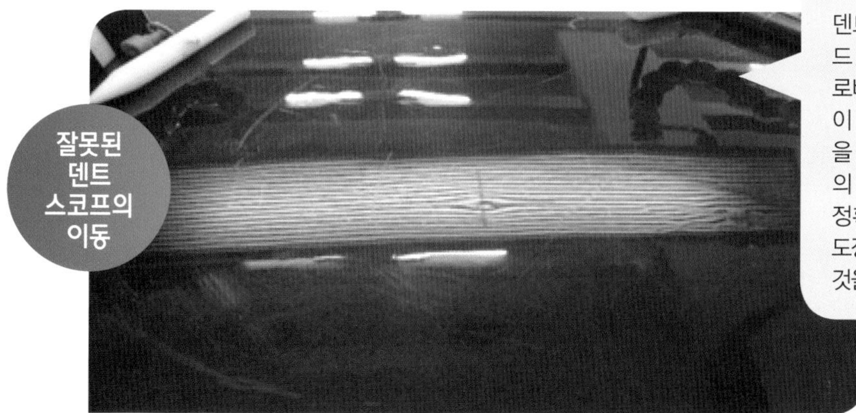

덴트 스코프의 선이 잘 보여야 로드 포인트 및 복원의 진행상황을 바로바로 볼 수가 있다. 하지만, 도장면이 지저분하거나 빛의 반사량이 적을 때는 덴트 스코프의 반사되는 면의 반사량이 적어서 덴트의 상황을 정확하게 파악하기 어렵기 때문에 도장면의 청결한 관리가 우선이라는 것을 잊지 말자.

그림 3-41 **잘못된 스코프 이동으로 도장면에 스크래치가 난 상태**

3 실습 기초

① 덴트 스코프와 로드는 항상 열십자로 움직인다(직각이 되도록).

② 덴트 스코프의 간격은 일정하게하고 설치시에는 차체 바닥을 확인한다.

③ 항상 로드의 움직임을 알고 있어야 한다.

④ 절대로 선이 마주치면 안 된다(하이 발생).

⑤ 시선을 움직이며 차체표면을 확인한다.

⑥ 판금은 펴고 덴트 복원은 철판의 힘의 흐름을 균일하게 조정해야 한다..

⑦ 각도와 거리를 조정하여 덴트 스코프를 가장 편하게 확인할 수 있는 위치에 놓는다. 이것은 강판의 상태를 가장 잘 확인할 수 있도록 하기 위한 것이다.

⑧ 큰 공구는 중앙을, 뾰쪽공구는 밖 〉 안 〉 마무리의 순서로 작업한다.

⑨ 샌딩은 전체적으로 강판이 들어가 있는 상태에서하며 한번만 작업한다.

⑩ 작업부위 확인이 안 되면 수정(하이포인트)를 먼저 해야 한다.

⑪ 일자형태의 긴 덴트 작업은 한 방향으로 하는 것이 아니라 이쪽저쪽으로 방향을 옮겨가면서 작업한다.

⑫ 힘이 분산된 곳은 응집시키고 응집된 곳은 분산시킨다.

⑬ 덴트 스코프를 대고 보이지 않으면 떼어서 보고 다시 덴트 스코프를 설치한다.

⑭ 상처가 안보이면 덴트 스코프를 단순화 시킨다.

⑮ 가장 중요한 것은 덴트 스코프의 그림이 아니고 강판의 상태임을 알자.

⑯ 전체적인 흐름을 기억한다.

⑰ 작업이 끝나면 항상 덴트 스코프를 멀리, 방향을 바꿔서 확인한다.

⑱ 덴트 복원은 힘의 흐름을 원상태로 만드는 것(해독하는 것)임을 항상 기억하자.

07 유형별 덴트 리페어

1 V형 덴트

V형 덴트란 일명 도어딩 또는 덴트 로드로 복원 가능한 펀치형의 작은 로우를 의미하는 것으로 덴트 복원 연습의 기초기능의 한 부분이기도 하며, 가장 기초적인 기능이기도 하다. **V형** 덴트 복원이 제대로 될 때 **U형**이나 **—자형** 덴트 리페어도 그만큼 쉽게 할 수 있으므로 완벽한 연습이 요구된다.

어떤 덴트를 복원하든 작업자는 정확한 로드 포인트를 항상 파악하고 있어야 하고 작업 포인트에 일치시키는 감각을 가져야 한다.

2 덴트 스코프 설치 (작업자 위치를 0도로 기준함)

펀치로 작은 V형 덴트를 발생시켰으면, 덴트의 크기와 형태, 깊이 등을 파악하여야 하는데 이를 위하여 덴트 스코프를 설치한다.

대부분 V형 덴트나 둥근 덴트의 경우에 덴트 스코프는 작업자와 마주보는 형태로 설치하며, 덴트와 덴트 스코프의 거리는 대략 30cm 내외, 입사각과 반사각은 90°를 유지하며, 덴트의 크기에 따라 덴트 스코프와 덴트의 거리를 조절하여 덴트 리페어를 완성한다.

3 덴트 스코프 라인 이해

펀치 또는 V형 덴트의 경우에 음영라인을 다음 페이지의 사진 **복원형태 라인** 1과 같이 덴트 스코프 검은 라인을 덴트에 맞추어 복원하는 연습하는 것이 좋다.

덴트의 크기, 형태에 따라 덴트스코프 선을 확인하는 것이 어려울 경우 **복원형태 라인** 2나 **복원형태 라인** 3의 사진처럼 덴트라인을 조금 단순화하여 연습하되 복원이 될수록 덴트 스코프와 덴트 거리는 점점 멀어지게 하여 완성한다. 이것은 작업자가 해결할 수 있는 라인 형태를 만들어서 작업하여야 함을 의미한다.

복원 형태 라인

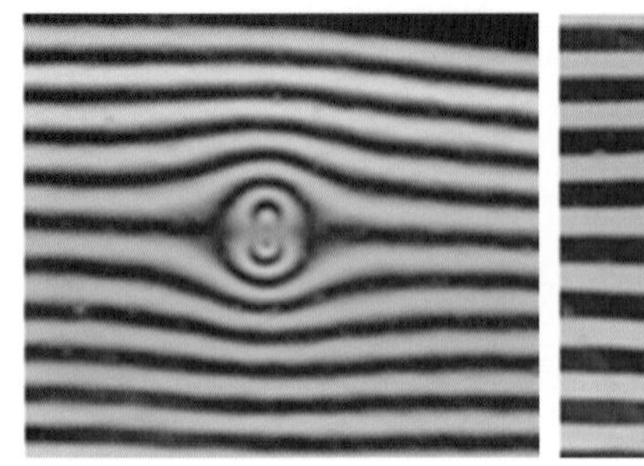

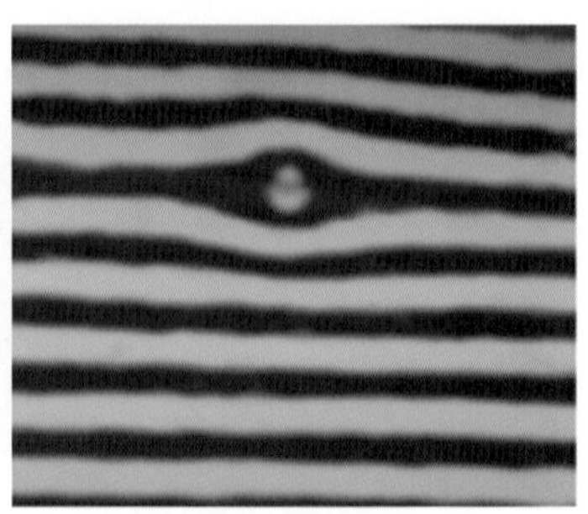

복원형태 라인 1 복원형태 라인 2 복원형태 라인 3

덴트 스코프 설치 거리별 덴트 라인 형태

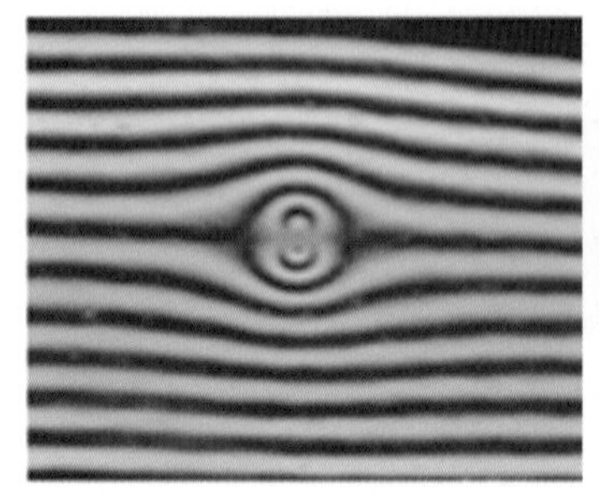

50cm 내외

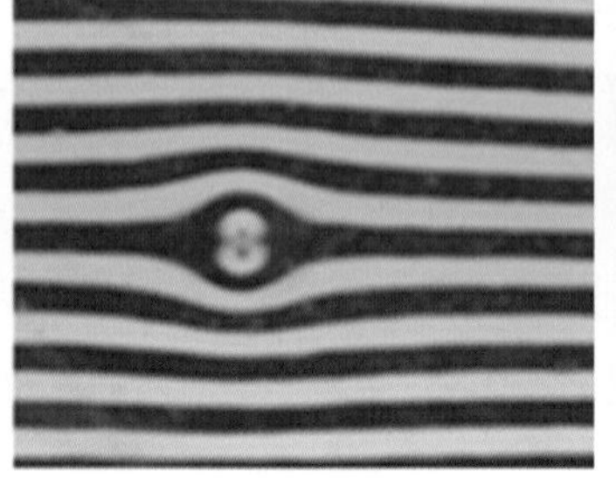

30cm 내외

20cm 내외

작업 위치와 덴트 스코프 위치에 따른 라인 형태

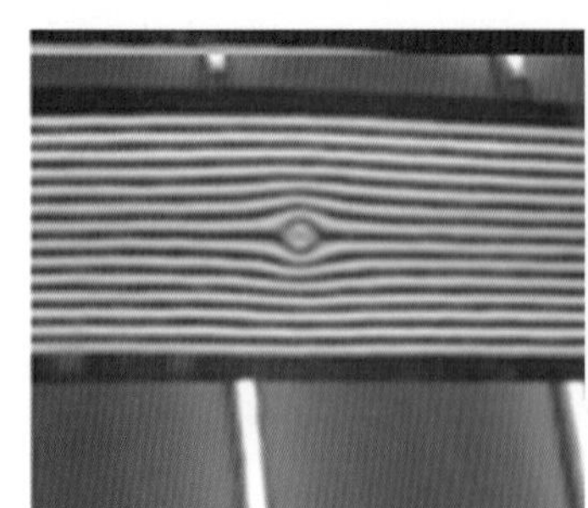

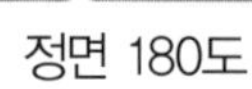

정면 180도

45도

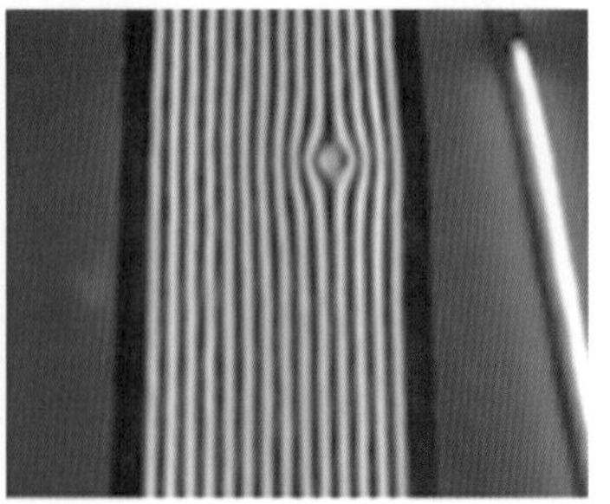

90도

그림 3-42 **덴트스코프 라인**

▶ 출처 : 한국카케어전문학원

4 복원방법

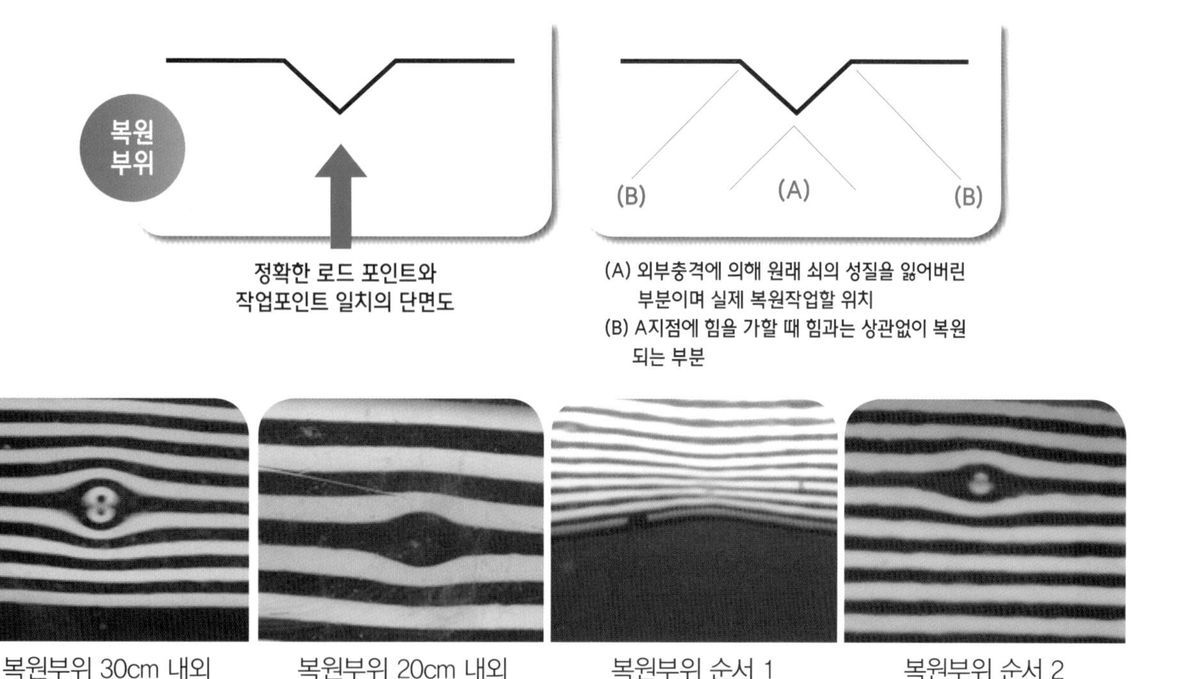

복원부위 30cm 내외 / 복원부위 20cm 내외 / 복원부위 순서 1 / 복원부위 순서 2

- 정확하게 덴트와 덴트 스코프 검은 라인을 일치시킨다.
- 위의 4가지 작업처럼, 덴트에 검은 라인을 맞추어서 복원하는 것이 좋다. 검은 부분은 반사나 음영이 밝은 간격 부분보다 더 민감하기 때문이다.
- 로드 포인트 이동은 패널에 하이가 생기지 않는 범위의 작은 힘으로 패널 뒷부분을 밀어 올려 덴트 스코프 라인과 직각을 이루게 하여 상하좌우로 긁으며 직선으로 이동하여 작업 포인트와 로드 포인트를 일치 시킨다.
- 로드 포인트 이동시 작업점으로 이동하는 동안은 시선이 로드 포인트를 따라 가지만, 작업점 테두리 라인에 접근하면, 시선은 덴트 라인에 고정하여 로드포인트를 이동하여야 한다.
- 로드 포인트와 작업 포인트를 정확하게 일치시켜도, 한 두 번 정도는 작업포인트의 정 중앙을 상하로 로드 포인트를 이동하면서 보다 정확한 작업 포인트를 찾아내는 것이 중요하다.
- **작업** 3의 작업 시, 밀어올린 로드의 힘을 풀어주게 되면 **작업** 4 사진처럼 선이 형성될 정도로만 힘을 준다.

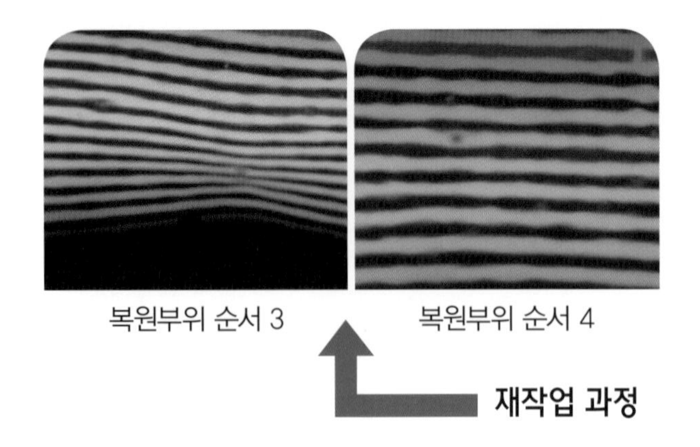

복원부위 순서 3 복원부위 순서 4

- **작업** 3처럼 이루어졌다고 강한 힘으로 덴트를 한 번의 작업으로 복원하는 것이 아니라 어느 정도 힘을 가하여 반사되는 덴트 스코프라인이 일정해지면, 힘을 빼서 복원 정도를 확인한 뒤 복원이 부족하면 한 두 번 더 힘을 주어서 복원한다.

5 주의사항

- 초기 연습 시에는 로드 포인트 이동을 절대로 패널을 밀어 올려서 작업 포인트를 찾으려 해서는 안 되고, 뒷면을 긁어서 확인하여야 한다.
- 무리한 힘보다는 작은 힘을 여러 번 나누어서 복원한다.
- 때로는 로드로 밀어 올리는 행위가 개념을 바꾼다면 아래서 위로 쳐올리는 펀치 작업이 될 수도 있다.
- 덴트 스코프 라인을 처음부터 원래와 똑같이 맞출 수는 없다. 80~90% 정도 작업이 되었으면 새로운 덴트를 만들고 연습을 하는 것이 좋다.
- 많은 연습과 덴트 스코프 라인을 넓게 전체적으로 보는 감각이 개발될 때 완성도는 상승하게 된다.
- 오류 작업을 발견하게 되면 복원 작업을 중지하고 수정(펀치)작업을 한 다음 다시 정확한 작업 포인트를 찾아서 복원한다.
- 처음 연습할 덴트에 덴트 스코프 라인을 맞추고 복원을 하지만, 로드 포인트가 작업점 근처에 접근하거나, 작업점 주변에서 힘을 가하는 경우 덴트에 맞추어 놓은 덴트 스코프 검은 라인이 덴트에서 벗어나면, 약간의 시선이동으로 덴트에 덴트 스코프 검은 라인이 위치하게 하여 복원작업을 연습한다.
- 처음 연습 시 원래의 덴트 스코프 라인처럼 복원이 되지 않고 원래의 선과 유사할 정도로 복원이 되는 경우가 많은데, 이는 복원하는 힘 조절의 감각이 부족한 것이므로 반복하여 작은 힘으로 복원하는 연습을 하다 보면 자연스럽게 극복이 된다.

6 오류 작업의 예

(1) 덴트 스코프 라인을 확인하는 좋지 않은 예

아래 그림 **작업** 1의 경우 덴트에 덴트 스코프 라인을 맞추질 못하고 여백에 맞추었으며, **작업** 2와 **작업** 3의 경우 덴트에 라인을 맞추긴 했지만, 덴트 스코프가 작업자와 정면위치에 있지 못하다.

로드 포인트와 작업 포인트를 정확히 일치하였을 경우에는 큰 문제가 되진 않지만 그렇지 못할 경우 힘을 가하면서 정확한 위치를 파악한다.

덴트를 복원할 때 작업점을 정확하게 로드 포인트를 일치하여 복원하여야 하는데, 처음 연습할 때 덴트의 좌우 혹은 상하에 로드 포인트를 위치하여 힘을 가하는 경우가 많다. 이때 사진의 경우처럼 라인을 맞추어 놓으면 복원하는 과정에서 덴트 테두리 선의 변화를 파악하기 어려워 오류 작업을 하는 경우가 많다.

작업점 주변에 힘을 가하면 덴트가 복원된 것처럼 보일 수가 있으나 실질적으로는 주변이 당겨져서 덴트 부위가 좁아진 것으로서 수정 작업(펀치)을 하게 되면 원래의 상태에 가깝게 덴트 형태가 나타나게 된다.

수정 작업 결과 원래 형태의 덴트 스코프 라인이 비춰지면 수정작업도 알맞게 된 것으로 이해하면 된다. 처음 연습시 오류작업으로 복원된 것을 부족하게 수정하는데 수정을 할 때는 충분히 하되 무리할 정도까지 수정할 필요는 없다.

수정 작업을 하여 비록 원래 덴트 라인보다 넓게 라인이 형성되어도 정확한 작업점을 복원하게 되면 자연스런 형태로 복원이 된다.

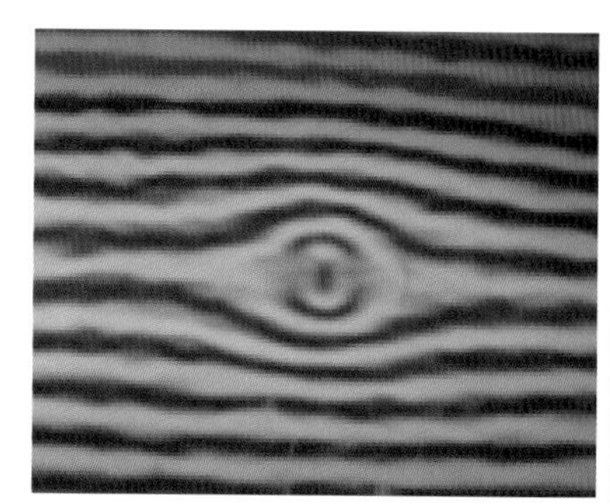
오류각도 1

오류각도 2

오류각도 3

(2) 라인 형태별 오류작업의 예

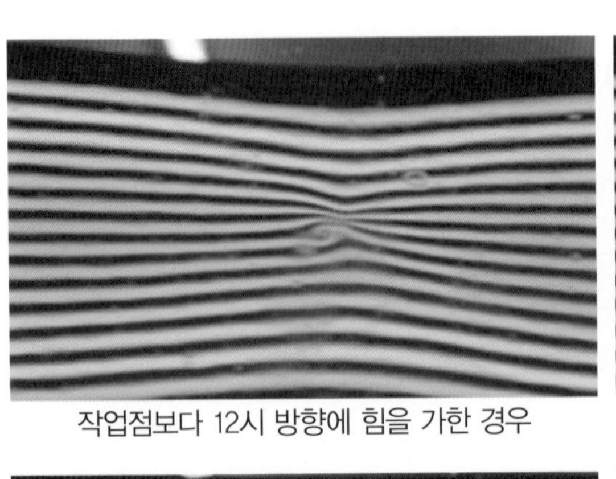

작업점보다 12시 방향에 힘을 가한 경우

작업점보다 2시 방향에 힘을 가한 경우

작업점보다 3시 방향에 힘을 가한 경우

작업점보다 5시 방향에 힘을 가한 경우

작업점보다 6시 방향에 힘을 가한 경우

작업점보다 8시 방향에 힘을 가한 경우

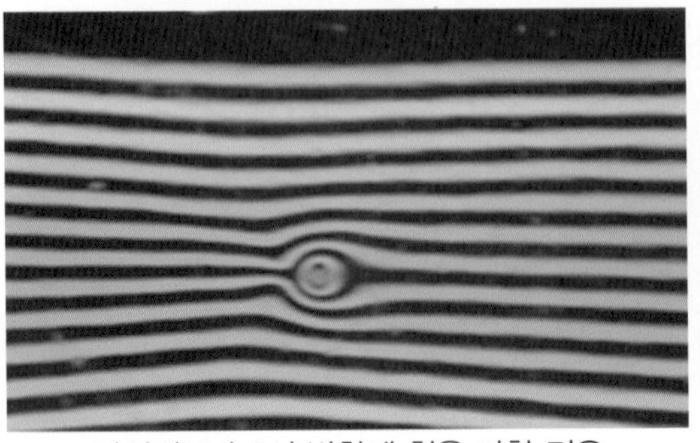

작업점보다 9시 방향에 힘을 가한 경우

작업점보다 10시 방향에 힘을 가한 경우

7 ㅡ형 덴트

덴트 복원에서 가장 어렵고 정확한 작업을 요구하는 것이 ㅡ자형 덴트이기도 하며, 복원하는 방법도 다양하고 오류 작업 또한 다양하여 복원 과정에서 사용하는 힘의 감각과 라인의 미세한 변화를 잘 확인하여 작업하여야 한다. 실제 우리나라 차량에 발생하는 덴트는 90% 이상이 ㅡ자형 덴트라고 해도 무방하다.

(1) 덴트 스코프 설치(작업자 위치를 0도로 기준함)

V형 덴트나 U형 덴트는 작업자와 덴트 스코프가 마주보는 형태를 취하지만, ㅡ자형 덴트의 경우에는 덴트 스코프 라인이 지그재그 형태로 보일 때 가장 자세하게 확인할 수 있다. ㅡ자형 덴트에서는 덴트 스코프 라인이 사선으로 지그재그 형태로 보이게 하려면 작업자와 덴트 스코프는 15도에서 대략 80도까지 설치하면 되지만 45각도를 유지하는 것이 작업할 수 있는 덴트 라인을 파악하기에 가장 좋다.

(2) 덴트 스코프 라인 이해

덴트 스코프 우측 45도 방향 설치시

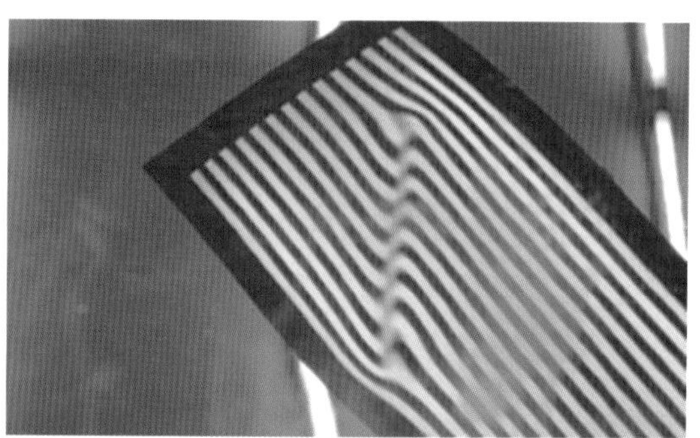
덴트 스코프 우측 15도 방향 설치시

덴트 스코프 좌측 45도 방향 설치시

덴트 스코프 좌측 15도 방향 설치시

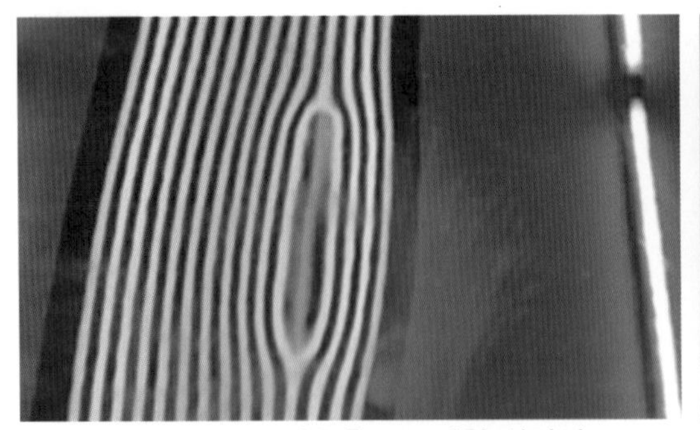

덴트 스코프 좌우측 0도 방향 설치시

덴트 스코프 정면(90도) 방향 설치시

—자형 덴트는 덴트 스코프가 좌측이든 우측이든 작업자와 45도 각도가 유지되면 사선으로 지그재그 형태의 덴트 스코프 라인이 발생된다.

(3) 복원방법

작업자와 덴트 스코프는 사선방향(45도)으로 설치하여 지그재그 꺾임 라인이 잘 보이게 설치한다.

지그재그 라인의 꺾임은 음영기를 설치하는 위치에 따라 좌에서 우, 우에서 좌 라인이 형성된다. 초기 작업시 지그재그 선꺾임은 90도가 된 것이 좋다.

덴트라인 확인

1차 작업

2차 작업

3차 작업

- 지그재그 라인의 꺾임선 중간부분을 작은 힘으로 살짝 눌러서 라인이 펴지기만 할 정도의 작은 힘을 가하여 지그재그 처음부터 끝까지 1차 작업을 해준다.(정확한 힘보다 정확한 작업점을 찾는 것이 중요하다)
- 1차 라인 복원 작업시 무리한 힘보다는 지그재그 라인 꺾임만 펴지는 작은 힘으로만 꺾임선을 촘촘하게 빈틈없이 이동하며 복원 작업을 한다.(사진참고)

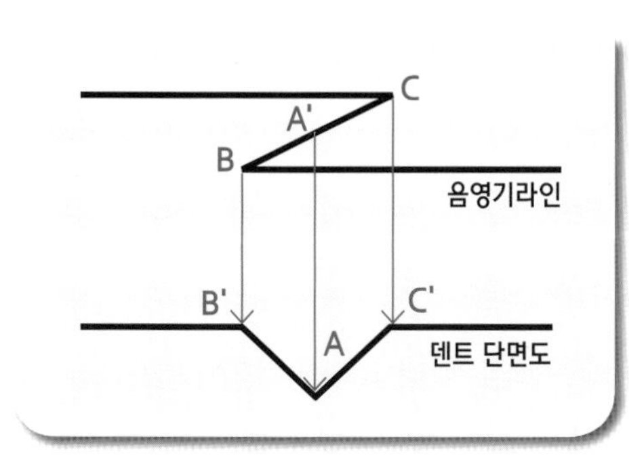

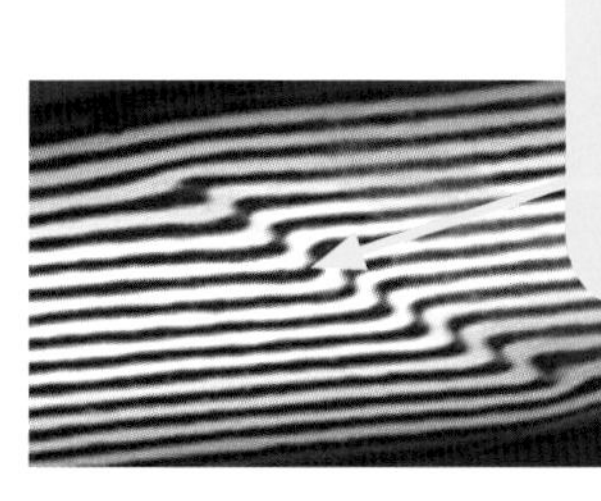

1. 지그재그 꺽임선을 정중앙을 살짝 힘주어 펴질 정도의 힘만 준다.

2. 처음 꺽임선부터 마지막 꺽임선까지를 한번 작업한다.

- 로드 포인트의 좌우 이동은 상하 지그재그로 이동하며, 상하 이동은 꺾임선의 중앙을 밀어 올릴 경우 작업점을 기준하여 좌우라인의 간격이 고르게 형성(꺾임선의 정확한 작업점을 밀어 올림)되는 것을 확인하며 이동한다.
- 꺾임선을 작업할 때 힘을 가하는데도 불구하고 선의 변화가 없으면 작업점을 작업해주지 못하는 경우이다. 이때는 작은 텐션을 주면서 로드 포인트가 어디에 있는 지를 확인하여 작업점으로 이동하여야 한다.
- 작업점을 찾지 못하고 무리한 힘을 가하게 되면, 하이를 만들거나 심지어는 복원 불가능상태로 지그재그선을 망칠수도 있으므로 로드 포인트 주변의 상하좌우 라인 변화를 유심히 살펴보아야 한다.(오류 작업의 예 참고)

오류작업의 예 1 오류작업의 예 2

오류작업의 예 3 오류작업의 예 4

- 오류 작업은 작업점을 복원한 것이 아니라 하이를 발생시키며 덴트를 잡아당겨 놓은 것이다. 이때 하이가 발생한 부분을 다운 펀치를 하여 수정하여야 하는데, 아무리 완벽한 수정 작업을 한다고 하여도 복원 작업 이전 원래의 형태로 수정 할 수는 없으므로, 좌우라인이 대칭이 됨과 동시에 부드러워 질 때까지 충분한 수정을 해준다.(지나친 수정은 패널을 늘려 놓는 결과를 초래 할 수 있다.

우측 오류 작업 좌측 오류 작업

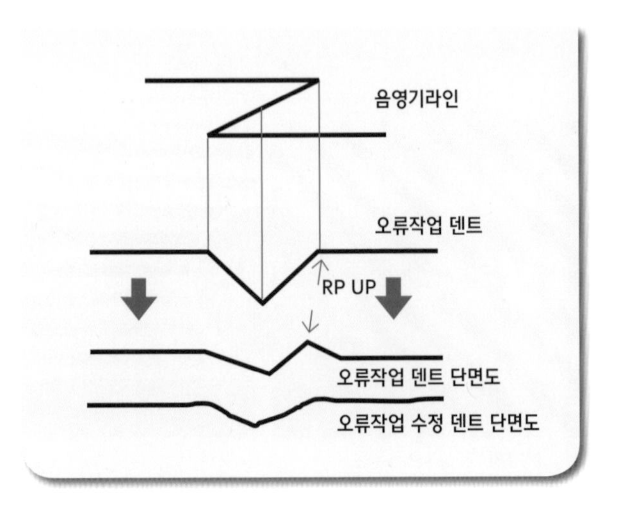

수정작업 후 선의 간격이 넓거나 지그재그 꺾임이 심한 곳부터 복원 작업을 하고, 오류작업을 한 곳을 피하여 반대쪽에서 로드 포인트를 이동하여 복원한다(예를 들면 위의 사진처럼 좌측3시). 오류작업을 수정한 뒤 2차 복원 작업은 천천히 조금씩 작은 힘으로 정확한 작업점을 찾아서 대략 수치상 70% 정도만 복원한다는 생각으로 작업해준다.

덴트가 발생할 때 이미 쇠는 소성을 잃어버린 상태이며, 오류작업으로 인하여 더욱 많은 소성을 상실한 상태 이므로 오류 작업 부위를 피하는 것이 좋다.

복원 작업 중 아주 작은 미세한 로우(마이크로 로우)나 미세한 솟음(마이크로 하이) 현상이나 덴트 스코프 덴트 라인이 찌그러져 판독하기가 어려울 때는 올바른 복원방법은 아니지만, #1500~2000샌드페이퍼로 샌딩과 광택작업을 하여 라인이 깨끗하게 보일 때 복원작업을 한다(샌딩은 1회 4-5번 정도로 2회 정도까지만 한다).

ㅡ자형 덴트는 복원 작업이 끝났다고 생각되면 덴트 스코프를 더 멀리 위치하거나 작업 방향 반대쪽으로 이동하여 덴트 스코프 라인을 확인하여 복원 작업의 결과를 확인한다.

CHAPTER 4

자동차 내외장 필름

4-1 CHAPTER

자동차 윈도우 틴팅

우리가 흔히 말하는 '자동차 썬팅'의 정확한 명칭은 **카 윈도우 틴팅**car windows tinting이다. '유리창에 색을 입힌다.'는 의미로 'window + tint'가 합쳐진 합성어이다. 국내에서 윈도우 틴팅의 시작 시기는 80년 후반부터 자동차에 틴팅을 하기 시작하였다. 이번 장에서는 윈도우 틴팅의 목적과 필름의 종류 및 생산방식, 시공도구 및 시공방법을 자세히 살펴본다.

01 윈도우 틴팅의 목적

틴팅은 주행 중 안전운행을 위한 보조역할이며, 열차단 효과, 에너지 절감효과, 피부보호 효과 등을 위함이 주요 목적이다.

1 안전성

안전운전을 위한 필요 요소는 다양하며, 그 중 전방주시 및 시야확보는 가장 중요한 요소 중 하나이다. 야외활동을 할 때 햇빛으로 인한 눈부심 때문에 선글라스를 착용하듯이 주간 운전하는데 햇빛으로부터 방해받지 않고, 안전하게 운전할 수 있는 역할을 해줄 수 있는 것이 '윈도우 틴팅'이다. 그 이유는 태양광 중 가시광선 투과를 윈도우 필름이 5~80%이상 운전자의 성향에 맞게 차단이 가능하여 눈부심을 줄여 안전운전에 도움을 줄 수 있다. 운전 중 과도한 햇빛과 불필요한 섬광은 운전자의 눈부심을 유발하여 안전 운전에도 문제가 된다.

2 피부보호

피부 노화 및 각종 피부 질환의 원인 중 하나는 자외선 이다. 운전 중 창문을 통해 들어오는 자외선은 운전자의 피부에 직접 전해지기 마련이다. 지상으로부터 13~50km 사이의 성층권에 오존층은 태양광선 중 자외선을 차단하며, 사람을 비롯하여 지구상의 모든 생명체를 보호한다. **자외선**은 파장영역에 따라 **UVA**(320~400nm), **UVB**(280~320nm), **UVC**(100~280nm)로 나뉘고, UVC를 제외한 UVA, UVB는 오존층에 모두 흡수되지 않고 지구상으로 투과된다.

첫 번째, UV-A는 피부 면역 체계에 작용하여 피부 노화 및 장기적 피부 손상을 일으키며, 피부암으로 확대될 수도 있다. 두 번째, UV-B는 대부분 오존층에 흡수되지만 일부 지구에 도달하고 이는 피부를 태우고, 조직을 뚫고 들어가며 피부암을 일으킨다. 차량 운행 시간이 많아지고, 남녀노소 차량이용이 많아지면서, 운행 중 자외선에 노출되는 시간이 또한 늘어나고 있다. 그런데 윈도우 필름에는 자외선을 99%이상 차단할 수 있는 기능이 있으며, 윈도우 틴팅을 통해 차량내부로 들어오는 자외선을 막을 수 있다.

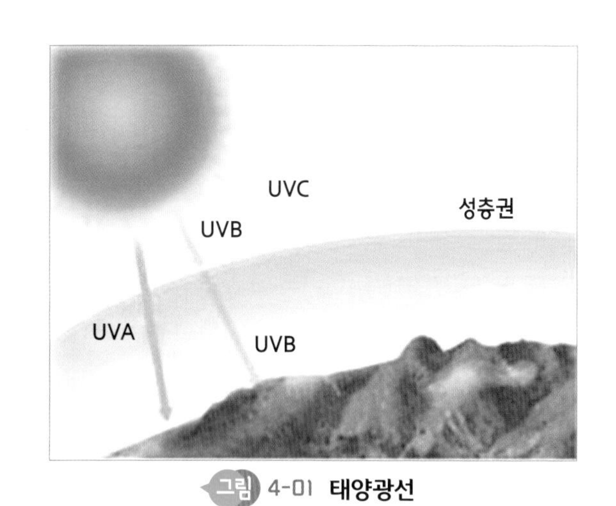

그림 4-01 태양광선

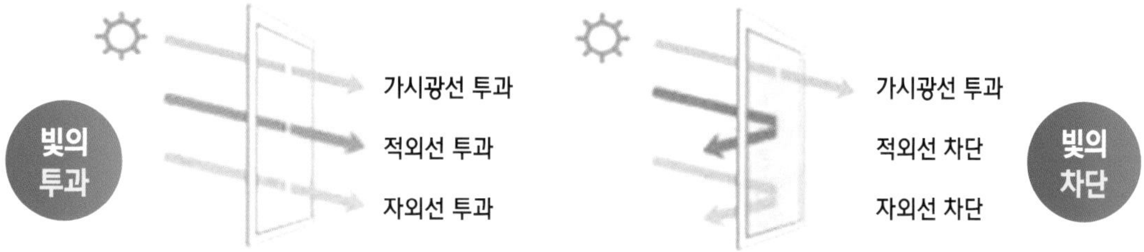

빛의 투과
가시광선 투과
적외선 투과
자외선 투과

가시광선 투과
적외선 차단
자외선 차단
빛의 차단

그림 4-02 빛의 투과 및 차단 ▶ 출처 : (주)넥스필/넥스가드

3 열차단

윈도우 필름은 적외선을 일부 반사시키거나 흡수할 수 있다. 자동차에 틴팅을 하면 적외선이 차량 내부로 들어오는 것을 막을 수 있고, 그로 인해 운전자는 차량 내부에 있으면, 차량 밖에 있는 것보다 열 체감률이 낮아지게 된다. 윈도우 필름을 생산하는 업체에서도 다양한 원료를 이용하여 더 많은 적외선을 차단하고자 연구와 실험을 하였고, 기술이 발전됨에 따라 적외선 반사율 및 흡수율이 높은 윈도우 필름이 생산되고 있다. 그로인해 장시간 운전을 하더라도 운전자는 태양열로부터 자유롭게 안전운전에 집중할 수 있는 효과를 얻고 있다.

4 에너지 절감

윈도우 필름의 열차단 효과가 높아지면서 외부의 열이 들어오는 것을 차단하고, 내부의 열이 빠져나가는 것을 막는 것이 가능해졌다. 그로인해 여름철 외부의 뜨거운 열이 내부로 들어가는 것을 막아주고, 내부의 차가운 열이 밖으로 빠져나가는 것을 막아줌으로써 에어컨 사용이 현저히 줄어들어 자동차 연비가 좋아지고 에너지 절감에 큰 효과를 주고 있다. 또한 겨울철 외부의 찬 공기가 내부로 들어가는 것을 막아주고, 내부의 따뜻한 열이 밖으로 빠져나가는 것을 막아주어서 히터의 사용을 줄임으로써 에너지 절감에 효과를 주고 있다.

5 사생활 보호

그림 4-03 차량 윈도우 틴팅

윈도우 필름은 가시광선 투과를 5~80% 이상 운전자에 맞게 조절할 수 있다. 이는 안전성에도 도움을 주지만 운전자의 사생활을 보호 할 수도 있다. 윈도우 필름에서 가시광선 투과를 VLTVisual Light Transmission라 부르는데 VLT의 농도를 조절하면 밖에서 차안의 현상 보임을 제안함으로써 운전자의 사생활을 보호 할 수 있다.

차량이 늘어나고 남녀노소 다양한 연령층이 운전을 하면서 운전자의 사생활이 노출되면 이로 생길 수 있는 악영향을 윈도우 필름으로 줄여 줄 수 있다.

02 윈도우 필름의 종류

1 세라믹 필름 Ceramic Film

태양에너지에서 나오는 적외선의 복사열 및 유해 자외선을 차단시키는 필름으로, 가시광선 투과율이 65~75%까지 높은 가장 대중적인 필름이다.

세라믹 필름의 특징으로는 첫째 적외선을 최고 99%까지 차단가능 하며, 둘째 높은 가시광선 투과율 유지와 동시에 적외선 및 자외선 90%이상 차단하고, 셋째 염료의 변색이나 산화로 인한 탈색을 방지하고, 넷째 태양열을 차단하여 에너지 효율이 향상되며, 다섯째 빛 반사로 인한 눈부심 현상 방지, 여섯째 적외선의 열과 자외선 차단으로 빛바램, 햇빛의 그을림, 인테리어 탈변색을 방지하고, 마지막으로 피부암, 기미, 주근깨, 눈 손상 등 인체에 유해한 자외선 차단 및 유리 파손 및 비산을 방지한다.

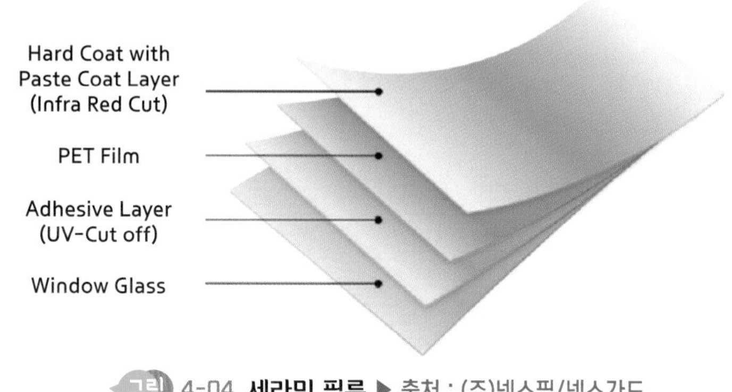

그림 4-04 **세라믹 필름** ▶ 출처 : (주)넥스필/넥스가드

2 칩 다이드 필름 Chip Dyed Film

투명한 필름에 색상을 단순 도포하는 방식이 아닌 컬러 PET 칩을 사용하여 투명한 필름뿐 아니라 컬러 필름 원단 자체를 생산하는 방식이다. 칩다이드 타입의 윈도우 필름은 색상 변화가 없고, 필름 제조사부터 색상을 부여한 칼라 폴리에스터 필름을 사용하여 투명 점착제로 코팅한 제품으로, 외관이 우수하고 생산성이 뛰어나 보편화되어 있는 필름이다. 칩다이아드 필름의 특징으로는 첫째 변색이나 빛바램 현상에 대한 강한 내구력을 가지고 있고, 둘째 블랙톤 일색의 단조로움을 탈피한 다양한 컬러감 구성이

가능하여 개성에 맞는 색상선택이 가능하고, 셋째 사생활 보호 및 심미성이 향상되며, 넷째 99%이상 자외선 차단율로 차량 실내 인테리어 변색 방지가 가능하고, 다섯째 스크래치 방지 하드 코팅으로 스크래치 발생율이 낮고, 마지막으로 제품 수축 및 시공의 편의성이 우수한 필름이다.

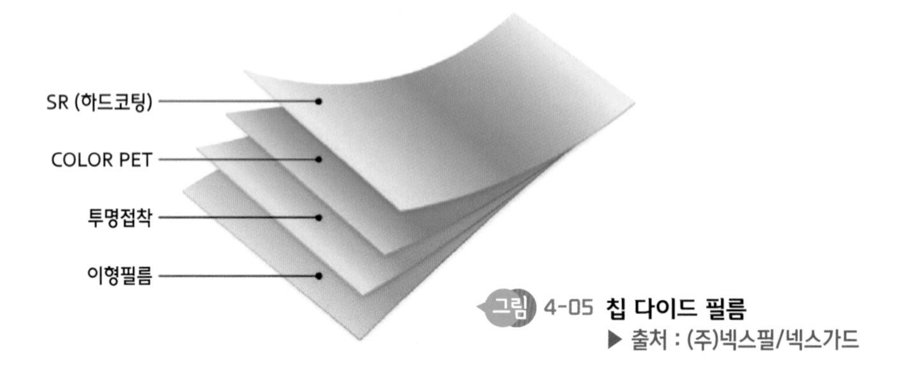

그림 4-05 칩 다이드 필름
▶ 출처 : (주)넥스필/넥스가드

3 스퍼터 필름 Sputter Film

스퍼터 필름은 진공상태에서 필름의 표면에 금속성분을 원자 구조로 얇게 박막 코팅시키는 방식으로 미국 및 선진 시장의 건축물들은 대부분 스퍼터 타입의 윈도우 필름을 시공할 정도로 성능이 우수하다. 스퍼터 필름의 시작은 자동차보다 건축 유리에 먼저 시공되었으며, 열차단 효용성이 매우 높아 지금은 자동차 윈도우에도 적용시키고 있다.

스퍼터 필름의 특징으로는 첫째 태양열과 복사에너지를 차단하여 열 효용성이 매우 높고, 둘째 실내 온도 불균형을 해소하고, 셋째 열 흡수율이 낮아 실내로 재 방출되는 열이 감소되어 쾌적한 실내 환경 및 온도 유지가 가능하고, 넷째 적외선의 열과 자외선 차단으로 빛바램, 햇볕에 그을림, 인테리어 탈색 및 변색을 방지하고, 다섯째 피부암, 기미, 주근깨, 눈 손상 등 인체에 유해한 자외선을 최소 98%까지 차단하며, 마지막으로 유리 파손 및 비산을 방지한다.

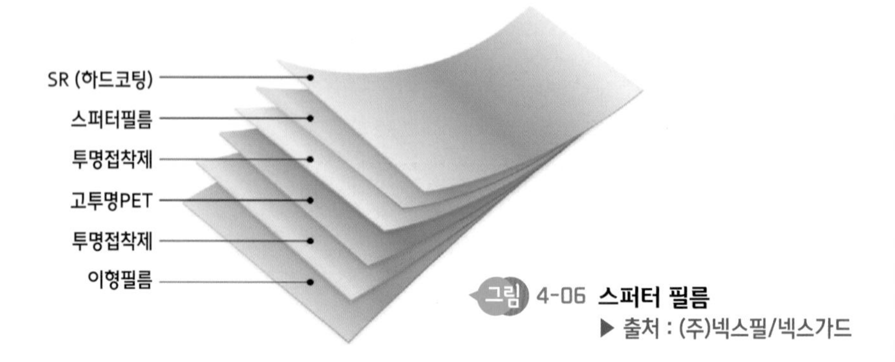

그림 4-06 스퍼터 필름
▶ 출처 : (주)넥스필/넥스가드

참고자료

● 윈도우 필름 세대별 구분

① 1세대 필름

염료코팅 필름으로 투명한 필름 원단데 염료를 코팅하는 방식으로 가시광선의 차단만 가능하여 내구성이 심각하게 떨어지고 탈변색 문제가 발생한다.

② 2세대 필름

칩다이드 필름으로 필름 자체에 색을 넣는 방식으로 내구성 및 탈변색 문제는 해결했지만, 뜨거운 열 적외선 차단 효과는 미미하다.

③ 3세대 필름

나노세라믹 필름으로 일부 열이 흡수되는 성질을 가지고 있으며, 이로 인해 태양열을 직접 흡수하므로 수치상으로는 열 차단이 높게 나오지만 실제 체감은 그에 미치치 못한다. 나노세라믹 방식의 필름은 태양열을 흡수하여 시공된 유리에 악영향을 미치며, 시간이 흐를수록 뜨거워진 유리에서 실내로 열이 재 방출되어 실내를 뜨겁게 만든다.

④ 4세대 필름

스퍼터 필름으로 열을 반사시켜 주는 외부 반사율이 향상되어 탁월한 열 차단 효과를 발휘하며, 필름에서 열을 흡수하는 양이 상대적으로 적기 때문에 재 방출 되는 열량도 그만큼 적어진다. 외부반사율이 높아지게 되면 거울처럼 반사되는 미러현상이 나타나게 되는데, 희귀금속을 다층 코팅하여 실제 반사율은 높이되 육안 반사율은 줄여 미러 현상을 줄이고 외관을 더욱 고급스럽게 만들어 준다. 또한 미세코팅 스퍼터 공법으로 시인성이 탁월하다.

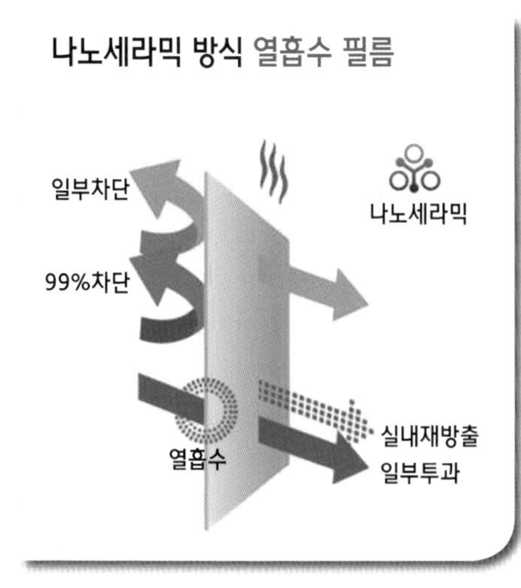

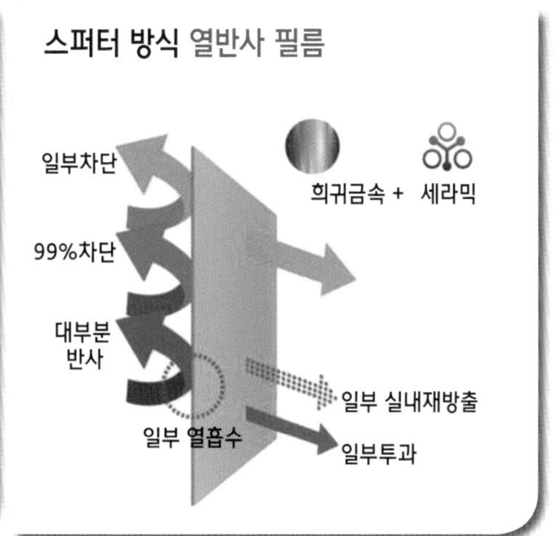

가시광선 자외선 적외선

그림 4-07 **나노세라믹, 스피터 방식**

▶ 출처 : (주)넥스필/넥스가드

03 윈도우 필름의 제조공정

다양한 금속 및 칩 다이드를 이용하여 윈도우 필름의 기본 베이스 필름을 만들고, 서로 다른 방식의 장비를 이용하여 여러 가지 기능성 필름을 생산한다.

일반적으로 자동차에 시공되어지는 필름은 "폭 152.4cm, 길이 30.5m"로 나가지만 생산은 3,000~12,000m를 VLT 별로 만들어 재단하여 포장된다.

참고자료

- **가시광선 투과율의 법적 기준**

〈 도로교통법 [시행 2019. 3. 28.] [법률 제15530호, 2018. 3. 27., 일부개정] 〉

제49조(모든 운전자의 준수사항 등) ① 모든 차의 운전자는 다음 각 호의 사항을 지켜야 한다.

〈개정 2013.3.23, 2013.8.13, 2014.11.19, 2015.8.11, 2017.7.26, 2018.3.27〉

3. 자동차의 앞면 창유리와 운전석 좌우 옆면 창유리의 가시광선(可視光線)의 투과율이 대통령령으로 정하는 기준보다 낮아 교통안전 등에 지장을 줄 수 있는 차를 운전하지 아니할 것. 다만, 요인(要人) 경호용, 구급용 및 장의용(葬儀用) 자동차는 제외한다.

〈 도로교통법 시행령 〉

제4장 제28조(자동차 창유리 가시광선 투과율의 기준) : 법 제49조제1항제3호 본문에서 "대통령령으로 정하는 기준"이란 다음 각 호를 말한다.

1. 앞면 창유리: 70퍼센트 미만
2. 운전석 좌우 옆면 창유리: 40퍼센트 미만 [전문개정 2013. 6. 28.]

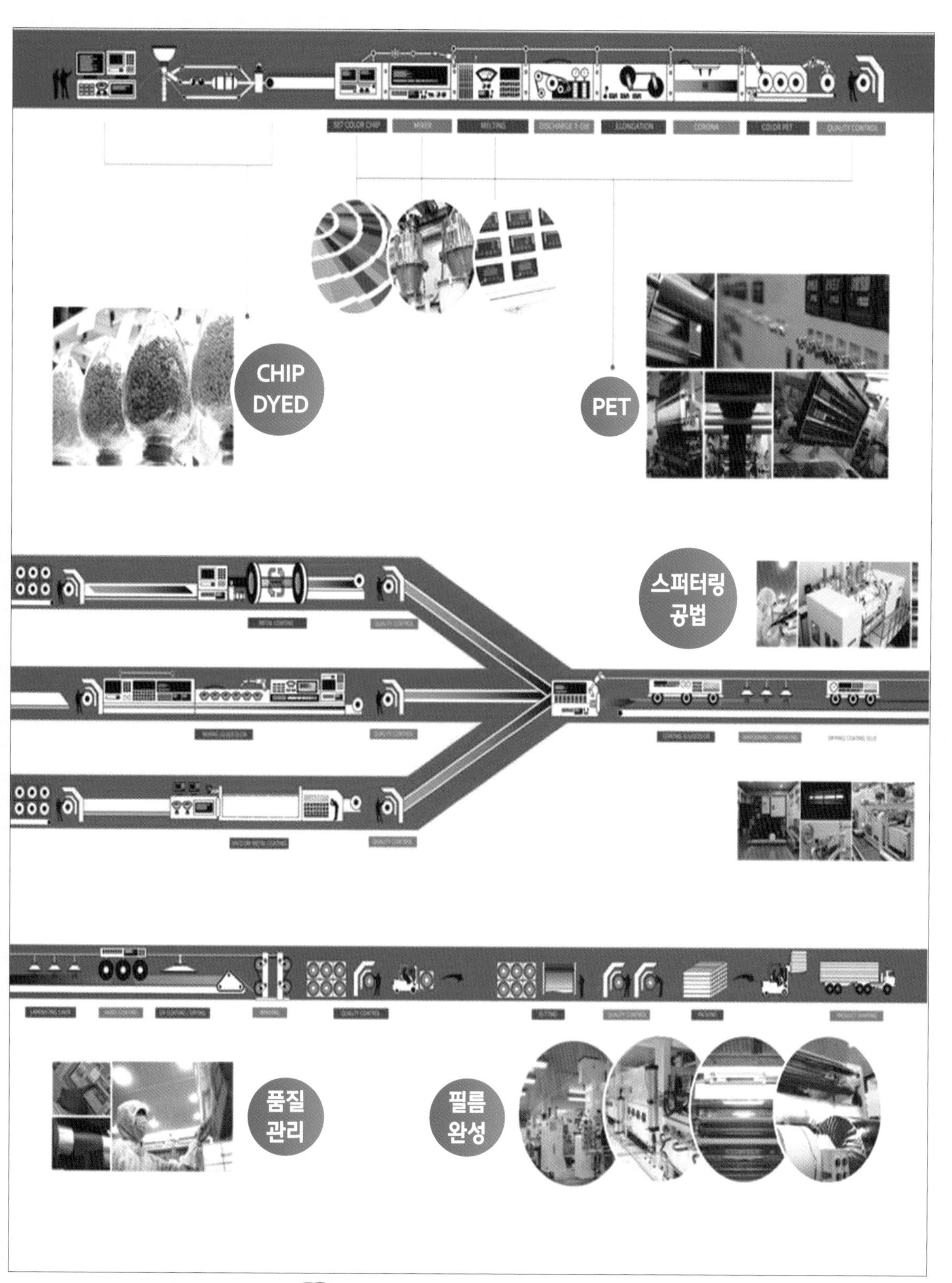

그림 4-08 **제조공정** ▶ 출처 : (주)넥스필/넥스가드

04 윈도우 틴팅 시공에 필요한 도구

윈도우 틴팅에 필요한 도구는 다양하며, 같은 기능을 하더라도 모양이나 재질의 차이, 사용자의 특성에 따라 여러 종류로 나뉜다. 중요한 것은 시공자가 원하는 방식으로 틴팅을 하는데, 이때 자신에게 맞는 도구를 사용하면 되고, 윈도우 필름에 손상이 적고 완벽한 시공이 될 수 있도록 뒷받침이 되는 도구를 선택하면 된다.

헤라
우레탄 스퀴치

히팅건
골드카드

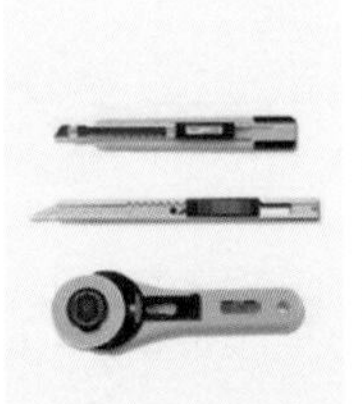

커터칼

스팀기

분무기

타올

그림 4-09 **틴팅에 필요한 도구** ▶ 출처 : 욜앤카

05 윈도우 틴팅 시공 방법

틴팅은 측면과 전면 및 후면 시공이 있으며, 시공순서는 차량의 특성에 따라서 작업자가 선택한다.

1 측면 시공

1단계 기존 필름 및 이물질 제거

커터칼 및 스팀기 등을 이용하여 기존의 필름 및 윈도우에 이물질을 깨끗이 제거해 준다.

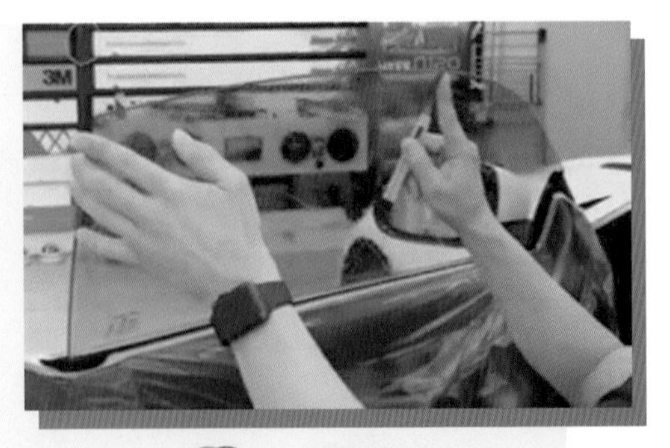

그림 4-10 **제거작업**

윈도우 필름 마름질 (측면 유리에 맞게 재단)

차량 종류에 따라 윈도우 크기가 다르므로 시공 차량에 맞게 필름을 마름질(재단) 해야 한다. 재단 방법은 여러 가지가 있는데 필름을 윈도우에서 바로 재단하거나, 윈도우 모양에 맞게 미리 만들어 놓은 철판 가다 또는 프로그램을 입력해서 쓰는 마름질 기계 등이 있다.

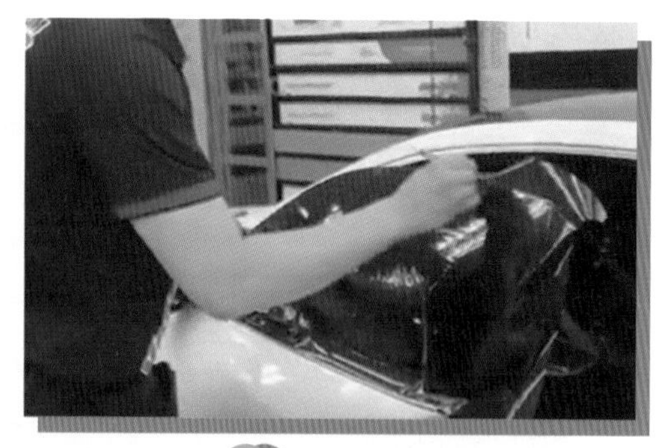

그림 4-11 재단작업

윈도우 필름 이면지 제거 및 부착

윈도우 필름층 마지막 이면지를 제거하고 틴팅 전용 솔루션이 들어있는 물을 윈도우와 필름에 분사 후에 윈도우 테두리에 맞춰 필름을 부착한다.

그림 4-12 부착작업

스퀴징 및 마무리

우레탄 스퀴지 및 헤라를 이용하여 물기를 완전히 제거하고 마무리를 한다.
이때 필름과 윈도우 사이에 이물질은 없는지, 구겨지거나 꺽여서 필름에 손상은 없는지 등 다방면으로 확인하고 마무리 하도록 한다.

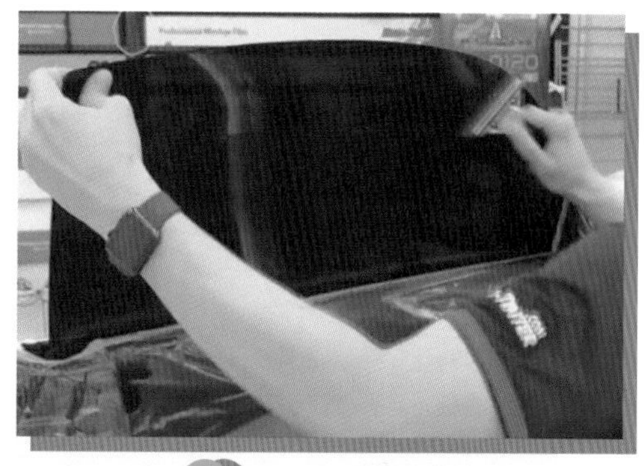

그림 4-13 마무리작업

2 전면/후면 시공

1단계 기존 필름 및 이물질 제거

스팀기, 커터칼, 스틸울 등을 이용하여 기존의 필름 및 윈도우에 이물질을 깨끗이 제거해 준다.

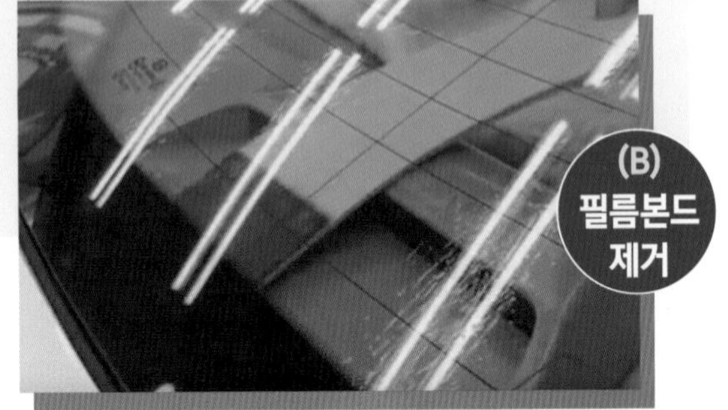

그림 4-14 **제거작업**

2단계 윈도우 필름 마름질 (전면/후면 유리 크기에 맞게 재단)

차량 종류에 따라 윈도우 크기가 다르므로 시공 차량에 맞게 필름을 재단 해야 한다. 이때 위에서 배운 측면과는 달리 전면/후면 윈도우는 불투명한 가장자리에 맞춰 최대한 밀착해서 재단하도록 한다.

그림 4-15 **재단작업**

3단계 히팅건을 이용한 윈도우 필름 수축

측면 윈도우와 달리 전면/후면 윈도우는 굴곡이 심하다. 그래서 윈도우 필름을 수축하지 않고서는 완벽하게 부착할 수 없다. 그러므로 히팅건을 이용하여 윈도우 굴곡에 맞게 필름을 수축해야만 굴곡진 부분을 완벽하게 시공할 수 있다. 이때 필름의 종류에 따라 히팅건의 온도와 열을 가하는 부분이 다르며, 수축되는 시간 또한 서로 다르기 때문에 필름에 열이 가해졌을 때 어떠한 모습으로 수축이 되는지 볼 수 있어야 한다.

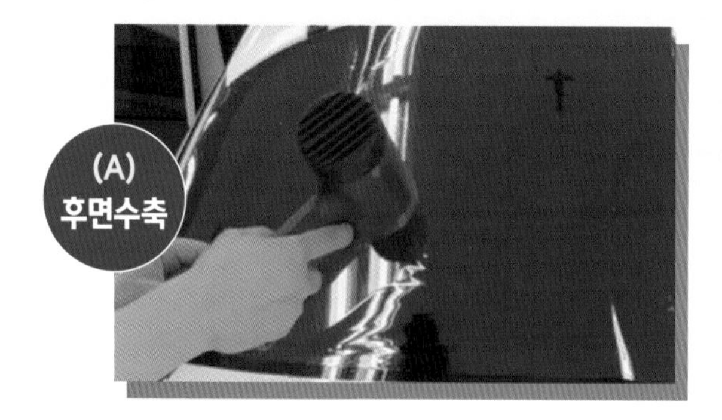

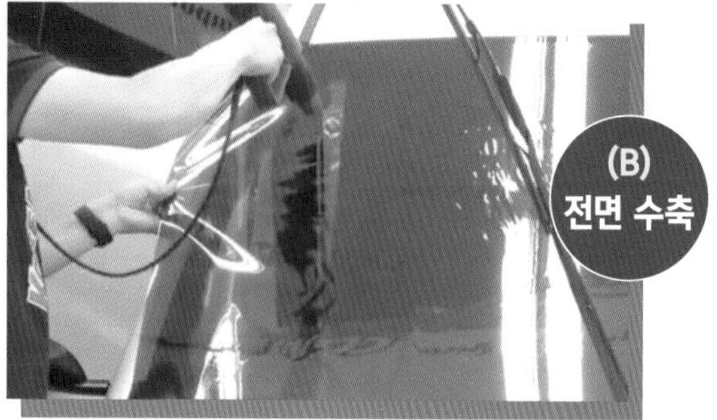

그림 4-16 수축작업

4단계 윈도우 필름 이면지 제거 및 부착

윈도우 필름층 마지막 이면지를 제거하고 틴팅 전용 솔루션이 들어있는 물을 윈도우와 필름에 분사후 윈도우 테두리에 맞춰 필름을 부착한다.

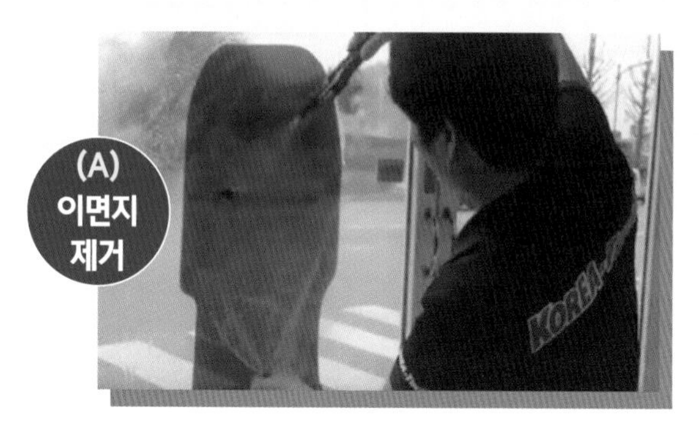

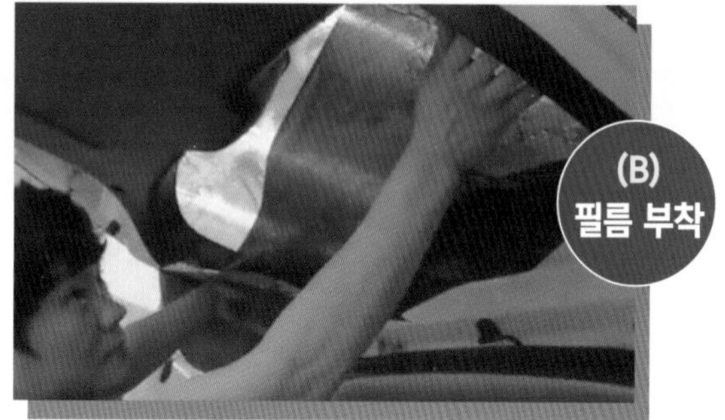

그림 4-17 이면지 제거 및 부착작업

5단계 스퀴징 및 마무리

우레탄 스퀴지 및 헤라를 이용하여 물기를 완전히 제거하고 마무리를 한다. 이때 필름과 윈도우 사이에 이물질은 없는지, 구겨지거나 꺽여서 필름에 손상은 없는지 등 다방면으로 확인하고 마무리 하도록 한다.

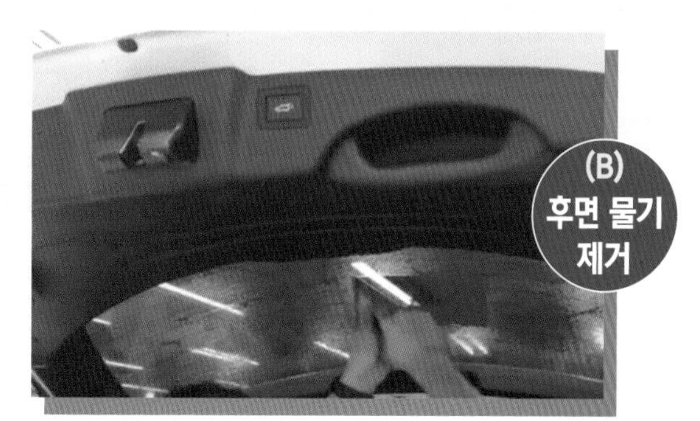

그림 4-18 미무리작업 ▶ 출처 : 코리아틴더

4-2 CHAPTER

자동차 랩핑Wrapping

랩핑이란 차량 외관에 얇은 특수 재질의 PVC 필름을 덮어씌우는 작업으로, 일부 또는 전체 시공이 가능하다. 랩핑의 시작은 차량 일부분에 포인트 스티커를 붙이기 시작하여 현재는 그 범위가 차량 전체까지 적용하고 있다.

랩핑 필름의 종류 및 재질이 다양해지면서 차량 외관뿐만 아니라 실내 랩핑 시공도 가능하다. 이는 실내 스크래치 및 변색된 부분을 다양한 색상의 필름 시공으로 실내 분위기를 바꾸고 스크래치 및 변색된 부분을 숨길 수 있다.

01 랩핑의 목적과 효과

운전자의 개성이 뚜렷하고 자동차를 아끼고 관리하는 운전자가 늘어나면서 랩핑 또한 늘고 있는데 차량 랩핑에 사용되는 필름도 기술의 발전에 따라 그 내구성이 좋아지고 랩핑 필름의 종류 및 기능 또한 다양해졌다. 랩핑의 목적은 먼저 상업적인 광고로 시작되었다. 시각적으로 보이는 광고 중 하나로 고정되어 있지 않고 움직이는 차량을 이용하여 소비자에게 직접 또는 간접적인 노출이 가능한 광고의 한 종류가 되었다.

랩핑의 광고 효과로는 생각할 수 있는 다양한 매체에 적용하여 광고연출이 가능하고, 소비자에게 직접 홍보할 수 있으며, 다른 광고물에 비해 저렴한 비용, 한번 시공 후에는 추가비용이 없고, 일부 수정도 매우 쉽게 할 수 있다는 장점이 있다. 그리고 자동차의 성능 및 내구성이 좋아지고 정비능력이 향상되면서 차량의 사용기간이 늘었다. 자동차 랩핑은 페인트 도색으로는 표현하지 못하는 다양성을 가지 있는 것이 큰 장점인데 이로 인해 차량의 외관 색상에 질리지 않고 새로운 느낌으로 새로운 차량을 타는 느낌을 줄 수 있다. 도색과는 달리 차량 본연의 색상에 손상이 가지 않아 언제든지 본연의 색상으로 돌아 갈 수 있는 큰 장점이 있다.

02 랩핑 시공 도구

정확한 랩핑에 필요한 도구는 매우 다양하며, 일반적인 도구로는 다음과 같은 것들이 있다.

각종 우레탄 스퀴지

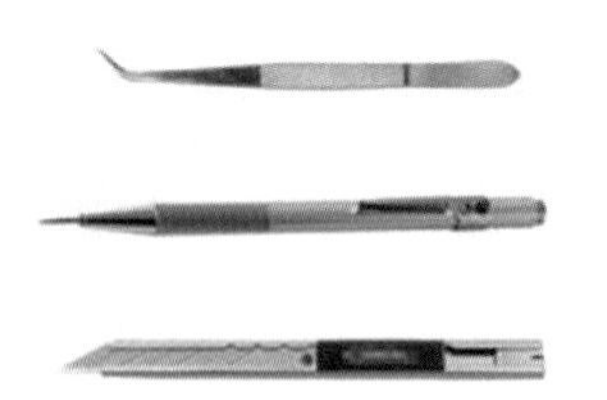

핀셋, 공기제거 툴, 제도용 칼

히팅건

분무기

다용도 리무버

필름 전용 솔루션

그림 4-19 **랩핑 시공 도구** ▶ 출처 : 욜앤카

03 랩핑 시공 방법

1단계 랩핑 컨셉 선정

운전자가 원하는 스타일의 랩핑 필름을 선택하고 차량 도장 면의 이물질을 제거한다. 시공은 바디 한판 씩 나누어서 시공한다.

그림 4-20 랩핑 컨셉 선정

2단계 필름 부착

필름의 특성에 따라 작업의 방식 또한 다르며 필름 특성을 잘 숙지하도록 한다. 전용 솔루션과 각종 우레탄 헤라를 이용하여 한 부분씩 나누어 시공한다.

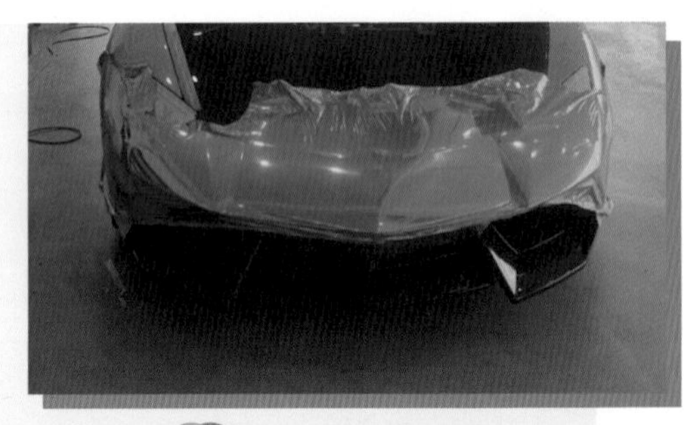

그림 4-21 필름 부착 작업

3단계 재단 및 마무리

한 부분씩 재단 후, 차체표면 안쪽까지 기존색상이 보이지 않도록 꼼꼼하게 시공한다.

그림 4-22 마무리작업 ▶ 출처 : 아우토스킨

4-3 CHAPTER

자동차 도장 보호 필름PPF

PPF는 Paint Protection Film의 약자로 그 의미는 “도장 보호 필름”이다. 랩핑wrapping과 전체적인 형태 및 작업방식이 거의 흡사하나 차량 본연의 색상을 유지한다는 점에서 다르며, 이것이 PPF의 큰 장점이다. 필름 재질 또한 랩핑 필름과는 다르게 **우레탄**Urethane이 주 성분이고, 차량 도장 면에 해를 가할 수 있는 상대로부터 강한 내구성을 가지고 있다.

과거와 다르게 자동차가 단순한 이동수단의 용도만이 아니고, 하나의 고가 재산의 가치로 부각되는 현실에서 자동차를 아끼고 보호하려는 운전자들이 많아지면서 PPF의 시공 또한 많이 늘고 있다.

01 도장 보호필름(PPF)의 재질과 목적

PPF의 주성분은 우레탄이다. 우레탄은 신축성이 좋은 합성 PVC, 합성필름으로 수분과 산염기에 강하고 방수성이 뛰어나며, 고무보다 내구성이 좋고 잘 늘어나면서도 가볍고 탄성이 좋다. 또한 굴곡에 접착이 가능하며, 자외선 및 열에 방어가 강하며 자가복원의 기능으로 옅은 스크래치는 없어진다. 이러한 장점 때문에 일상적인 도로 주행으로 생길 수 있는 사소한 손상으로부터 차량의 도장면을 보호받을 수 있다.

그래서 PPF 시공은 차량 도장에 해를 가할 수 있는 돌조각, 염분(염화칼슘), 벌레와 조류 분비물, 기타 도로파편 및 약한 충돌에 의한 스크래치 등을 방지하는데 그 목적이 있다.

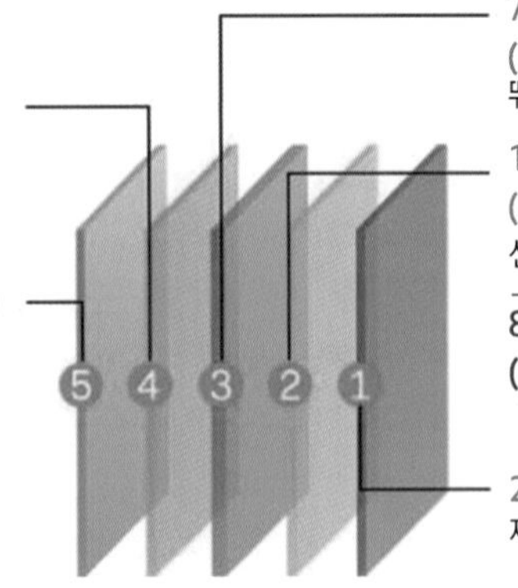

그림 4-23 **필름 구조** ▶ 출처 : LLumar Film

02 PPF 시공 영역 및 시공 방법

PPF 시공은 크게 차량 외관 전체면적과 긁힘으로부터 노출이 많이 되는 특정부분에 시공이 가능하다. 필름의 가격이 고가이다 보니 전체면적보다는 부분시공이 많이 이루어지고 있다. PPF 시공 도구 및 방법은 앞장에서 배운 랩핑과 거의 흡사하다.

그림 4-24 **PPF 시공** ▶ 출처 : LLumar Film

CHAPTER 5

자동차 실내 트림

Trim

5 CHAPTER

자동차 실내 트림

01 자동차 시트커버

시트는 헤드레스트, 시트백 패드/워머/커버, 시트백 프레임, 사이드 에어백 등으로 이루어져 있고, 천과 비닐, 인조가죽, 천연가죽 등으로 시트의 겉을 덮고 있는 것을 시트커버라고 한다.

순정 시트는 표면적으로는 가죽이나, 천으로 시트 전체를 감싸고 있고, 누구나 쉽게 승하차할 수 있도록 장착되어 있는데 차량 옵션사항에 따라 그 재질과 구조는 다르다. 힘줄이 있는 저급 가죽원단은 내구성이 떨어지고 단기간에 가죽 갈라짐 및 찢어짐 현상으로 장기간 사용할 수 없는데 힘줄이 없는 최고급 가죽원단 및 기능성 특허소재(실리콘 카켈)를 사용하면 향균/탈취/제습이 가능하고 가죽의 습도를 조절하여 오래 사용할 수 있도록 해준다.

1 시트커버의 교체 목적

안전운전 요소 중 운전 조작능력을 도와주는 것 중 하나가 시트커버이다. 순정 자체의 시트커버도 나쁘지는 않으나, 운전자의 체형이나 운전 목적에 맞게 제작되지 않고 대중적으로 만들어져 있다. 시트커버를 운전자의 체형이나 운전 목적에 맞게 제작된 시트커버로 교체하면 몸을 감싸주어 고속 코너링 시 원심력과 중력을 견딜 수 있고, 안정적인 코너링을 도와주어 안전운전을 할 수 있기 때문에 시트커버를 교체하는 목적이 있다.

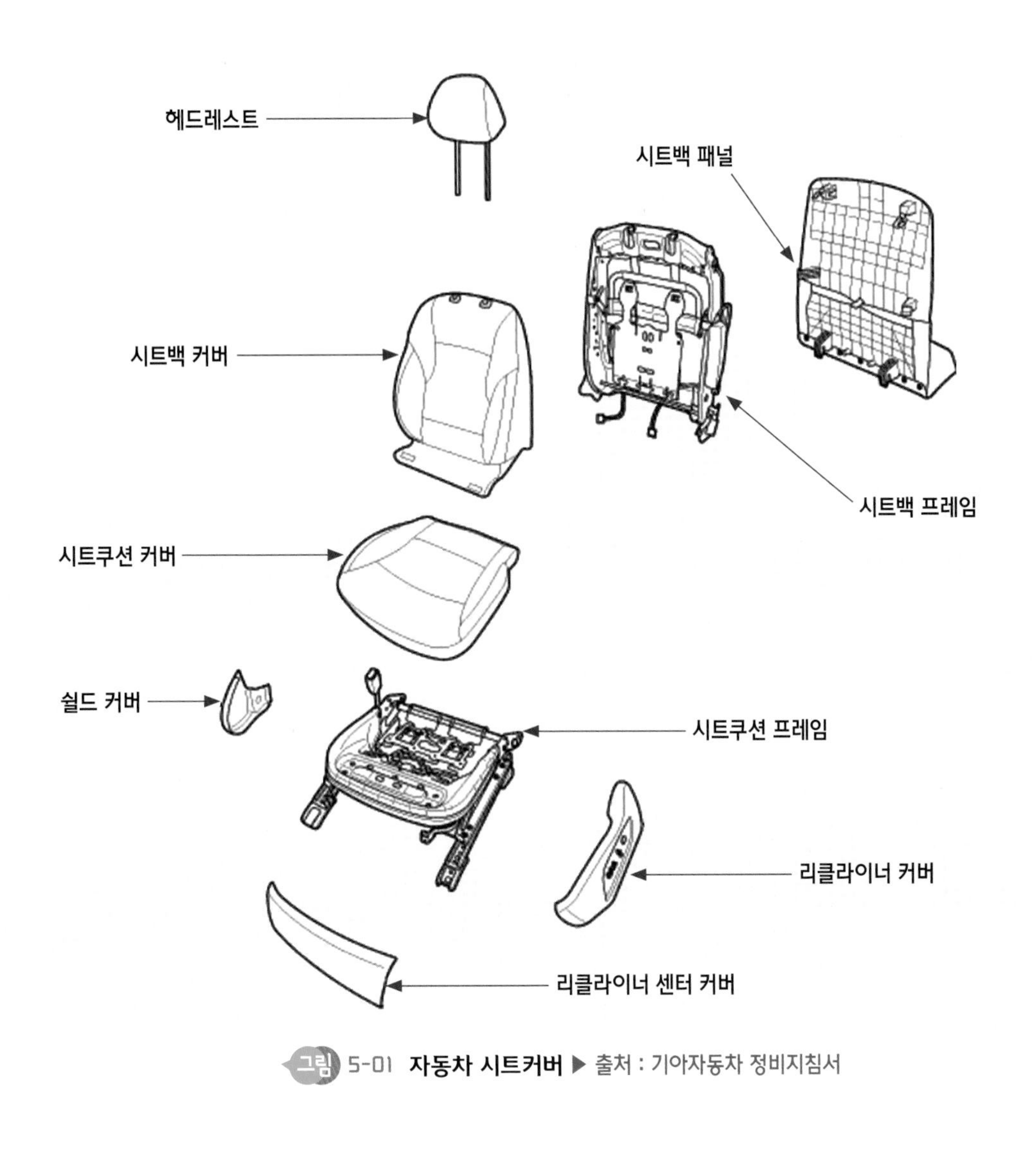

그림 5-01 **자동차 시트커버** ▶ 출처 : 기아자동차 정비지침서

2 시트커버의 종류

(1) 가죽시트

인조가죽이나 직물(면) 원료로 된 시트커버를 천연 가죽 시트커버로 교체하는 작업이다. 인조가죽은 수분을 흡수하지 못해 비위생적이며, 원재료의 내구성이 약해 수명이 짧다. 직물시트는 먼지가 많고 이물질 세탁이 어려워 악취 및 육안상 보기가 좋지 않아 천연가죽 시트로 많이 교체 하는데, 가죽시트는 수분 흡수력이 높아 위생적이고, 시간이 지날수록 고급스러워지며, 감촉이 매우 좋다.

그림 5-02 **가죽시트 교체** ▶ 출처 : 광주 카패션

(2) 리무진시트(버킷/투톤시트)

비탈진 길이나 급커브 지역에서 운전자의 탑승감과 안정성을 높여 편안함을 주는 시트커버이다. 시트의 양 옆 부분에 돌출된 버킷을 추가하여 코너링에서 몸을 감싸주어 한쪽으로 쏠리는 것을 방지하는데 주로 스피드를 즐기는 레이싱선수들이 선호한다. 리무진시트와 버킷의 만남은 안정성은 물론 리무진 시트만의 고급성은 기능적인 면은 물론 인테리어 효과까지 얻을 수 있는 시트커버이다.

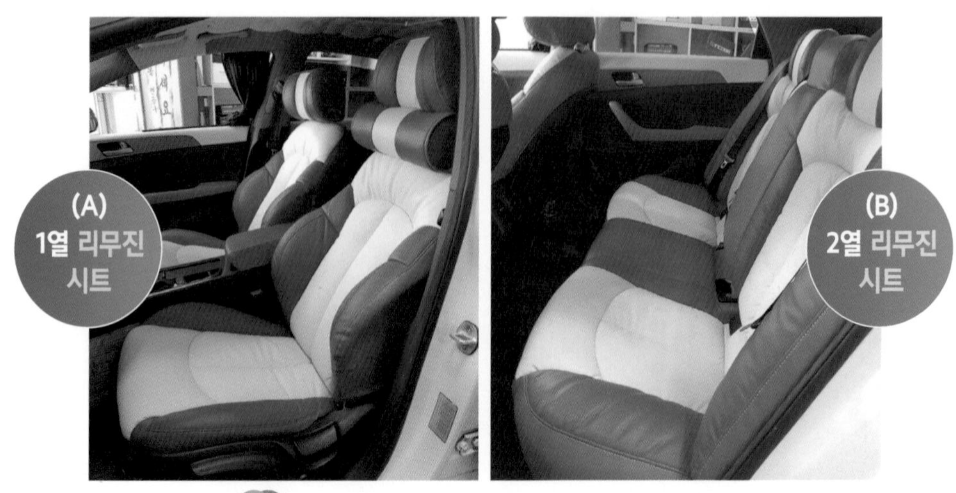

그림 5-03 **리무진시트 교체** ▶ 출처 : 광주 파이버테리어

3 전동 시트

자동차의 시트를 수동이 아니라 전동 펌프에 의한 유압 또는 전기 모터를 이용해 위아래 또는 앞뒤로 조절할 수 있도록 설계된 좌석을 말한다.

전동시트가 등장하기 전에는 운적석이나 조수석에서 앞뒤 또는 위아래로 시트를 당기고 밀거나, 뒤로 젖히기 위해서는 일일이 좌석 옆이나 앞쪽에 설치된 레버를 손으로 당겨야 하는 불편함이 있었는데 일일이 손으로 조절해야만 하는 기존 시스템의 단점을 보완해 스위치 조작만으로 시트를 원하는 자세로 마음대로 조절할 수 있다.

4 메모리 시트

시트의 앞뒤 또는 위아래의 위치를 기억시킬 수 있는 시트로 다수의 사람이 같은 차량을 이용할 때 매우 유용한 기능이다. 운전자가 바뀔 때마다 일일이 조작하는 것이 아니고 시트 위치를 미리 저장해 놓으면 마이크로컴퓨터 제어에 의해 시트 위치가 기억되고 포지션 스위치를 누르면 자동적으로 위치가 제어된다.

5 냉/온 시트

요즘 출시되는 차량에는 기본적으로 제공되는 시트로 여름에는 시원하게 겨울에는 따뜻하게 시트의 온도를 조절해 주는 시스템이다. 차량의 옵션사항에 따라 냉/온 시트가 유/무가 나뉘며 기본적으로 운전석에는 냉/온 시트가 제공된다. 냉/온 시트 기능이 없는 조수석 및 그 외 기본 시트에 냉/온 시트로 튜닝이 가능하며, 순정 부품으로 교환하는 방법과 중소기업에서 만들어낸 고기능성 아이디어 냉/온 시트가 많이 출시되어 있다.

(A) 통풍시트 교체를 위한 모터 및 통풍구

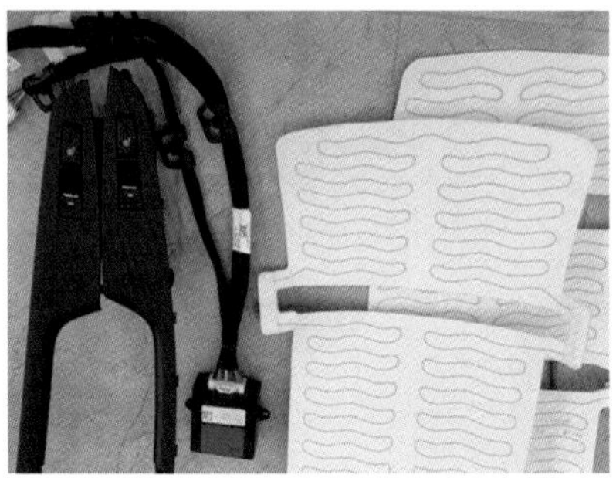

(B) 열선시트 교체를 위한 패드 및 컨트롤러

그림 5-04 냉/온시트 교체 ▶ 출처 : 광주 덱스크루

6 시트 시공 방법

차량에 커튼에어백이 장착되어 있는 경우에는 작업 전에 먼저 배터리를 탈거 후, 작업을 진행한다.

① 시트를 앞뒤로 움직이면서 시트장착 볼트를 탈거한다.

② 시트하단의 에어백 커넥터 및 파워시트 커넥터를 탈거한다. 커넥터 탈거 전에 반드시 탈거방법을 숙지한 후 진행한다.

③ 시트를 탈거한 후, 시트백 커버를 교환한다. 작업순서는 헤드레스트를 탈거하고, 클립과 후크등을 제거한 후 백커버가 파손되지 않도록 공구를 사용하여 탈거한다. 이후 시트백 프레임으로부터 프로텍터를 제거한 후 시트백을 탈거한다.

④ 시트쿠션 커버는 먼저, 리클라이너 커버를 탈거하고, 시트 하단부의 프로텍터를 분리하고, 이후 프레임에서 시트쿠션 커버를 탈거한다.

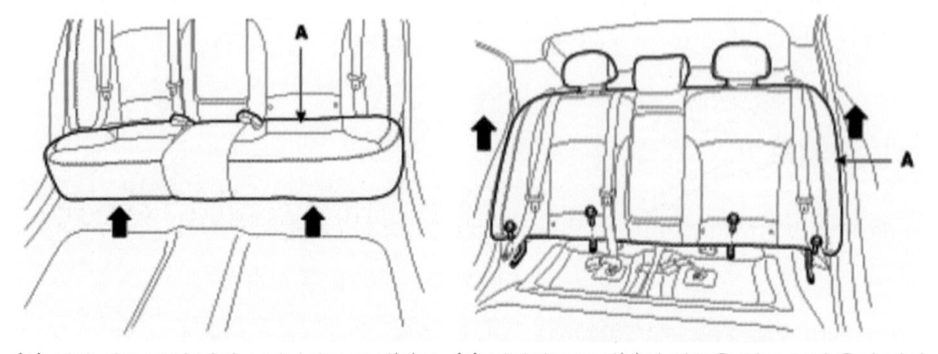

(A) **리어 시트 쿠션 탈거 :** 리어시트 쿠션(A)를 위로 들어올려 탈거한다.

(B) 리어시트 쿠션(B)의 양쪽을 위로 들어 올려 탈거한다.

그림 5-05 **리어시트 탈거 방법** ▶ 출처 : 기아자동차 정비지침서

그림 5-06 **시트커버 교체** ▶ 출처 : 광주 카패션

02 자동차 도어 트림

자동차 도어 안쪽의 잠금장치, 창문장치, 스피커 등을 덮고 있는 부분을 말한다. 시트 커버를 교체하면서 취향에 맞춰 도어 트림 인테리어 또한 시트에 맞춰 튜닝을 하는데 교체가 불가능한 차량도 있어 확인이 필요하다.

도어 트림 구조에 따라 도어 패널에 트림을 붙이기만 한 넓적한 도어 트림과 암 레스트 등을 일체로 형태를 바꾼 **성형 도어 트림**으로 나누어진다. 도어 트림은 실내 인테리어 효과뿐만 아니라 차음, 흡음, 충돌할 때 승객 보호 등의 기능도 가지고 있다.

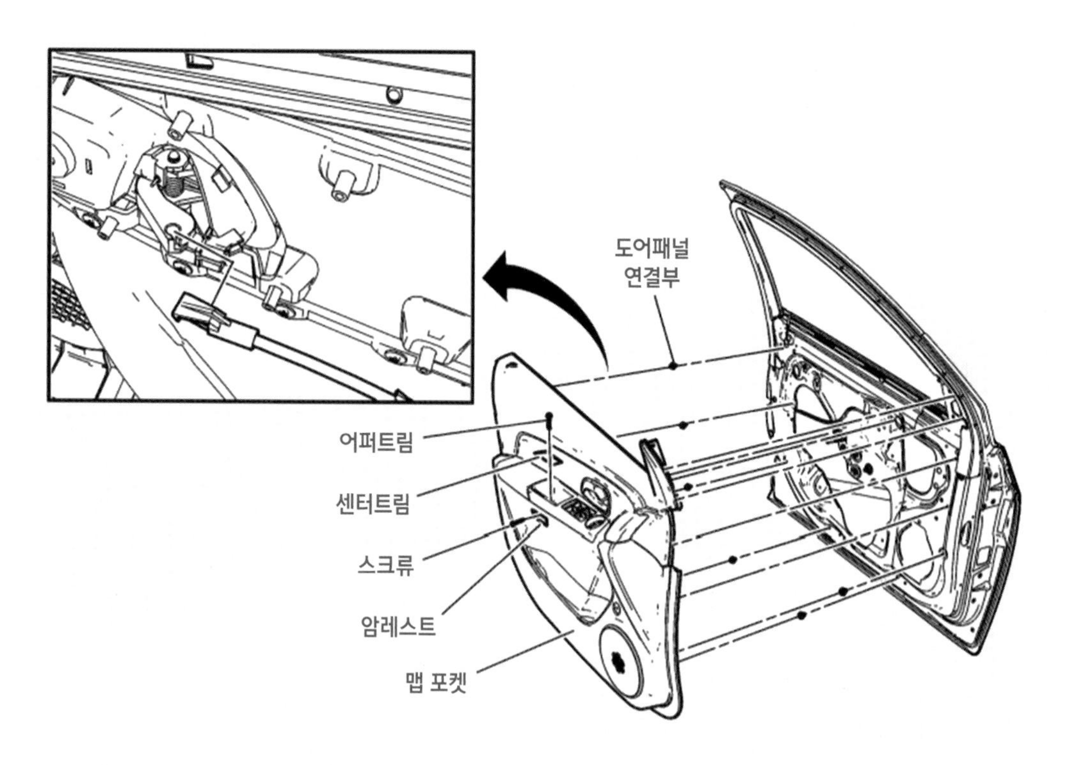

그림 5-07 **도어 트림 구조** ▶ 출처 : 한국GM 정비지침서

1 도어 트림 시공 방법

도어 트림 작업 시에는 해당도어의 유리를 최하단에 위치시킨 후 작업을 시작하며, 썬팅된 차량의 스크래치에 유의하여 작업한다.

① 도어상부 트림 커버를 탈거한다.

② 도어 인너 손잡이 캡을 탈거한다.

③ 도어 트림 주변의 볼트를 탈거한다.

④ 도어 트림의 손잡이 및 하단부위를 작업자의 안쪽으로 당기면서 탈거한다. 도어 트림 안쪽에는 화스너에 의해 도어패널에 밀착되어 체결되어 있으므로 특수공구를 사용하여 탈거한다.

⑤ 도어 트림의 마감재를 교환한다.

⑥ 내장의 조립은 탈거의 역순으로 진행하며, 조립전에 트림내부에 장착된 화스너를 새것으로 교환한 후에 작업을 진행한다.

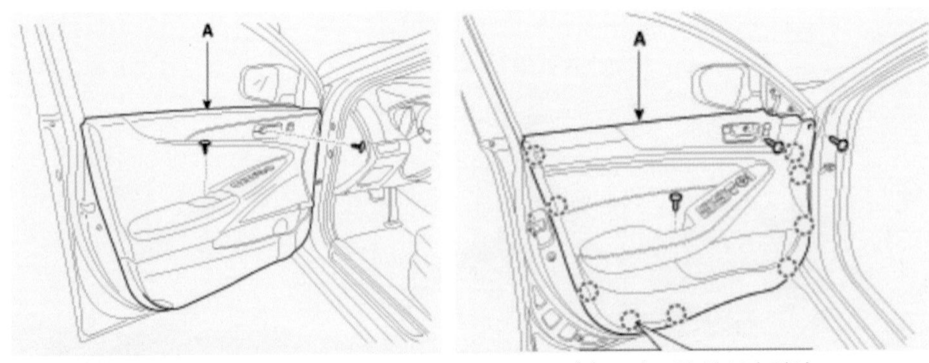

(A) 도어 트림 탈거 전
(B) 도어 트림 화스너 위치

그림 5-08 **도어 트림 교체** ▶ 출처 : 광주 카패션

03 자동차 루프 트림

루프Roof는 차량의 지붕을 의미하며, 차량의 단일면적으로 가장 넓은 부분이 루프 트림이다. 루프 트림의 튜닝에는 많은 목적이 있다. 썬루프가 없는 차량에 썬루프를 설치하거나, 시트커버 및 도어 트림을 교체하면서 인테리어적인 효과를 얻고자 가죽 및 스펀지, LED등을 이용하여 화려하게 변경하거나, 주행 중 햇볕으로부터 받는 열전도를 낮추고 차량 진동에 의해 루프에서 발생하는 소음 등을 최소화하기 위해 방음/방진 패드를 부착하는 형태의 튜닝이다.

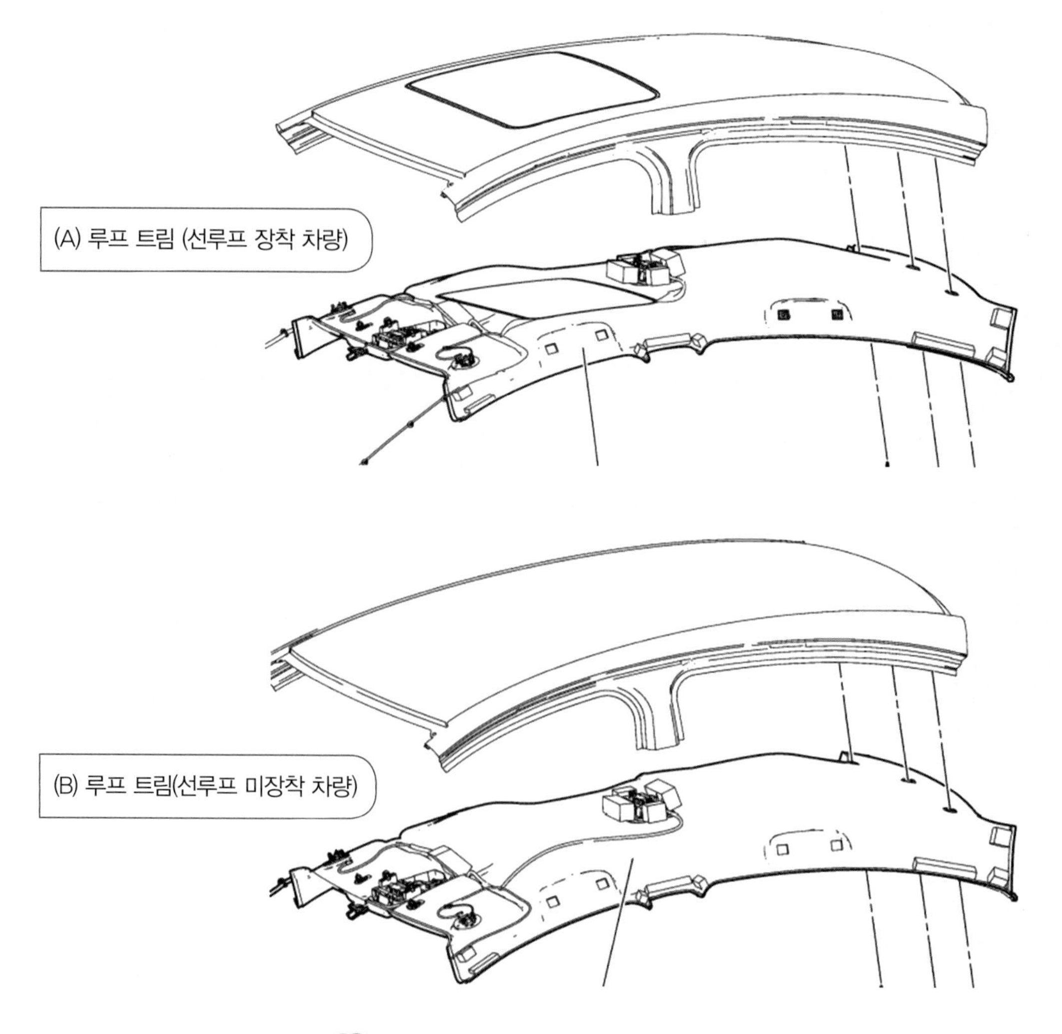

그림 5-09 **루프 트림 구조** ▶ 출처 : 한국GM 정비지침서

1 루프 트림 시공 방법

차량에 커튼에어백이 장착되어 있는 경우에는 우선적으로 배터리를 탈거하여 작동불가 상태로 작업해야 하며, 손상발생 시 부품을 반드시 교환하여야 하므로 주의하여 작업해야 한다.

① 프런트 및 리어시트를 탈거한다. 파워시트 등의 장착품 탈거 여부는 루프 트림의 용이한 작업을 위해서 차량의 정비지침서를 참고하여 탈거 여부를 결정한다.

② 선바이져와 센터 룸램프 및 베니티 램프를 탈거한다. 램프 탈거 시에는 스크류 드라이버 및 특수공구를 사용하여 주의하여 탈거한다.

③ 프런트 필러트림, 센터 필러 트림, 리어 필러 트림을 순차적으로 탈거한다. 이후 각각의 스카프 트림 및 어퍼트림을 탈거한다.

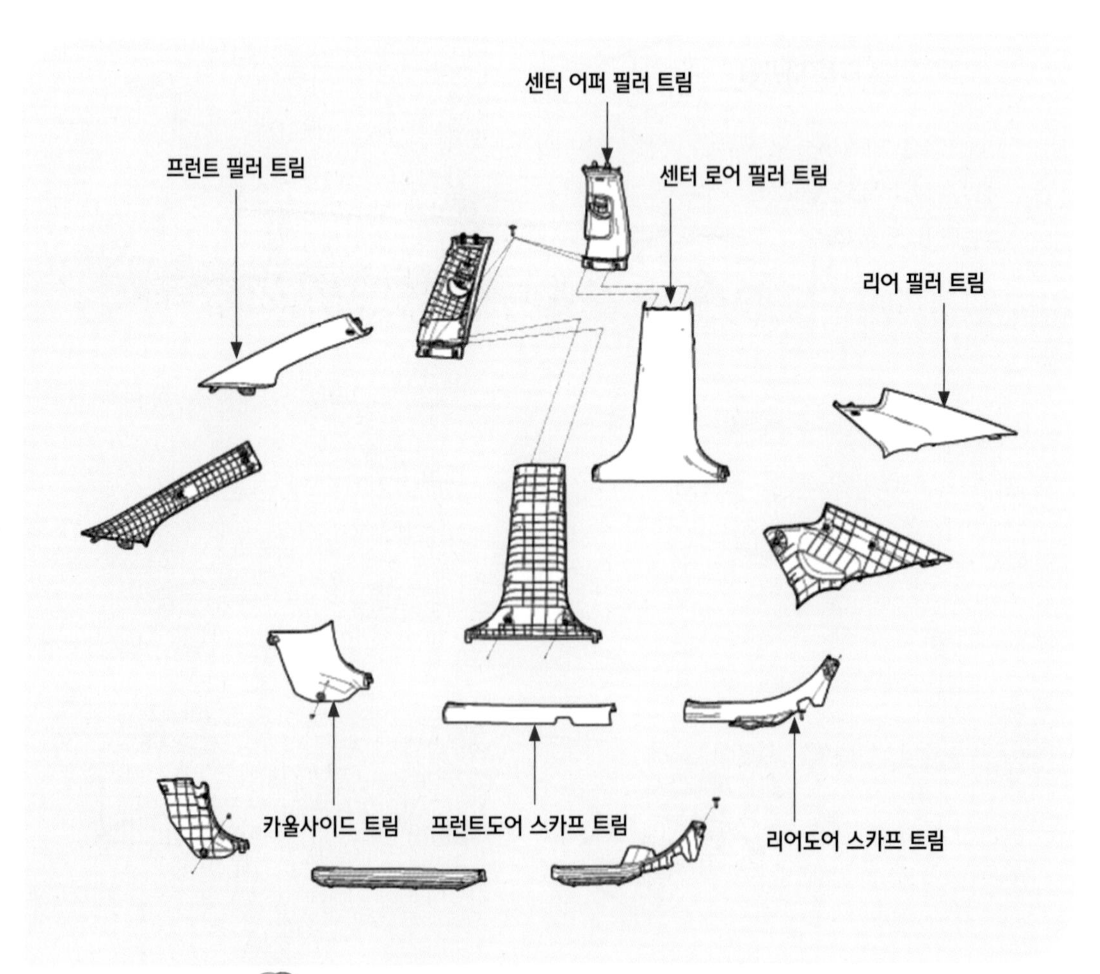

그림 5-10 **내장트림 구성부품** ▶ 출처 : 현대자동차 정비지침서

④ ECM 미러 커버 및 커넥터를 분리하고, 레인센서 커버 및 커넥터를 탈거한다. LDWS(차선감지장치) 및 LKAS(차로유지장치)가 장착된 차량의 경우에는 커버 및 커넥를 주의하여 탈거한다.

⑤ 루프 트림 장착 클립을 제거하고 루프 트림을 탈거한다.

루프 트림 제거

루프 트림을 고정하고 있는 부분을 제거하고 차량 밖으로 탈거 한다.

2 단계

방음/방진패드 장착

루프 트림을 제거하고 방음/방진 패드를 부착해 준다. 소리와 진동뿐만 아니라 열이 들어오는 것을 막아준다.

루프패드 패턴 만들기

루프 트림에 맞는 패드를 고정시키고 LED 및 핀을 이용하여 다양한 패턴을 만들어 준다.

루프패드 장착

완성된 루프 트림을 다시 제자리에 고정하고 각종 배선을 연결하여 마무리 한다.

그림 5-11 **루프 트림 교체 순서** ▶ 출처 : 광주 카패션

04 자동차 플로어 트림

플로어Floor는 차량의 바닥을 의미하며, 순정 차량의 플로어 트림의 재질은 직물로 되어있고, 그 위에 비닐과 매트로 덮여 있다. 순정 플로어 트림은 장점보다는 단점이 많은데 시간이 지날수록 차량의 모든 먼지나 이물질, 수분 등에 오염이 많고 이로 인해 위생상 매우 취약하다. 또한 차량시트로 덮여있어 청소 또한 쉽지 않다.

플로어 트림의 튜닝은 이러한 단점들을 보완하고자 시작되었고 위생적인 부분을 해결하기 위해 기존의 직물에서 인조가죽으로 바뀌었고 지금은 인테리어 효과를 더해줄 다양한 색상과 패턴이 들어가 있는 재질과 차량 하체의 진동으로부터 발생되는 소음과 진동을 잡아주는 기능성 재질도 생산되고 있다.

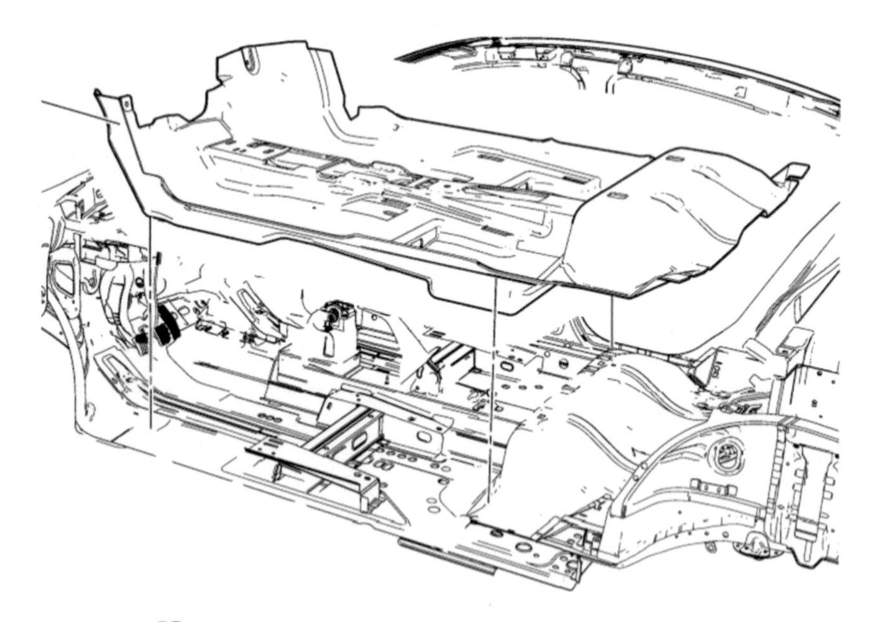

그림 5-12 **플로어 트림 구조(승용차량)** ▶ 출처 : 한국GM 정비지침서

1 플로어 트림 시공 방법

① 앞좌석 시트(운전석 및 조수석 시트)를 탈거한다

② 뒷좌석 시트를 탈거한다. 일체식 시트와 분할식 시트의 형태에 따라 주의하여 탈거한다.

③ 앞쪽 플로워 콘솔을 탈거한다. 플로워 콘솔은 작업과정에서 변속기 체인지레버 등과 같이 스크레치에 민감한 부위가 많기 때문에 탈부탁 작업 시에 특수공구를 사용한 세심한 주의가 요구된다.

④ 프런트 및 리어실 패널을 탈거한다. 승용타입과 SUV 및 RV차량에 따라 탈거 위치를 구분하면서 주의하여 탈거한다.

⑤ 센터필러(B필러) 및 리어필러(C필러)의 하부 가니시 몰딩을 탈거한다. 차량이 D필러부가 있는 경우에는 탈거해야 할 필러부위가 넓어지므로 각각의 위치에 따른 탈거 순서에 주의하면서 탈거한다.

플로어 트림 제거

차량의 시트와 순정상태의 직물 및 내장재를 모두 탈거한다.

방음/방진 패드 부착

방음/방진 패드를 차량 전체 혹은 특정부분만 부착한다.

플로어 트림 부착

인조가죽 또는 기능성 재질의 플로어 차량 형태에 맞게 시공하고, 나머지 내장재를 본래의 위치에 장착한다.

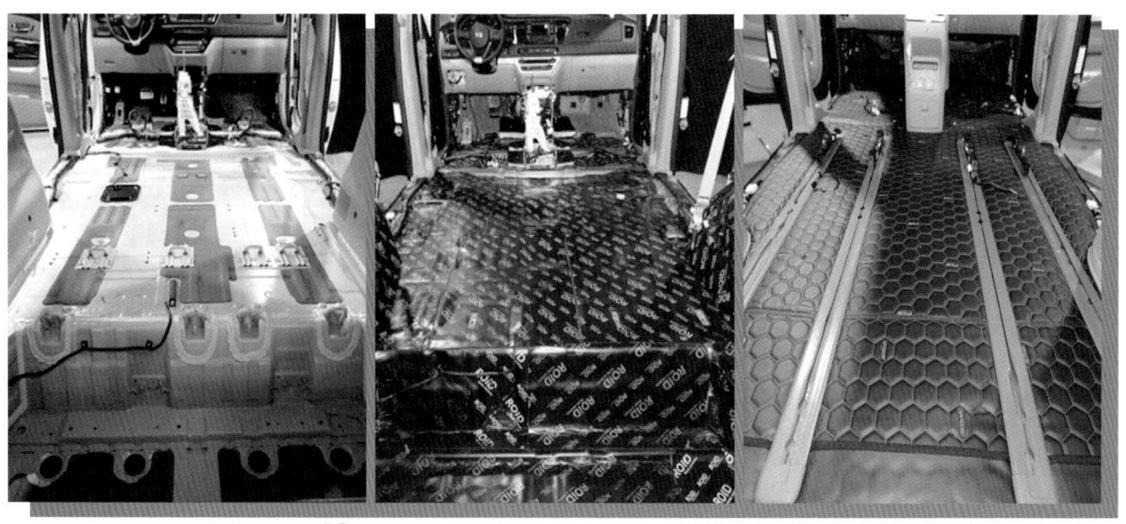

그림 5-13 **플로어 트림 교체 순서** ▶ 출처 : 광주 진영모터스

부록 1. 블랙박스 주요 사항

항목	규격	비고
모델명	TOPAZ ALL HD	
크기/무게	(전) 105 × 65 × 27 mm / 100g (후) 52 × 24 × 24 mm / 25g	케이블, 거치대 제외
디스플레이 패널	4.0 inch Touch LCD (800x400)	
용량	micro SDHC(16G / 32G / 64G / 128G)	
녹화방식	상시녹화/충격(이벤트)녹화/수동녹화/주정차녹화(충격감지 및 동작감지 시 녹화) (전) HD 720p / 30 bps (후) HD 720p / 30 bps	
렌즈	HD급 광각 렌즈	
이미지센서	High Quality CMOS Image Sensor	
화각정보	(전/후방) 대각 128도 / 수평 101도 / 수직 80도	
비디오	(전/후방) 720p / 30 bps	
인코딩	(영상) MPEG - 4 AVS (음성) PCM	.AVI
음성	마이크 내장	
스피커	스피커 내장	
가속도 센서	3축 가속도 센서(+2g/-2g)	
입력전원	DC 12V 3A	
배터리	슈퍼캐패시터	
소비전력	평균 3.5W / 최대 4.5W	2CH 기준
동작/보관온도	(동작온도) -10℃~60℃ / (보관온도) -20℃~70℃	
인터페이스	상시전원(POWER), 후방카메라(R-CAM), 외장 GPS, 영상출력(AV OUT) 연결포트	
출력방식	NTSC	
기타	시큐리티 LED, 전원 ON/OFF, LDWS, FORMAT FREE	

2. 업체별 전조등 규격

SSANGYONG MOTOR

차량명	규격		비고	차량명	규격		비고
	하향	상향			하향	상향	
로디우스	H7	H7		코란도	H4 일체형		
렉스턴(1,2,슈퍼)	H7	H1	상향 미지원	코란도패밀리	H4 일체형		
렉스턴W	H7	H1	상향 미지원	뉴코란도	H4 일체형		
무쏘(신/구)	H4	H1	상향 미지원	코란도 C	H4 일체형		
무쏘 스포츠	H7	H1	상향 미지원	뉴코란도C 14년형	H4 일체형		
이스타나	H4 일체형			코란도 스포츠	H4 일체형		
체어맨	H7	H1	상향 미지원	액티언	H4 일체형		
체어맨H	D2R	H7	하향 미지원	액티언 스포츠	H4 일체형		
체어맨W	D1S	H7	하향 미지원	코란도 투리스모	H7	H1	상향 미지원
카이런	H7	H1	상향 미지원	티볼리	H7	H1	상향 미지원
뉴카이런	H7	H1	상향 미지원	티볼리 AIR	H7	H1	상향 미지원

HYUNDAI NEW THINKING. NEW POSSIBILITIES.

차량명	규격		비고	차량명	규격		비고
	하향	상향			하향	상향	
갤로퍼 1/2	H4 일체형			아이오닉	H7	9005	
그랜져	H4 일체형			아반떼 (구형 린번)	H4 일체형		
뉴 그랜저	H3	H3	미지원	아반떼 XD	H7	H1	
그랜져 XG	H7	H1	상향 미지원	뉴아반떼 (06년식)	H7	H1	
그랜저 TG	H7	H1/H7	직접확인요망	아반떼 HD	H7	H1	
그랜저 HG	H7	H7		아반떼 MD	H7	H1	
그레이스	H4 일체형			더뉴아반떼 MD	9005	H1	미지원
다이너스티	H7	H7		아반떼MD 쿠페	H1	H7	하향 미지원
라비타	H4 일체형			아반떼AD	9005	H7	하향 미지원
리베로	H4 일체형			아토스	H4 일체형		
리베로 (2005)	H7	H1	상향 미지원	에쿠스3.0	H7	H7	직접확인요망
마르샤	H4 일체형			에쿠스3.5	D2R	H7	직접확인요망
마이티	H4 일체형			에쿠스4.5	D2R	H7	직접확인요망
베라크루즈	H7	H1	상향 미지원	엑센트	H4 일체형		
베르나	H4 일체형			뉴엑센트	H7	H3	상향 미지원
베르나 센스(MC)	H4 일체형			신형 엑센트(일반형)	H4 일체형		
뉴 베르나	H4 일체형			신형 엑센트(프로젝션형)	9005 일체형		미지원
벨로스터	H7	H7		엘란트라	H4 일체형		
스쿠프	H4 일체형			엘란트라 (1.5 /1.6)	9004 일체형		미지원
스쿠프 터보	9006	9005	미지원	테라칸	H7	H1	상향 미지원
스타렉스 구형	H4 일체형			포터	H4 일체형		
스타렉스 00년형	H7	H1	상향 미지원	포터2	H4 일체형		
스타렉스 04년형	H4 일체형			투스카니	H7	H7	
뉴스타렉스	H4 일체형			트라제 XG (LPG)	H7	H1	상향 미지원
그랜드스타렉스	H7	H1	직접확인요망	트라제 XG (디젤)	H7	H1	상향 미지원
싼타모 구형	H4 일체형			티뷰론	H1	H1	미지원
싼타모 신형	H4 일체형			티뷰론 터뷸런스	H7	H1	상향 미지원
싼타페 (02년식 이하)	H4 일체형			클릭/뉴클릭	H4 일체형		
싼타페 (03년식)	H4 일체형			i30	H7	H1	상향 미지원
싼타페 (04년식 이상)	H4 일체형			뉴 i30 (12년식 이상)	H7	H7	
싼타페 CM (더스타일)	H7	H7		i40	H7	H7	
산타페 DM	H7	H7	하향 장착불가	더뉴 i40 (15년식 이상)	H7	H7	
소나타 구형 (89~90)	H4 일체형			제네시스BH	H7	H1	상향 미지원
소나타1 (91~92)	9004	9004	미지원	제네시스DH	H7	H1	상향 미지원
소나타2	H1	H1	미지원	제네시스쿠페	H7	H1	상향 미지원
소나타3	H7	H1	상향 미지원	더뉴 제네시스쿠페	H7	H7	
EF소나타	H7	H7		투싼	H4 일체형		
뉴EF소나타	H7	H1	상향 미지원	투싼IX (일반형)	H4 일체형		
NF소나타 (트랜스폼)	H7	H1	상향 미지원	투싼IX (프로젝션형)	H7	H1	
YF소나타	H7	H7		뉴 투싼IX	9012 일체형		미지원
LF소나타	H7	9005	상향 미지원	투싼TL	H7	H7	하향 미지원
LF소나타 (하이브리드)	H7	H7		아슬란	D3S	9005	미지원

부록

2. 업체별 전조등 규격

차량명	규격		비고	차량명	규격		비고
	하향	상향			하향	상향	
모닝/뉴모닝	H4 일체형			엔터프라이즈 3.0/3.6 (신)	H7	H7	
올뉴모닝(일반형)	H4 일체형			엘란	H1	H1	미지원
올뉴모닝(프로젝션형)	H7	H1	상향 미지원	오피러스	H7	H7	
더뉴모닝(일반형)	H4 일체형			뉴 오피러스	H7	H7	
더뉴모닝(프로젝션형)	H7 일체형			옵티마	H7	H7	
모하비(일반타입)	H7	H1	상향 미지원	옵티마 리갈	H7	H7	
모하비(HID타입)	D1S	H7	하향 미지원	카니발	H4 일체형		
레토나	H4 일체형			카니발2	H7	H7	
레이	H4 일체형			그랜드 카니발	H7	H7	
로체	H7	H1	상향 미지원	올뉴 카니발	H7	H7	
로체 어드밴스	H7	H1	상향 미지원	카렌스 구형	H4 일체형		
록스타	H4 일체형			카렌스2	H4 일체형		
리오	H4 일체형			뉴 카렌스	H7	H1	상향 미지원
라이노(화물)	H4 일체형			올뉴 카렌스	H7	H7	상향 미지원
베스타	H4 일체형			카스타	H7	H1	상향 미지원
봉고 1~3	H4 일체형			캐피탈	H4 일체형		
와이드 봉고	H4 일체형			콩코드	H4 일체형		
비스토	H4 일체형			크레도스(구)	H4 일체형		
세피아 구형	9004 일체형		미지원	크레도스(신)	H4 일체형		
뉴 세피아	H4 일체형			크레도스2 (파크타운)	H4 일체형		
세피아 2	H4 일체형			콤비	H4 일체형		
세라토	H4 일체형			타우너	H4 일체형		
뉴 세라토	H4 일체형			타이탄	H4 일체형		
슈마	H1	H1	미지원	포르테	H7	H1	상향 미지원
스팩트라 구형	H4 일체형			포텐샤(구)	H1	H1	미지원
스펙트라 윙	H7	H7		포텐샤(신)	H7	H1	상향 미지원
스포티지 (구형/CTI)	9004 일체형		미지원	프라이드(베타포함)	H4 일체형		
스포티지	H4 일체형			뉴 프라이드	H4 일체형		
스포티지 아멕스	H7	확인필	직접확인요망	올뉴프라이드 세단 (12년식)	H4 일체형		
뉴 스포티지 (04년식 이상)	H4 일체형			올뉴프라이드 해치백 (12년식	H7	H1	상향 미지원
뉴 스포티지 (10년식 이상)	H4 일체형			더뉴프라이드 (14년식 이상)	H7	H1	상향 미지원
스포티지R	H7	H1/H7	직접확인요망	프레지오	H4 일체형		
스포티지 4세대	9005 일체형		미지원	프론티어	H4 일체형		
쏘울	H4 일체형			프론티어(구)	H4 일체형		
쏘울 (12년식이상)	H7	H1	상향 미지원	K3	H7	H1	상향 미지원
올뉴 쏘울	H7	H7	직접확인요망	K5	H7	H1/H8	
쏘렌토/쏘렌토R	H7	H1/H7	직접확인요망	K5 하이브리드	H7	H7	
올뉴 쏘렌토	H7	H9	상향 미지원	K5 2세대	H7	9005	상향 미지원
아벨라	H4 일체형			K7	H7	H1	상향 미지원
엑스트렉	H4 일체형			더뉴 K7	H7	H9	상향 미지원
엔터프라이즈 2.5/3.0 (구)	H4 일체형			올뉴 K7	9005	H7	하향 미지원

차량명	규격		비고	차량명	규격		비고
	하향	상향			하향	상향	
넥시아	H4 일체형			더넥스트스파크(프로젝션)	9005 일체형		미지원
누비라	H4 일체형			매그너스	H1	H1	미지원
누비라2	H1/H4	H1	H1 미지원	씨에로	H4 일체형		
다마스	H4 일체형			스테이츠맨	H11	H9	미지원
라보	H4 일체형			아카디아	9006	9005	미지원
라세티	H7	H1	상향 미지원	에스페로(구)	9006	9005	미지원
라세티 5도어	H4/H7	H1	직접확인필요	에스페로(신)	H1	H1	미지원
라세티프리미어	H4 일체형			알페온	H11	H11	미지원
크루즈 (5도어포함)	H4 일체형			올란도	H4 일체형		
레간자	H1	H1	미지원	임팔라	9005 일체형		미지원
레조 (03년식)	H4 일체형			윈스톰	H7	H1	상향 미지원
레조 (04년식 이상)	H4 일체형			캡티바	H7	H1	상향 미지원
르망	9004 일체형		미지원	젠트라	H4 일체형		
마티즈 1,2	H4 일체형			카마로	H13 일체형		
올뉴마티즈	H4 일체형			칼로스	H4 일체형		
마티즈 크리에이티브	H4 일체형			티코	H4 일체형		
스파크	H4 일체형			토스카	H7	H1	상향 미지원
스파크 LT	H4 일체형			트랙스	H7	H1	상향 미지원
스파크 스페셜에디션	H1	H1	미지원	아베오	H7	H1	상향 미지원
더넥스트스파크(일반형)	H4 일체형			말리부	H7	H1	상향 미지원

르노삼성자동차

차량명	규격		비고	차량명	규격		비고
	하향	상향			하향	상향	
야무진	H4 일체형			뉴SM5 신형 (10년식 이상)	H7	H1	상향 미지원
SM3	H1	H1	미지원	SM5 노바	H7	H1	상향 미지원
SM3 뉴제너레이션	H7	H1	상향 미지원	SM6	H7	H9	상향 미지원
뉴 SM3 (네오)	H7	H1/H7	직접확인요망	SM7	H7	H1	상향 미지원
SM5	H4 일체형			SM7 뉴아트	H7	H1	상향 미지원
SM525	H4 일체형			올뉴 SM7	H7	H1	상향 미지원
SM5 (03년식 이상)	H7	9005	상향 미지원	SM7 노바	H7	H1	상향 미지원
New SM5 (04년식 이상)	H7	H1	상향 미지원	QM3	H1	H1	미지원
SM5 임프레이션	H7	H1	상향 미지원	QM5 (네오)	H7	H7	상향 미지원

부록

1. (사)한국자동차튜닝산업협회
2. 자동차튜닝업
3. 자동차튜닝엔지니어
4. 자동차정비업과 자동차튜닝업의 작업구분 비교

사단법인

한국자동차튜닝 산업협회

Korea Auto Tuning Industry Association

(사)한국자동차튜닝산업협회는 전문가 인증을 위한 튜닝자격 검정시험 시행 및 자격증 발급, 튜닝전문 인력양성을 위한 특성화고 및 특성화대학교 지정, 튜닝사업자를 위한 사업장 실사 및 튜닝 사업등록증 발급, 대외 경쟁력 강화와 시장확대를 위한 우수 튜닝부품 수출지원, 우수 튜닝부품의 시장 진출을 위한 시험 · 평가 및 품질보증제 시행, 튜닝의 활성화 및 사업장의 안정적인 사업영위를 위한 튜닝클러스터조성, 튜닝문화의 저변확대를 위한 전시회 및 숙련기술 장려를 위한 기능대회 개최, 드래그 레이스, 드리프트, 짐카나 등 모터스포츠를 위한 상설경기장 건립 및 경기대회 개최, 자유로운 튜닝과 자동차산업의 부흥을 위한 네거티브 형태의 자동차 튜닝산업 진흥법안 추진등을 진행하고 있습니다.

김 필 수

사단법인 한국자동차튜닝산업협회 회장
(現) 대림대학교 자동차학과 교수

우리나라는 자동차생산국 순위 5위를 기록할 정도로 세계 자동차산업발전에 일익을 담당하고 있습니다. 그러나 성능보다 생산에 치우치는 국내 자동차산업의 한계로 더 이상 순위 상승을 힘들게 하고 있는 실정입니다. 이제 비로소 국내 자동차튜닝산업도 기지개를 펼 수 있게 되었습니다. 자동차튜닝은 산업의 질적 향상을 위해 키워내야 하는 성장 동력입니다. 우리 협회는 국내외 자동차산업 연구 및 정책연구 등 다양한 개선방안을 마련해 나가면서 소비자권익을 보호하는 등 튜닝분야와 더불어 자동차산업을 발전시켜 나가도록 더욱 노력하겠습니다.

협회연혁

2019. 05
- 자동차튜닝산업 활성화를 위한 토론회 및 전시회 개최
  한국건설생활환경시험연구원(KCL)과의 업무협약(MOU)체결

2019. 03
- 자동차튜닝사 2급 국가공인 심의 신청
  자동차튜닝산업법안 입법발의

2019. 02
- 직업훈련학교 MOU 체결 8개 기관
  제5회 자동차튜닝사 2급 자격검정시험 시행

2018. 12
- 에스에이치컴퍼니(포천레이스웨이),“레이싱페스티벌”개최 협약 체결

2018. 10
- 제4회 자동차튜닝사 2급 자격검정시험 시행

2018. 07
- 서울 오토살롱 개최
  중국 영성시와 튜닝산업활성화 MOU 체결
  제3회 자동차튜닝사 2급 자격검정시험 시행

2018. 01
- 고용노동부 대한민국명장 직종으로 자동차튜닝 고시, 시행
  한국표준직업분류(KSCO) 자동차튜닝원 시행
  협회 운영이사회, 전국지부.지회 (72개지역) 및 분과위원회 제3기 구성
  제2회 자동차튜닝사 2급 자격검정시험 시행

2017. 12
- 미국 튜닝부품 수출지원 1차기업 선정 및 품질보증 Q마크인증 시험기관 평가시행
  미국 SEMA 전시회 참관 및 SEMA(튜닝협회)의 한국멤버쉽 파트너사 가입등록

2017. 11
- 협회, 홍익대, 창원문성대학교간의 융복합 R&D사업을 위한 산학협력 체결

2017. 10
- 이베이, 아마존 공동 자동차튜닝부품 미국수출을 위한 사업설명회 개최

2017. 08
- 8월 제1회 자동차튜닝사 2급 자격검정시행
  전국 16개 대학과의 자격연계 자동차튜닝 인력양성을 위한 협약체결

2017. 07
- 자동차튜닝전문 인력 양성을 위한 전국대학 사업설명회 개최
  한국표준사업분류(KSIC) 자동차튜닝업 시행 및 한국표준분류(KSCO) 자동차튜닝원 고시

2017. 05
- 경기대학교 자동차튜닝공학과 신설을 위한 기초 연구 용역

2017. 02
- 산업통상자원부 튜닝산업 실태 조사를 위한 기초연구 용역

2017. 01
- 충북제천시 자동차튜닝클러스터 구축을 위한 로드맵 연구 용역
  한국표준산업분류 자동차튜닝업 고시

2016. 12
- 자동차튜닝 교수협의회 구성 산.학.관 워크샵 개최
  인천 송도 자동차 A&T 센터 자동차튜닝부분 제안사업 참여

2016. 09
- 영종도 오성산테마파크 자동차경기장 건립추진

2016. 08
- 자동차산업인적자원개발위원회(ISC) 우선협상기관 최종선정

2016. 07
- 산업부 & 국토부 주최 2016 서울오토살롱 주관

2016. 06
- 자동차튜닝사외 2개부분 민간자격 등록

2016. 04
- NCS기반 자동차튜닝외 5개분야 학습모듈 개발사업 수행

- 2016. 03 — 자동차전분야 NCS 및 신직업자격 보완사업 수행
- 2016. 01 — 협회 운영이사회 및 분과위원회 제2기 구성
- 2015. 12 — 국가직무능력표준(NCS) 자동차부분 개발사업 수행
- 2015. 08 — 한 · 독 자동차 메카트로닉스 자동차부분 전문기관 단독 참여
- 2015. 07 — 산업부 & 국토부 주최, 2015 서울오토살롱주관
협회부설 한국자동차튜닝연구소 개소(아주자동차대학)
- 2015. 05 — 한국표준산업분류 자동차튜닝업 & 자동차튜닝원 신설추진
- 2015. 04 — 강원도 인제 자동차 튜닝클러스터 조성 연구용역 수행
- 2015. 01 — 자동차정비 · 관리분야 국가역량체계(NQF)구축 시범사업 수행
- 2014. 12 — NCS 기반 자동차부분 자격종목재설계 개발사업 수행
- 2014. 11 — 국가직무능력(NCS) 자동차부분 개발사업 수행
- 2014. 10 — 산업통상자원부장관배 튜닝카 레이싱대회 주관
- 2014. 07 — 산업부 및 국토부 주최, 2014 서울오토살롱 주관
- 2014. 06 — 강원도 인제 튜닝산업 육성을 위한 기본구상 연구 용역
- 2014. 03 — 자동차튜닝업계현황 및 저변 활성화 방안 연구 용역
- 2014. 01 — 협회 운영이사회 및 분과위원회 구성
- 2013. 09 — 산업통상자원부산하 (사)한국자동차튜닝산업협회 인가

주요사업

전문인력 양성

· 원격훈련기관 업무 : 스마트–온라인교육
· 자동차튜닝 교육 · 훈련 프로그램 운영 : 학습교재 및 프로그램 개발
· 튜닝전문 교육 · 훈련 시행 : (특성화지정) 대학기관 및 고등학교 연계
· 모터스포츠 전문가 양성프로그램 운영 : 드라이버, 미케닉, 오피셜 등
· 자격검정시험 시행 : 자동차튜닝사(1급, 2급), 자동차튜닝평가사, 자동차튜닝장 등
· 자동차튜닝 대한민국명장 기능대회 시행 : 지역, 전국, 국제 기능올림픽대회

유통 및 홍보

· 수출지원 프로그램 운영 : 수출대행, 자금지원, 시장개척 등
· 자동차튜닝 전문전시회 주관 : 서울오토살롱 및 국제 전시회
· 튜닝정보이력정보 시스템 운영 : QR코드 및 전산화 지원
  튜닝부품사, 튜닝센터 및 튜닝업체 분야별, 등급별 인증 업무 수행
· 튜닝부품 및 튜닝업무 방송프로그램 홍보 지원
· 자동차튜닝 방송프로그램 제작

제도 및 품질보증

· 튜닝부품 품질보증 기관 업무 수행
· 튜닝부품 품질보증 Q마크인증 시행
· 튜닝부품 및 튜닝업무 하자보증제 시행
· 자동차튜닝산업 진흥법 입법추진

튜닝업체 지원

· 튜닝업등록증 발행 업무
· 자동차제작자 지원 : 다목적형
· 자동차제작사 튜닝부품 A–OEM 지원
· 전기자동차 및 자율주행차 튜닝프로그램 지원
· B2B 튜닝부품 쇼핑몰 운영
· 클린사업장 조성 및 오폐수처리 지원

모터스포츠 & 튜닝클러스터 조성

· 테스트베드기반 클러스터 : 지자체별 (상설경기장 포함)
· 자동차경주대회 개최 : 드래그, 드리프트, 짐카나, 오프로드 등
· 튜닝클러스터 입주기업 구성 : 입주사 자금지원, 네트워크 구축,
  자동차경주대회 개최

조직도(16개지부, 16개 분과, 440여개 회원사로 구성)

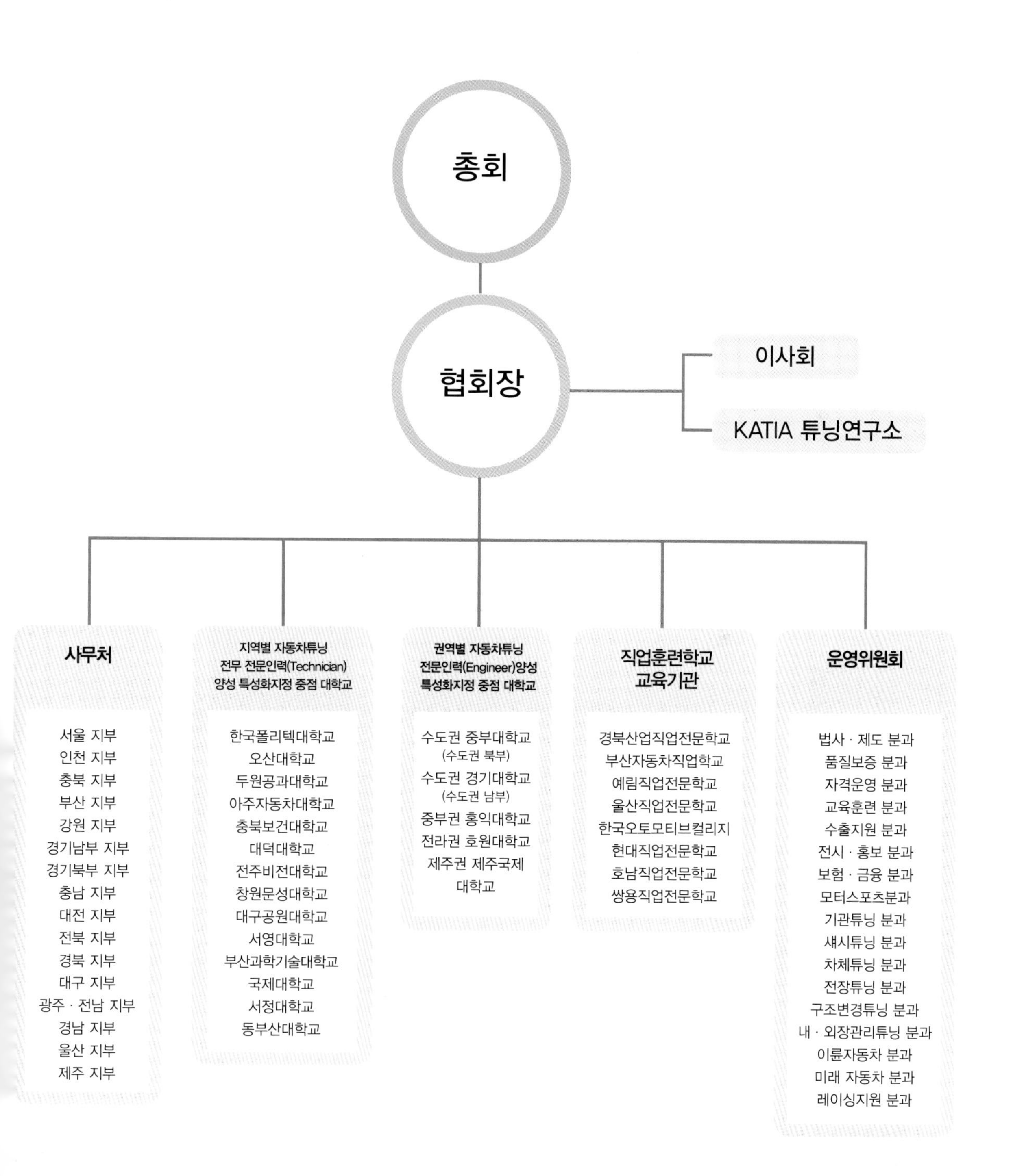

협회 사업 성과

2019

· 자동차튜닝산업법안 입법발의
· 자동차튜닝산업 활성화를 위한 국회 토론회 및 전시회 주관
· 자동차튜닝산업 입법을 위한 간담회 주관 시행

2018

· 고용노동부, 『숙련기술장려법』 시행령에 따라 "자동차튜닝", 〈대한민국명장 직종〉 선정 완료
· 우수 자동차튜닝부품, ebay, Amazon 미국 국내 최초 온라인수출 시행
· 자동차튜닝부품, 공인시험기관을 통해 국내최초 품질보증 Q마크인증 시행
· 자동차튜닝업자의 자질향상과 권익보호를 위한 자동차튜닝업등록증 발급업무 시행

2017

· 자동차튜닝엔지니어 육성방안으로 발표한 자동차튜닝사 자격검정시험 시행
· "자동차튜닝기사" 제4차 산업혁명 등 미래유망분야 국가기술자격 신설추진
  → 산업부&국토부 요청
· 자동차튜닝 전문인력 양성을 위한 전국 19개대학 협약체결
  → 특성화대학지정 및 튜닝학과목 신설추진

2016

· 한국직업능력개발원, 국가직무능력표준(NCS) "자동차튜닝" 학습모듈개발 수행
· 한국산업인력공단, 산업별 ISC공모 〈자동차산업 인적자원개발위원회〉 우선협상 단체로 선정
· 제13차 사회관계장관회의, 〈정부 육성 · 지원 신직업〉 "자동차튜닝엔지니어" 선정 완료

2015

· 통계청, 한국표준산업분류(KSIC) "자동차튜닝업(30202)" 신설추진
  → 2017년 7월 1일 시행 완료
· 통계청, 한국표준직업분류(KSCO) "자동차튜닝원(75107)" 신설추진
  → 2018년 1월 1일 시행 완료
· 강원도 인제 자동차튜닝클러스터 조성 연구용역 수행
  → 2016년 12월 산업부 예산집행 완료

2014

· 자동차튜닝전시회 서울오토살롱, 산업통상자원부 주최, 협회 주관 시행
  → 공식전시회인정 획득

자격제도와 교육과정

▶ 자동차튜닝사 (1급, 2급)

자격종목	등급	검정기준
자동차 튜닝사	1급	전문가로써 뛰어난 자동차튜닝 능력을 가지고 있으며 자동차 기관튜닝 차체튜닝, 섀시튜닝, 전장튜닝, 구조변경튜닝 등 활용수준이 상급단계에 도달하여 한정된 범위 내에서 자동차튜닝교육자, 자동차튜닝센터 사무를 수행 할 기본능력을 갖춘 상급 수준
	2급	자동차 튜닝분야의 기술을 보유하고 있으며, 업무수행과 관련 하여 상급자의 일반적인 지시 및 감독 하에 튜닝작업을 수행 할 기본능력을 갖춘 중급 수준

▶ 자동차튜닝장

자격종목	등급	검정기준
자동차 튜닝장	단일 등급	자동차 튜닝분야의 전문지식과 기술보유로 특정한 문제의 해결을 제시할 수 있고, 현장의 튜닝설비와 인력을 고려한 튜닝작업 설계와 타인에게 컨설팅을 할 수 있는 전문능력을 갖춘 자로 자동차튜닝업장에서 업무를 주도 할 수 있는 자율책임을 갖춘 전문가 수준

▶ 자동차튜닝평가사

자격종목	등급	검정기준
자동차튜닝 평가사	단일 등급	자동차 튜닝분야에 대한 포괄적인 진단지식과 튜닝상태를 진단하고 분석 · 평가할 수 있는 능력과 자동차튜닝과 관련된 신기술의 습득으로 새로운 장비의 운용이 가능하고, 자동차튜닝상태에 따라 가격 및 시세 평가가 가능하며, 튜닝작업이 적법하게 이뤄지는지를 평가 할 수 있어야 하고, 품질보증과 자동차성능검사와 시험평가 분에서 뛰어난 전문가 수준

▶ 자동차튜닝 교육센터 교육과정 소개

스테이지1 – 튜닝

튜닝 메이커의 대량 생산 과정에서 생산단가와 가공시간 및 공정에서 오는 결함을 해결하는 정도의 튜닝을 말하며 메이커 설계 상의 성능을 목표로 한다.

1. 자동차 공학
2. 내연기관
3. 자동차섀시
4. 기계공작법
5. 자동차전기
6. 용접기초
7. 자동차튜닝 개론

▶

스테이지2 – 튜닝

컨셉에 따라 운전자가 보유 자동차의 불만부분을 해소 하는 단계로 설계상의 성능보다 향상된 성능을 목표로 한다.

8. 진동학
9. 열역학
10. 재료역학
11. 기구학
12. 제도(2D/3D CAD)
13. 자동차요소 설계
14. 용접응용
15. 자동차튜닝 기초

▶

스테이지3 – 튜닝

처음 출고된 자동차의 성능에 관계없이 고출력 고성능의 주행 성능을 목표로 하는 튜닝을 말한다.

16. 동력학
17. 기계설계
18. 제도 (Catia)
19. 도면해석
20. 유체역학
21. 기계공작법
22. 자동차튜닝 응용

(사)한국자동차튜닝산업협회 사업목표

▶ 입법 : 청년 일자리창출과 튜닝산업 활성화를 위한 "네거티브형태의 튜닝산업 진흥법" 입법 추진 중

▶ 자격 : 전문가 인증과 양성을 위해 시행 중인 "자동차튜닝사"〈국가공인〉 자격 획득 추진 중 (2019년)

▶ 등록 : 자동차튜닝업 사업등록증 발급에 따른 국세청연계 사업자등록 신청 및 추가등록 시행

면적기준

가. 부대시설 면적이란, 작업장을 제외한 사무실, 검차장, 부품창고, 휴게실 등을 포함한 사업장 운영공간

나. 사업장 면적이 500㎡이상일 경우 건축법에 따라 산업지역에 위치해야 하고, 500㎡ 미만일 경우 제2종 근린생활 지역에 사업장 위치

시설기준

가. 시설기준은 법정 구비 장비와 법정 사용계약 장비로 나뉘며 자동차튜닝 분야에 따라 장비기준이 달라짐

인력기준

가. 전문인력은 상시 근무하는 기능 · 기술인력을 말하며, 「자격기본법」, 「국가기술자격법」이나 그 밖의 법령에 따라 기능 · 기술자격 정지 및 업무정지 처분을 받은 사람은 제외

※ 이 경우 기능 · 기술인력이 등록기준에 미달되는 경우에는 1개월 내로 보완

▶ 교육 : 전문인력 양성을 위한 원격훈련센터 지정 및 전국 30개 대학교 특성화대학 지정

▶ 경기 : 드라이빙과 튜닝기술 향상을 위한 경연장인 "자동차경주대회"개최

※드래그레이스, 드리프트, 오프로드, 짐카나, 오토크로스 등

▶ 대회 : 대한민국명장 및 우수 숙련기술자 장려를 위한 '자동차 튜닝 기능올림픽대회' 시행

고용노동부고시 제 2017 - 94호

「숙련기술장려법」 제11조제1항제1호 및 같은 법 시행령 제10조에 따라 대한민국명장 직종을 다음과 같이 고시합니다.

2017년 12월 28일

고 용 노 동 부 장 관

대한민국명장의 직종 고시

대한민국명장의 직종은 별표와 같다.

부칙

이 고시는 2018년 1월 1일부터 시행한다.

대한민국명장의 직종

분 야	직 종
1.기계설계	기계설계
2.기계가공	정밀측정, 절삭가공
3.기계조립 · 관리정비	기계조립, 기계생산관리, 기계정비, 냉동공조설비
4.금형	금형
5.차량철도	자동차정비, 자동차튜닝, 철도시설유지 · 보수, 철도신호제어, 철도차량 설계제작
6.선박 · 항공	선박설계, 선박건조, 선박정비, 선박검수검량, 항공기 정비 및 제작
7.금속재료	재료시험, 금속재료제조, 주조, 소성가공, 열처리, 표면처리, 판금 · 제관, 용접
8.소재개발	세라믹제조, 신소재, 나노기술
9. 화학물 및 화학공정관리	화공, 화약류 제조
10.전기	전기
11.전자	전자기기, 컴퓨터시스템, 반도체개발, 의료장비제조, 디스플레이개발, 로봇개발
12.정보기술	정보처리, 정보통신, 가상현실기술, 증강현실기술, 인공지능, 감성인식기술, 정보보안, 빅데이터분석
13.통신기술	유선통신구축, 무선통신구축
14.방송기술	방송기술
15.광학	광학
16.토목	토목설계, 측량 및 지리정보 개발
17.건축	보일러, 배관시공, 건축설비, 건축시공, 건축목공시공, 창호시공, 건축설계, 실내건축
18.섬유제조	섬유가공, 텍스타일디자인
19.패션	패션디자인, 한복생산, 신발개발 · 생산
20.에너지 · 자원	에너지
21.해양자원	잠수
22.농업	농업
23.축산	축산
24.임업	임업, 임산물생산가공
25.수산	수산양식
26.식품가공	식품가공
27.디자인	제품디자인, 시각디자인
28.문화콘텐츠	애니메이션, 영상편집
29.공예	도자공예, 석공예, 목칠공예, 자수공예, 인장공예, 보석및금속공예, 화훼장식
30.인쇄 · 출판	인쇄 · 출판
31.이 · 미용	미용, 이용
32.조리	요리
33.제과 · 제빵	제과 · 제빵
34.산업환경	환경관리
35.산업안전	산업안전관리, 위험물안전관리, 산업보건관리, 가스, 비파괴검사
36.소방 · 방재	소방설비
37.품질관리	품질관리

▲ 고용노동부고시 제 2017-94호 대한민국 명장직종

▶ 제조 : 튜닝부품 수출 및 전시회 지원 및 국내 신차 제작사 튜닝옵션 A-OEM 사업

> **A-OEM이란?**
> 애프터마켓 OEM이라고 하며, 신차 생산라인에 투입되는 OEM단계가 아닌 출고 후, 고객의 필요에 맞게 외부업체 에서 추가장착 후 신규차량등록을 하는 방식.
> 미국 등 선진국에서는 보편화된 사업으로 일정대수를 정해놓고 진행함으로써 한정판으로 운영
> 1차대상 부분 : 에어로파츠, 제동장치, 현가장치, 배기장치, 휠, 내외장재, 인스톨

튜닝활성화 시행 사업

● 자동차경주 Festival

▶ 진행계획

· 협회공인 경주페스티벌 개최, 전국 4개 지역 (전남, 강원, 경기, 경북 등)
· 상 · 하반기 순위를 합산하여 서울오토살롱기간 내 분야별 시상 (경기우승, 프로모터, 감독, 미케닉, 오피셜 등)
· 시즌별(상 · 하반기) 종목별 입상자에 한해 시상 및 국제대회(한 · 중 · 일) 출전자격 부여 (드래그, 짐카나, 드리프트, 오프로드, 오토크로스 등)
· 드래그레이스 연 6회 (상 · 하반기 각 3회) 짐카나, 드리프트 연 8회 (상 · 하반기 각 4회) 오프로드, 오토크로스 연 4회 (상 · 하반기 각 2회) 등
· 서킷택시 운영
· 시뮬레이션 자동차 경주대회

● 자동차튜닝 기능올림픽대회

▶ 진행계획

· 참가자격 : 자동차튜닝사 자격소지자
· 자동차튜닝 지방기능올림픽대회 전국 9개 지역 (경기, 부산, 인천, 대구, 대전, 광주, 전북, 충남, 강원)
· 지방기능올림픽대회 입상자는 자동차튜닝사 1급 자격부여
· 지방기능올림픽대회 입상자(1,2,3위)로 전국기능올림픽대회 최종 개최
· 기능올림픽대회의 1위 입상자를 숙련기술자로 추대 (우수숙련기술자는 추후 대한민국명장 후보)

자동차튜닝업

◆ 한국표준산업분류(KSIC) 2017. 01. 13 고시, 2017. 07. 01 시행

◆ 산업분류명 자동차 구조 및 장치변경(튜닝) 산업분류코드 30202

"자동차튜닝업(30202)"

▶ 업종에 대한 해설

각종 자동차의 성능 향상을 위한 구조변경과 적재, 승차장치 구조를 변경하는 산업활동으로 엔진출력 향상은 연소실 압축비 변경, 라디에이터, 오일펌프 등 관련 부품 또는 장치를 변경하는 작업을 포함한다.
그 외 제동장치, 현가장치, 냉각장치, 섀시, 차량 중량 등 기본 설계기준을 재설계 하여 주행성능, 제동성능, 조정안전성 등을 향상시키거나 구조, 장치 및 부품 소재(티타늄, 카본파이버, 우레탄 등) 까지 변경작업이 가능하고, 자동차 전.후 축의 중량 및 길이. 너비. 높이 등을 변경하는 작업도 포함된다.

◆ 사업자등록 안내

업 태 : 제조
업 종 : 자동차 구조 및 장치변경 (튜닝)

◆ 사업장입주조건

500㎡ 이하 건축법에 의한 용도별 건축물의 종류상 제2종 근린생활시설 입주가능

제2종 근린생활시설

제조업소, 수리점 등 물품의 제조, 가공, 수리 등을 위한 시설로서 같은 건축물에 해당 용도로 쓰는 바닥면적의 합계가 500제곱미터 미만이고 다음 요건 중 어느 하나에 해당하는 것

1)"대기환경보전법","수질 및 수생태계 보전에 관한 법률"또는"소음.진동관리법"에 따른 배출시설의 설치허가 또는 신고의 대상이 아닌 것

2)"대기환경보전법","수질 및 수생태계 보전에 관한 법률"또는"소음.진동관리법"에 따른 배출시설의 설치 허가 또는 신고의 대상 시설이나 귀금속, 장신구 및 관련 제품 제조시설로 발생되는 폐수를 전량 위탁 처리하는 것

500㎡ 이상 건축법에 의한 용도별 건축물의 종류상 공업지역

출처 : 2017 미래를 함께 할 새로운 직업(고용노동부, 한국고용정보원
정부육성, 지원 신직업- 자동차튜닝엔지니어

자동차튜닝엔지니어

자동차 소유자의 취향과 감성을 반영하는 자동차튜닝엔지니어

연예인 노홍철은 예능프로그램 '무한도전'에 출연 당시 호피무늬로 도색한 자신의 자동차를 보여주며 개성을 드러냈습니다. 도로에서 흔히 볼 수 있는 경차는 호피무늬의 옷을 입은 후 '홍카'라고 불리며 많은 관심을 받았죠. 또 다른 예능프로그램 '나 혼자 산다'에서는 웹툰작가 기안84가 자신의 자동차를 빨간색, 파란색 등의 페인트로 칠한 후 보닛 위에 이니셜까지 새겨 넣는 장면이 방송되었는데요. 다소 난해해보일 수 있는 컬러와 디자인이었지만 인터넷에서는 평소 자유분방한 성격의 기안84에게 어울리는 자동차 튜닝이라는 긍정적인 평가가 이어졌습니다.

자동차 튜닝은 개성 넘치는 연예인이나 일부 자동차 마니아들만 한다는 인식이 존재합니다. 너무 튀거나 위협적이라며 자동차 튜닝을 부정적으로 보는 시선도 있죠. 그러나 개성을 중시하는 젊은 운전자가 증가하고 개인 감성을 충족시키려는 욕구가 증대되면서 자동차 튜닝수요는 꾸준히 늘고 있습니다. 자동차 제조사가 공급하는 획일적인 디자인과 성능을 거부하고 자신의 취향에 맞춘 디자인과 성능의 자동차를 갖고 싶어 하는 것이죠.

이미 일본, 미국, 독일 등에서 자동차 튜닝은 낯선 일이 아닙니다. 자동차 대국인 일본에서는 매년 커스텀카(튜닝카) 이벤트인 '도쿄 오토살롱'을 개최하고 있으며, 2015년에서는 참가인원만 30만 명을 기록했습니다. 자동차 강국인 독일은 이미 1980년대부터 자동차 튜닝을 정부 차원에서 육성하기도 했습니다.

국내에서도 자동차 튜닝시장은 빠르게 성장하고 있습니다. 현재 많은 이들이 온라인상에서 자동차 튜닝에 대한 다양한 정보를 공유하고 있으며, 직접 자동차 튜닝에 나서기도 합니다. 그러나 고가의 자동차를 변형하는 일인 만큼 튜닝기술과 센스를 겸비한 전문 인력에 대한 수요도 확대되고 있는데요. 자동차 디자인과 성능을 자동차 소유자의 요구에 맞게 튜닝하는 '자동차튜닝엔지니어'에 대해 알아보겠습니다.

수행직무

차의 성능과 기능을 향상시키기 위하여 자동차의 구조 및 장치를 변경하거나 외관을 꾸미는 것이 튜닝이다. 자동차튜닝엔지니어는 자동차의 기능을 향상하거나 형태를 변화하기 위해 합법적 범위 내에서 자동차를 개조하는 사람으로, 자동차튜너로도 불린다.

튜닝은 자동차 적재장치 및 승차장치의 구조를 변경하는 빌드업튜닝(Buildup tuning), 각종 장치의 성능을 향상시키는 튠업튜닝(tune-up tuning), 취향에 맞게 외관을 변경, 색칠하거나 부착물 등을 추가하는 드레스업튜닝(dress-up tuning)으로 구분된다.

자동차튜닝엔지니어는 자동차를 변형(튜닝)하려는 목적을 파악하여 자동차 개조계획을 수립한 후, 튜닝을 위한 견적을 산출한다. 이때 경주용 튜닝의 경우 경기규칙을 검토하고 규정되어 있는 튜닝 범위를 확인해야 한다. 튜닝을 위하여 자동차의 엔진, 타이어, 휠, 오디오, 핸들, 범퍼 등의 부품을 교체, 부착 및 변형한다. 튜닝작업이 완료되면 시험운전을 통해 자동차에 이상이 없는지 확인한다.

해외현황

[미국]

미국에서는 자동차튜닝엔지니어가 자동차 정비원(Automotive Service Technicians and Mechanics)의 세부직업으로 소개

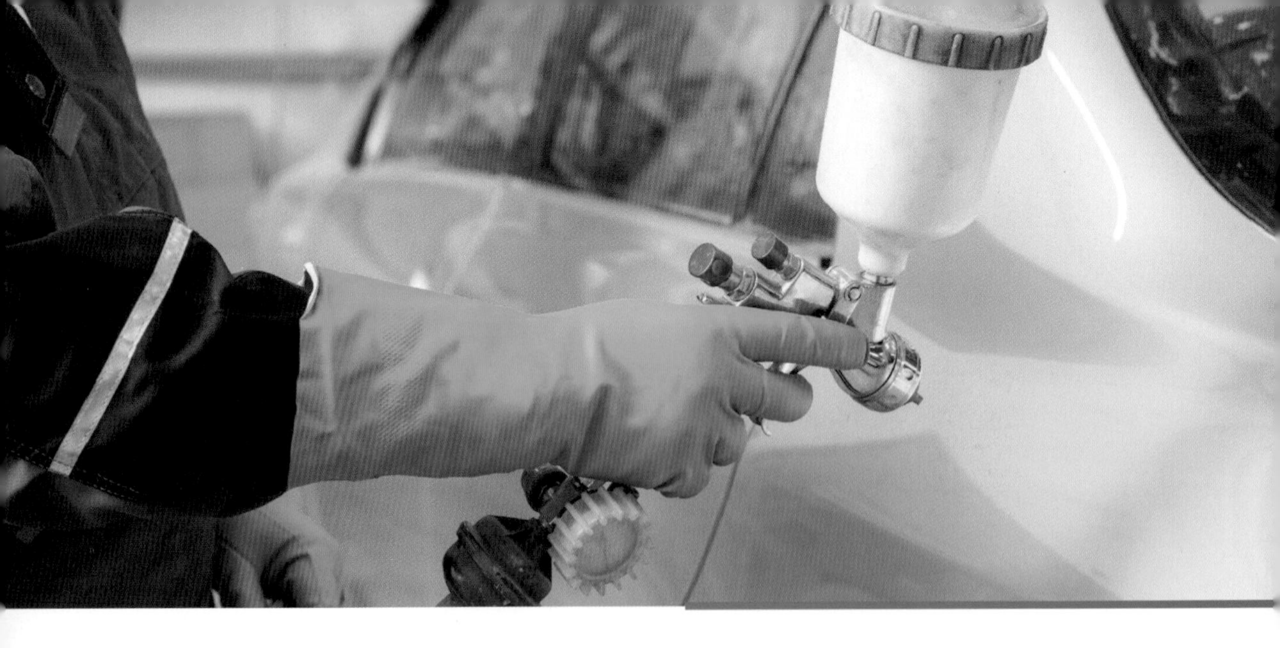

되고 있다. 자동차정비원은 냉동공조분야(Automotive air-conditioning repairs), 브레이크 분야(Brake repairs), 프런트-리어 분야(Front-end mechanics), 트렌스미션 분야(Transmission technicians and rebuilders), 주행성 분야(Drivability technicians) 등에서 활동한다고 제시되어 있다. 자동차튜닝엔지니어는 자동차 엔진이 효율적으로 작동하는 데 문제가 되는 원인을 종합적으로 분석·진단·정비하는 주행성 분야 정비원으로 볼 수 있다.

주로 자동차 관련 학과나 훈련과정이 개설되어 있으며 자동차정비 관련 자격이 있다. 자동차 튜닝과 관련해서는 직업학교를 중심으로 다양한 교육기관이 마련되어 있다. 특히 엔진, 변속기 등 파워트레인의 고성능 튜닝을 비롯하여 모터스포츠학과가 많다.

미국직업전망(OOH)에 따르면, 자동차튜닝엔지니어의 임금자료는 없으며 자동차정비원은 2014년 기준 37,120달러(전체 직업 평균 35,540달러)를 받는다.

[영국]

세계 최대 모터산업 종주국인 영국은 세계 최고의 모터스포츠(튜닝)학교 및 학과가 많다. 이런 문화적 배경 아래 F1팀의 본사 대부분이 영국에 있다. 영국은 모터스포츠 팀을 중심으로 산학연 프로그램이 짜임새 있게 구축되어 있다.

영국에서 자동차튜닝엔지니어는 Car tuning specialist, Performance car tuning specialist, Auto tuner, Imported car tuner, Motor sports engineer 등으로 불린다. 이들은 주로 전문튜닝회사, 일반 자동차정비소 등에서 도제식으로 업무를 배운다. 도제기간은 통상 3년 정도다.

대규모 튜닝회사에 근무하는 경우 자동차정비원(mechanic)의 임금을 상회하는데, 일반적으로 4년 정도 경험이 있는 정비원이 25,000파운드 정도를 받는다.

[독일]

독일의 튜닝시장은 23조 정도로 상당히 큰 규모다. 자동차튜닝엔지니어는 Auto(mobil) tuner, Auto Tuning Spezialist, (Kraft) Fahrzeug Tuning Spezialist 등 다양한 명칭으로 불린다.

관련된 별도의(법이 정한) 직업교육은 없으며, 주로 자동차 정비, 자동차 메카트로닉 또는 도장(Paintwork) 관련 직업교육 이수자가 튜닝업체 또는 자동차 정비소에 관련 지식 및 기술을 습득하는 방식으로 훈련이 이루어진다.

마이스터 자격 취득 후 정비소가 튜닝업체 개업이 가능하다. 자동차 튜닝 관련하여 자동차튜너협회(VDAT, Vervand der Automobil Tuner)가 있으나 인력양성보다는 주로 자동차 제조사와의 협업, 튜닝제품 품질검사, 관련법, 홍보 등을 담당한다. 자동차튜너(자동차메카트로니커)의 평균 월급은 약 2,460유로(세전 약 327만 원,2014)다.

[일본]

일본에서는 카튜너, 또는 커스텀매커닉으로 불리는데 '커스터마이징정비사', '주문제작정비사' 라고 할 수 있다. 한국에서 자동차 커스터마이징은 주로 '튜닝'이라는 말로 통용되고 있으므로, '튜닝 정비사'라고 할 수 있을 것이다. 이들은 주로 자동차튜닝업체 등에서 활동하며 디자인이나 차체 구조를 개조해 개성 있는 차량을 완성하는 업무를 수행한다. 고등학교를 졸업하거나 대학(기계과 등을 전공하면 유리), 전문대학, 전문학교 등에서 자동차정비 관련 전공을 한 뒤 자동차튜닝업체에서 경험을 축적하면 커스텀메커닉이 될 수 있다. 국가자격인 자동차정비사와 달리 반드시 필수적인 자격증을 취득해야 하는 것은 아니며 자격증보다는 개인의 자질과 능력이 더 중시된다. 일본은 영국과 함께 세계 최고 수준의 전문 모터스포츠 학과 및 튜너 양성 학과를 운영하고 있는데 자동차 제작사는 전문적인 튜너를 양성하는 전문튜닝학교(혼다인터내셔널 테크니컬, 도요타 동경정비전문학교, 닛산정비학교 등)를 설립해 인력을 양성한다.

국내현황

국내 자동차 튜닝시장은 미국, 독일, 일본에 비해 아직 열세이며 자동차 생산량이 세계적인 수준임을 감안하면 이제 걸음마 수준이라고 할 수 있다. 이는 튜닝대상 항목에 대한 규제, 소비자 보호장치 및 제작자 튜닝 지원제도 부재, 튜닝에 대한 인식 부재 등이 원인으로 꼽힌다.

정부가 2014년 '자동차 튜닝산업 진흥대책'에 따라 자동차 튜닝기준을 마련하고 제도적 틀 안에서 튜닝시장을 건전하게 키우겠다는 계획을 세웠다. 주요 내용은 튜닝 허용 확대, 튜닝 부품인증제, 튜닝시장 확대, 튜닝산업분류 신설 등이다. 이후 소형화물차 포장탑, 화물차 바람막이, 연료 절감 장치 등은 허가 없이 장착가능하며, 벤형 화물차 적재함의 투명유리 교체도 허가 없이 가능해졌다. 또한 모범 튜닝 업체에는 선정·인증마크를 수여하고 튜닝특화 고교 및 대학을 선정하여 기능·고급인력을 양성 지원하고자 한다.

현재 국내 튜닝업체에서는 자동차튜닝엔지니어 채용 시 자동차정비기능사 이상의 자격을 요구하는 것이 일반적이다. 아직 국가자격은 없으나 한국자동차튜닝산업협회, 한국자동차튜닝협회 등에서 민간자격(자동차튜닝사)을 운영하고 있기는 하다.

자동차튜닝엔지니어에 대한 공식적인 통계는 없으나 대략 국내 튜닝 관련 업체가 500~2,000개에 달하는 것으로 업계에서는 추정하며 자동차튜닝만을 전문으로 하는 업장도 있으나 대부분 자동차 정비업을 겸하고 있다.

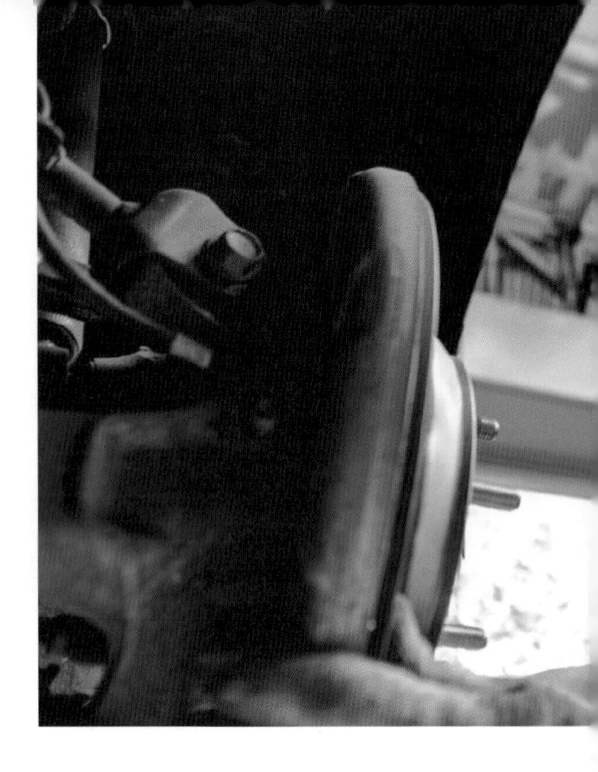

필요 역량 및 교육

기본적으로 자동차에 대한 애정과 관심이 있는 자에게 적합한 직업이며, 독창적인 아이디어를 구현할 수 있어야 하므로 미캐닉에 대한 센스뿐 아니라 디자인 감각을 갈고 닦아야 능력을 인정받을 수 있다, 차종 및 해당 차종에 대한 적합한 부품에 대한 폭넓은 지식을 갖춰야 하며 용접, 판금, 기계가공, 도장, 부품이나 차량 사양에 관한 트렌드를 파악하는 것도 중요하다. 다양한 고민과 요구사항을 제시하는 고객을 상대로 자신의 지식과 기술을 총동원해 상담에 응하고 적절한 조언을 해줄 수 있어야 하는 만큼 커뮤니케이션 능력과 서비스 정신이 요구된다, 또한 튜닝 범위가 법적으로 제한되는 만큼 허용되는 범위 내에서 창의성과 서비스 정신을 발휘할 수 있는 직업윤리가 요구 된다.

자동차튜닝엔지니어로 종사하기 위해서는 자

동차수리업체나 자동차튜닝 전문점 등에서 경험을 쌓는 것이 유리하다.

최근 전문대학을 중심으로 튜닝엔지니어를 양성하기 위한 학과들이 꾸준히 개설되고 있는 추세이며, 4년제인 경기대학교가 자동차튜닝공학과를 신설하여 2018년부터 운영한다.

향후 자동차튜닝엔지니어는 정부의 전문 인력 양성 추진계획에 따라 기술인력(Engineer)과 기능인력(Technician)으로 나누어 양성될 예정이다. 대학뿐만 아니라 자동차관련 학과가 설치된 고등학교도 10개 이상이다. 이들 과에서는 자동차디자인, 자동차 IT, 자동차정비 등을 배운다. 한편 직접적인 관련은 낮지만 직업훈련기관이나 직업학교 등의 자동차 정비 관련 훈련과정도 튜닝엔지니어 인력 양성에 긍정적인 역할을 할 것으로 보인다. 현재 튜닝업체에서 일하는 인력의 경우 자동차정비를 담당하던 인력이 기술과 경험을 쌓아 튜닝분야로 진입하는 경우가 간혹 있다.

향후 전망

그동안 자동차튜닝은 산업분류와 직업분류도 없이 정비업에 혼재되어 있거나 도소매업 등으로 합법과 불법의 경계선으로 이뤄져 왔다. 그러나 정부 차원에서 자동차튜닝산업 활성화를 위해 자동차튜닝업 및 자동차튜닝원 신설이 추진되어 2017년 1월 한국표준산업분류(KSIC) 개정·고시를 통해 자동차튜닝업이 신설되었다. 자동차튜닝업 신설로 인해 정비업과 분류되어 독립된 산업군으로 사업을 영위하게 되면 좀 더 안정적인 튜닝산업의 기틀이 마련될 것으로 보인다.

또한 제4차 산업혁명 시대를 대비하여 정부가 자동차튜닝업을 신성장산업으로 지정하였고 자동차튜닝엔지니어를 국가기간·전략산업직종으로 선정한 바 있다. 향후 자동차튜닝업이 제조업의 한 분야로 신설됨에 따라 그동안 영세시장으로 평가받았던 자동차튜닝업체데 대한 인식을 새롭게 하여 체계적인 지원을 이끌어 낼 계기로 작용할 전망이다, 지자체에서도 튜닝클러스터 조성에 적극 나서고 있어 추후 중소·중견으로의 성장이 가능할 것으로 보인다.

자동차정비업과 자동차튜닝업의 작업구분 비교

사례

정비범위	자동차전문정비업	자동차튜닝업
원동기	· 에어클리너엘리먼트의 교환 · 오일펌프를 제외한 윤활장치의 점검 · 정비 · 디젤분사펌프 및 가스용기를 제외한 연료장치의 점검 · 정비 · 냉각장치의 점검 · 정비 · 머플러의 교환 · 실린더헤드 및 타이밍벨트의 점검 · 정비 (원동기의 종류에 따라 매연측정기 · 일산화탄소측정기 또는 탄화수소측정기를 갖춘 경우에 한한다) · 윤활장치의 점검 · 정비 · 디젤분사펌프 및 가스용기를 제외한 연료장치의 점검 · 정비 · 배기장치의 점검 · 정비 · 플라이휠(flywheel) 및 센터베어링(centerbearing)의 점검 · 정비	· 엔진 및 밋션 오일클러 장착 (자동차튜닝사 2급) · 냉각수브리더 탱크제작, 장착 (자동차튜닝사 2급) · 인터클러 및 인터쿨러 라인 제작, 장착 (자동차튜닝사 2급) · 경량풀리 제작, 장착 (자동차튜닝사 2급) · 인테이크 제작, 장착 (자동차튜닝사 2급) · ECU 켈리브레이션 튜닝 (자동차튜닝사 1급) · 대용량 터빈 인젝터 튜닝 (자동차튜닝사 1급) · 엔진 클리어런스 및 보링, 터보 과급기 장착 (자동차튜닝사 1급) · 배기머플러 제작, 장착 (자동차튜닝사 2급) · 듀얼머플러 구조변경 (자동차튜닝사 2급) · 커스텀 배기라인 제작 (자동차튜닝사 2급) · 가변배기 제작, 장착 (자동차튜닝사 2급) · 엔진 압축압력 변경, 캠샤프트와 밸브스프링 등 셋팅(자동차튜닝사 1급) · 흡기포팅, 배기포팅, 배기단열 (자동차튜닝사 1급) · 하이캠-실린더헤드, 단조피스톤, 단조컨로드, 스트로크깃 제작 및 장착 (자동차튜닝사 1급) · 실린더보어업, 강화슬리브, 경량단조 크랭크 제작, 장착(자동차튜닝사 1급) · 대용량 오일팬, 드라이섬프, 고속냉각팬, 대용량 인젝터, 대용량 인젝터, 연료압 레귤레이터 장착 (자동차튜닝사 1급) · 엔진 스왑(업그레이드) (자동차튜닝사 1급) · 전기모터 스왑 (자동차튜닝사 1급) · 액티브 사운드 제작, 장착 (자동차튜닝사 2급)
동력 전달장치	· 오일의 보충 및 교환 · 액셀레이터케이블의 교환 · 클러치케이블의 교환 · 클러치의 점검 · 정비 · 변속기의 점검 · 정비 · 차축 및 추진축의 점검 · 정비 · 변속기와 일체형으로 된 차동기어의 교환 · 점검 · 정비	· 튜닝용 클러치 장착 (자동차튜닝사 2급) · L.S.D 장착 (자동차튜닝사 2급) · 변속레버 퀵시프트 (자동차튜닝사 2급) · 튜닝용 변속기 교체 (자동차튜닝사 1급) · 경량 플라이휠 작업 (자동차튜닝사 2급) · 릴리스베어링 간극조정 및 제작 (자동차튜닝사 1급) · 트윈플레이트 클러치 셋팅 (자동차튜닝사 1급) · 구동축 변경 (자동차튜닝사 2급) · 기어비(종감속) 작업 (자동차튜닝사 1급) · 미션 스왑(업그레이드) (자동차튜닝사 1급)

제동장치	· 오일의 보충 및 교환 · 브레이크 호스 · 페달 및 레버의 점검 · 정비 · 브레이크라이닝의 교환 · 브레이크 파이프 · 호스 · 페달 및 레버와 공기탱크의 점검 · 정비 · 브레이크라이닝 및 케이블의 점검 · 정비	· 대용량 캘리퍼 2P, 4P, 6P, 8P 브레이크 장착 (자동차튜닝사 2급) · 강화브레이크 호스 장착 (자동차튜닝사 2급) · 경량 디스크로터 장착 (자동차튜닝사 2급) · 튜닝용 브레이크 켈리퍼, 패드, 디스크 장착 (자동차튜닝사 2급) · 브레이크 배분, 압력 등 조율 셋팅 작업 (자동차튜닝사 1급) · 브레이크 브라켓제작 (자동차튜닝사 2급) · 브레이크 타입(슈→디스크)변경 (자동차튜닝사 1급) · 유압사이드브레이크 장착 (자동차튜닝사 1급) · 전자파킹 사이드브레이크에 추가 캘리퍼 장착 (자동차튜닝사 2급)
조향장치	· 조향핸들의 점검 · 정비	· 드리프트용 와이드 타각 킷 (자동차튜닝사 1급) · 웜기어 교환 및 작업 (자동차튜닝사 1급) · 스티어링휠 조향 셋팅 (자동차튜닝사 2급) · 튜닝용 스티어링휠 장착 (자동차튜닝사 2급)
주행장치	· 허브베어링을 제외한 주행장치의 점검 · 정비 · 허브베어링의 점검 · 정비 · 차륜(허브베어링을 포함한다)의 점검 · 정비 (차륜정렬은 부품의 탈거등을 제외한 단순조정에 한한다)	· 튜닝용 얼라이먼트 조정 (자동차튜닝사 2급) · 허브스페이서 (자동차튜닝사 2급) · 휠/타이어 튜닝 및 인치업 튜닝 (자동차튜닝사 2급) · 일체식 허브베어링 작업 (자동차튜닝사 1급)
완충장치	· 다른 장치와 분리되어 설치된 쇽업쇼바의 교환 · 쇽업쇼바의 점검 · 정비 · 코일스프링(쇽업쇼바의 선행작업)의 점검 · 정비	· 일체형 쇽업쇼바 차고조정, 장착 (자동차튜닝사 2급) · 코일오버 쇼크압쇼바 장착 (자동차튜닝사 2급) · 로워링 스프링 장착 (자동차튜닝사 2급) · 필로우볼 장착 (자동차튜닝사 2급) · 에어쇼바 장착 (자동차튜닝사 2급) · 로어암 교체작업 (자동차튜닝사 2급) · 차체완충 부싱작업 (자동차튜닝사 2급)
전기장치	· 전조등 및 속도표시등을 제외한 전기장치의 점검 · 정비 · 전조등 및 속도표시등을 제외한 전기 · 전자장치의 점검 · 정비	· 전조등 오토헤드램프 장착, 전조등 탈,부착 (자동차튜닝사 2급) · LED간접조명 설치(내부) (자동차튜닝사 2급)
기타	· 안전벨트를 제외한 차내설비의 점검 · 정비 · 판금 · 도장 및 용접을 제외한 차체의 점검 · 정비 · 세차 및 섀시 각부의 급유 · 판금 또는 용접을 제외한 차체의 점검 · 정비 · 부분도장 · 차내설비의 점검 · 정비 · 세차 및 섀시 각부의 급유	· 아크 + 알곤 용접 (자동차튜닝사 2급) · 바디킷(에어로파츠 장착) 제작, 장착 (자동차튜닝사 2급) · 스테빌라이저, 언더브레이스, 스트럿바 장착 (자동차튜닝사 2급) · 안전 · 편의장치(버킷시트, 썬루프 등) 추가 장착 (자동차튜닝사 2급) · 자동차 방음, 방진, 노이즈제거 (자동차튜닝사 2급) · 적재함 롤바, 커버, 하드탑 장착 (자동차튜닝사 2급) · 전기차 개조 작업 (자동차튜닝사 1급) · 다목적차량 개조 작업 (자동차튜닝사 1급)

● 교재 집필진

전광수 한국폴리텍대학 교수
조승완 부산과학기술대학 교수
이동원 아주자동차대학 교수
전택종 머피아 연구소장
윤재곤 서영대학교 교수
박희석 한국카케어전문학원 대표
이영율 (주)율앤카 대표
조일영 두원공과대 교수
이상문 동부산대학 교수
이홍식 중부대학교 교수
한성철 국제대학교 교수

● 교재 심의위원

유승학 중부대학교 교수
유충준 경기대학교 교수
조수호 하이큐모터스 대표
고경태 피드백오토샵 대표
변창균 녹턴(Nocturne) 대표
우명철 덱스크루 청주점 대표
이홍준 (주)덱스크루 대표
이창형 AR 튜닝 대표

자동차튜닝 학습서 Ⅲ [전기장치 & 내외장 튜닝]

초판 인쇄 | 2019년 6월 10일
초판 발행 | 2019년 6월 17일

엮 은 이 | (사)한국자동차튜닝산업협회 편찬위원회
발 행 인 | 김길현
발 행 처 | (주)골든벨
등 록 | 제 1987-000018 호
I S B N | 979-11-5806-389-4
가 격 | 28,000원

이 책을 만든 사람들

편 집 | 이상호
본 문 디 자 인 | 안명철
웹 매 니 지 먼 트 | 안재명, 최레베카, 김경희
공 급 관 리 | 오민석, 김정숙, 김봉식
디 자 인 | 조경미, 김한일, 김주휘
제 작 진 행 | 최병석
오 프 마 케 팅 | 우병춘, 강승구, 이강연
회 계 관 리 | 이승희, 김경아

㊥ 04316 서울특별시 용산구 원효로 245(원효로1가 53-1) 골든벨빌딩 5~6F
• TEL : 도서 주문 및 발송 02-713-4135 / 회계 경리 02-713-4137
내용 관련 문의 02-713-7452 / 해외 오퍼 및 광고 02-713-7453
• FAX : 02-718-5510 • http : // www.gbbook.co.kr • E-mail : 7134135@ naver.com

www.gbbook.co.kr